Gütersloher Taschenbücher / Siebenstern 1

Dietrich Bonhoeffer

Widerstand und Ergebung

Briefe und Aufzeichnungen aus der Haft
Herausgegeben von Eberhard Bethge

Gütersloher Verlagshaus
Gerd Mohn

Lizenzausgabe mit freundlicher Genehmigung des
Chr. Kaiser Verlages, München

Übersetzt in 13 Sprachen (Englisch, Französisch, Italienisch, Spanisch,
Katalanisch, Portugiesisch, Niederländisch, Dänisch, Norwegisch,
Schwedisch, Finnisch, Japanisch, Chinesisch).

CIP-Kurztitelaufnahme der deutschen Bibliothek

Bonhoeffer, Dietrich:
Widerstand und Ergebung. Briefe und
Aufzeichnungen aus der Haft / Hrsg. von
Eberhard Bethge.
Gütersloh: Gütersloher Verlagshaus Mohn, 11. Auflage
des Taschenbuches (140.–159. Tsd.), 1980.
  (Gütersloher Taschenbücher Siebenstern; 1)
  ISBN 3-579-03785-4

ISBN 3-579-03785-4

11. Auflage des Taschenbuches: (140.–159. Tsd.), 1980
© Chr. Kaiser Verlag, München 1951
Gesamtherstellung: Clausen & Bosse, Leck
Umschlagentwurf: Dieter Rehder, Aachen, unter Verwendung
einer Illustration von Jan Buchholz / Reni Hinsch, Hamburg
Printed in Germany

Dietrich Bonhoeffer hat die ersten anderthalb Jahre seiner Haft in der Militärabteilung des Gefängnisses Berlin-Tegel zugebracht. Das war vom 5. April 1943 bis zum 8. Oktober 1944. Nach anfänglichen Schikanen war es ihm möglich, an die Eltern zu schreiben. Aus diesen Briefen ist der erste Teil dieses Buches ausgewählt. Die Gefängniszensur und vor allem der Untersuchungsführer, Dr. Roeder, haben diese Briefe mitgelesen und so natürlich mitbeeinflußt. Aber stärker ist der Wille zu spüren, der Familie das Herz zu erleichtern.

Nach einem halben Jahr hatte Bonhoeffer aber so gute Freunde unter den Wach- und Sanitätsmannschaften, daß er einen ausgedehnten Brief- und Zettelverkehr beginnen konnte, u.a. mit dem Herausgeber. Es bedurfte nur noch gewisser Vorsichtsmaßregeln. Mitteilungen über gefährdete Persönlichkeiten, über den Fortgang der Widerstandstätigkeit und über den Stand des Untersuchungsverfahrens blieben verklausuliert. Aber das Gespräch ging nun fort, bis die Belastungen nach dem 20. Juli und der Zossener Aktenfund (Dokumente, Tagebücher, Beweismaterial der um Canaris, Oster, Hans von Dohnanyi u. a. gruppierten Widerstandsleute) im September 1944 die Geheime Staatspolizei veranlaßten, Bonhoeffer in strengsten Gewahrsam in die Prinz-Albrecht-Straße zu verlegen. Leider sind bei dieser Wendung und bei der Verhaftung des Herausgebers im Oktober 1944 vorsichtshalber die Briefe des letzten Monats Tegel vernichtet worden. Die übrigen Briefe befanden sich in Sicherheit. Aus ihnen wurde der zweite Teil des Bandes zusammengestellt. Hier redet Dietrich Bonhoeffer unbeobachtet und ohne fremde Rücksichten von dem, was er erlebt, was er denkt und fühlt.

In diesen Briefen schickte er auch Teile seiner Arbeiten mit hinaus, Gebete, Gedichte, Gedanken. Bei dem kurzen »Haftbericht« dachte er an eine sachgemäße Unterrichtung seines Onkels, General von Hase, damals verantwortlicher Stadtkommandant von Berlin.

Vor unseren Augen entsteht von Seite zu Seite das Bild eines mit allen Sinnen durchlebten Zellendaseins, in dem das Persönlichste und die stürzenden Weltereignisse verarbeitet werden und eine erregende Einheit finden, die Einheit in einem überlegenen Geiste und einem sensiblen Herzen. All das findet seine erschütternde Zusammenfassung in dem kurzen Brief vom 21. Juli 1944 und den »Stationen auf dem Wege zur Freiheit«, als er die Nachricht vom Mißlingen des 20. Juli bekommt und mit dem sicheren Ende rechnet. Mitten in der ungeheuren Erschütterung des Mißlingens schlägt die Verantwortung für das Öffentliche um in eine ungebrochene neue Verantwortung, Folgen und verdoppelte Schmerzen zu tragen. Spätere Zeiten werden besser ermessen, daß diese zweite Verantwortung die erste noch einmal gerechtfertigt und mit dem Siegel des unzerstörbaren Erbes versehen hat. Dieses Erbe kann schlummern. Es geht nicht verloren.

In der Prinz-Albrecht-Straße gab es dann nur noch wenig Kontakte. Die wetterwendische Vollmacht der Kommissare entschied, ob Grüße, ob Bitten um lebensnotwendige Dinge heraus- und hereingingen. Eines Tages entdeckte die Familie, daß Dietrich verschwunden war. Die Geheime Staatspolizei verweigerte jede Aufklärung, wohin man ihn geschafft hatte. Das war im Februar. Erst im Sommer 1945, lange nach der Katastrophe, erfuhren wir den Weg: Buchenwald – Schönberg – Flossenbürg. Und nun kommt auch langsam Licht in das Dunkel um das Ende am 9. April 1945.

Den Briefteilen und den Arbeiten aus der Zelle vorangestellt ist eine Aufzeichnung »Nach zehn Jahren«, die Bonhoeffer an der Wende 1942 zu 1943 geschrieben und wenigen Freunden als Weihnachtsgeschenk zugedacht hatte. Damals waren schon Warnungen, vor allem an Hans von Dohnanyi, ergangen, daß das Reichssicherheitshauptamt auf Verhaftung dränge und Material zur Unterlage sammle. Zwischen Dachziegeln und Sparren hat dieses Schriftstück Haussuchungen und Bomben überstanden: Ein Zeugnis von dem Geist, in dem man damals gehandelt und dann auch gelitten hat.

Im August 1951   *Eberhard Bethge*

Zehn Jahre sind im Leben jedes Menschen eine lange Zeit. Da die Zeit das kostbarste, weil unwiederbringlichste Gut ist, über das wir verfügen, beunruhigt uns bei jedem Rückblick der Gedanke etwa verlorener Zeit. Verloren wäre die Zeit, in der wir nicht als Menschen gelebt, Erfahrungen gemacht, gelernt, geschaffen, genossen und gelitten hätten. Verlorene Zeit ist unausgefüllte, leere Zeit. Das sind die vergangenen Jahre gewiß nicht gewesen. Vieles, Unermeßliches haben wir verloren, aber die Zeit war nicht verloren. Zwar sind gewonnene Erkenntnisse und Erfahrungen, deren man sich nachträglich bewußt wird, nur Abstraktionen vom Eigentlichen, vom gelebten Leben selbst. Aber wie Vergessenkönnen wohl eine Gnade ist, so gehört doch das Gedächtnis, das Wiederholen empfangener Lehren, zum verantwortlichen Leben. In den folgenden Seiten möchte ich versuchen, mir Rechenschaft zu geben über einiges von dem, was sich uns in diesen Zeiten als gemeinsame Erfahrung und Erkenntnis aufgedrängt hat, nicht persönliche Erlebnisse, nichts systematisch Geordnetes, nicht Auseinandersetzungen und Theorien, sondern gewissermaßen gemeinsam im Kreise Gleichgesinnter gewonnene Ergebnisse auf dem Gebiet des Menschlichen, nebeneinandergereiht, nur durch die konkrete Erfahrung zueinander gehörig, nichts Neues, sondern gewiß in vergangenen Zeiten längst Gewußtes, aber uns neu zu erleben und zu erkennen Gegebenes. Man kann über diese Dinge nicht schreiben, ohne daß das Gefühl der Dankbarkeit für alle in diesen Jahren bewahrte und bewährte Gemeinschaft des Geistes und des Lebens jedes Wort begleitet.

Ohne Boden unter den Füßen

Ob es jemals in der Geschichte Menschen gegeben hat, die in der Gegenwart so wenig Boden unter den Füßen hatten – denen alle im Bereich des Möglichen liegenden Alternativen der Gegenwart gleich unerträglich, lebenswidrig, sinnlos erschienen –, die jenseits aller dieser gegenwärtigen Alternativen die Quelle ihrer Kraft so gänzlich im Vergangenen und im Zukünftigen suchten – und die dennoch, ohne Phantasten zu sein, das Gelingen ihrer Sache so zuversichtlich und ruhig erwarten konnten – wie wir? Oder vielmehr: ob die verantwortlich Denkenden einer Generation vor einer großen geschichtlichen Wende jemals anders empfunden haben als wir heute – eben weil etwas wirklich Neues im Entstehen war, das in den Alternativen der Gegenwart nicht aufging?

Wer hält stand?

Die große Maskerade des Bösen hat alle ethischen Begriffe durcheinander gewirbelt. Daß das Böse in der Gestalt des Lichts, der Wohltat, des geschichtlich Notwendigen, des sozial Gerechten erscheint, ist für den aus unserer tradierten ethischen Begriffswelt Kommenden schlechthin verwirrend; für den Christen, der aus der Bibel lebt, ist es gerade die Bestätigung der abgründigen Bosheit des Bösen.

Offenkundig ist das Versagen der »Vernünftigen«, die in bester Absicht und naiver Verkennung der Wirklichkeit das aus den Fugen gegangene Gebälk mit etwas Vernunft wieder zusammenbiegen zu können meinen. In ihrem mangelnden Sehvermögen wollen sie allen Seiten Recht widerfahren lassen und werden so durch die aufeinanderprallenden Gewalten zerrieben, ohne das Geringste ausgerichtet zu haben. Enttäuscht über die Unvernünftigkeit der Welt, sehen sie sich zur Unfruchtbarkeit verurteilt, treten sie resigniert zur Seite oder verfallen haltlos dem Stärkeren.

Erschütternder ist das Scheitern alles ethischen *Fanatismus*. Mit der Reinheit eines Prinzips meint der Fanatiker der Macht des Bösen entgegentreten zu können. Aber wie der Stier stößt er auf das rote Tuch statt auf dessen Träger, ermüdet und unterliegt. Er verfängt sich im Unwesentlichen und geht dem Klügeren in die Falle.

Einsam erwehrt sich der Mann des *Gewissens* der Übermacht der Entscheidung fordernden Zwangslagen. Aber das Ausmaß der Konflikte, in denen er zu wählen hat – durch nichts beraten und getragen als durch sein eigenstes Gewissen –, zerreißt ihn. Die unzähligen ehrbaren und verführerischen Verkleidungen, in denen das Böse sich ihm nähert, machen sein Gewissen ängstlich und unsicher, bis er sich schließlich damit begnügt, statt eines guten ein salviertes Gewissen zu haben, bis er also sein eigenes Gewissen belügt, um nicht zu verzweifeln; denn daß ein böses Gewissen heilsamer und stärker sein kann als ein betrogenes Gewissen, das vermag der Mann, dessen einziger Halt sein Gewissen ist, nie zu fassen.

Aus der verwirrenden Fülle der möglichen Entscheidungen scheint der sichere Weg der *Pflicht* herauszuführen. Hier wird das Befohlene als das Gewisseste ergriffen, die Verantwortung für den Befehl trägt der Befehlshaber, nicht der Ausführende. In der Beschränkung auf das Pflichtgemäße aber kommt es niemals zu dem Wagnis der auf eigenste Verantwortung hin geschehenden Tat, die allein das Böse im Zentrum zu treffen und zu überwinden vermag. Der Mann der Pflicht wird schließlich auch noch dem Teufel gegenüber seine Pflicht erfüllen müssen.

Wer es aber unternimmt, in eigenster *Freiheit* in der Welt seinen Mann zu stehen, wer die notwendige Tat höher schätzt als die Unbeflecktheit des eigenen Gewissens und Rufes, wer dem fruchtbaren Kompromiß ein unfruchtbares Prinzip oder auch dem fruchtbaren Radikalismus eine unfruchtbare Weisheit des Mittelmaßes zu opfern bereit ist, der hüte sich davor, daß ihn nicht seine Freiheit zu Fall bringe. Er wird in das Schlimme willigen, um das Schlimmere zu verhüten, und er wird dabei nicht mehr zu erkennen vermögen, daß gerade das Schlimmere, das er vermeiden will, das Bessere sein könnte. Hier liegt der Urstoff von Tragödien.

Auf der Flucht vor der öffentlichen Auseinandersetzung erreicht dieser oder jener die Freistatt einer privaten *Tugendhaftigkeit*. Aber er muß seine Augen und seinen Mund verschließen vor dem Unrecht um ihn herum. Nur auf Kosten eines Selbstbetruges kann er sich von der Befleckung durch verantwortliches Handeln reinerhalten. Bei allem, was er tut, wird ihn das, was er unterläßt, nicht zur Ruhe kommen lassen. Er wird entweder an dieser Unruhe zugrunde gehen oder zum heuchlerischsten aller Pharisäer werden.

Wer hält stand? Allein der, dem nicht seine Vernunft, sein Prinzip, sein Gewissen, seine Freiheit, seine Tugend der letzte Maßstab ist, sondern der dies alles zu opfern bereit ist, wenn er im Glauben und in alleiniger Bindung an Gott zu gehorsamer und verantwortlicher Tat gerufen ist, der Verantwortliche, dessen Leben nichts sein will als eine Antwort auf Gottes Frage und Ruf. Wo sind diese Verantwortlichen?

Civilcourage?

Was steckt eigentlich hinter der Klage über die mangelnde Civilcourage? Wir haben in diesen Jahren viel Tapferkeit und Aufopferung, aber fast nirgends Civilcourage gefunden, auch bei uns selbst nicht. Es wäre eine zu naive Psychologie, diesen Mangel einfach auf persönliche Feigheit zurückzuführen. Die Hintergründe sind ganz andere. Wir Deutschen haben in einer langen Geschichte die Notwendigkeit und die Kraft des Gehorsams lernen müssen. In der Unterordnung aller persönlichen Wünsche und Gedanken unter den uns gewordenen Auftrag sahen wir Sinn und Größe unseres Lebens. Unsere Blicke waren nach oben gerichtet, nicht in sklavischer Furcht, sondern im freien Vertrauen, das im Auftrag einen Beruf und im Beruf eine Berufung sah. Es ist ein Stück berechtigten Mißtrauens gegen das eigene Herz, aus dem die Bereitwilligkeit entsteht, lieber dem Befehl von »oben« als dem eigenen Gutdünken zu folgen. Wer wollte dem Deutschen bestreiten, daß er im Gehorsam, im Auftrag, im Beruf immer wieder das Äußerste an Tapferkeit und Lebenseinsatz vollbracht hat? Seine Freiheit aber wahrte der Deutsche darin – und wo ist in der Welt leidenschaftlicher von der Freiheit gesprochen worden als in Deutschland von Luther bis zur Philosophie des Idealismus? –, daß er sich vom Eigenwillen zu befreien suchte im Dienst am Ganzen. Beruf und Freiheit galten ihm als zwei Seiten derselben Sache. Aber er hatte damit die Welt verkannt; er hatte nicht damit gerechnet, daß seine Bereitschaft zur Unterordnung, zum Lebenseinsatz für den Auftrag mißbraucht werden könnte zum Bösen. Geschah dies, wurde die Ausübung des Berufes selbst fragwürdig, dann mußten alle sittlichen Grundbegriffe des Deutschen ins Wanken geraten. Es mußte sich herausstellen, daß eine entscheidende Grunderkenntnis dem Deutschen noch fehlte: die von der Notwendigkeit der freien, verantwortlichen Tat auch gegen Beruf und Auftrag. An ihre Stelle trat einerseits verantwortungslose Skrupellosigkeit, andererseits selbstquälerische Skrupelhaftigkeit, die nie zur Tat führte. Civilcourage aber kann nur aus der freien Verantwortlichkeit des freien Mannes erwachsen. Die Deutschen fangen erst heute an zu entdecken, was freie Verantwortung heißt. Sie beruht auf einem Gott, der das freie Glaubenswagnis verantwortlicher Tat fordert und der dem, der darüber zum Sünder wird, Vergebung und Trost zuspricht.

Vom Erfolg

Es ist zwar nicht wahr, daß der Erfolg auch die böse Tat und die verwerflichen Mittel rechtfertigt, aber ebensowenig ist es möglich, den Erfolg als etwas ethisch völlig Neutrales zu betrachten. Es ist eben doch so, daß der geschichtliche Erfolg den Boden schafft, auf dem weiterhin allein gelebt werden kann, und es bleibt sehr fraglich, ob es ethisch verantwortlicher ist, als ein Don Quijote gegen eine neue Zeit zu Felde zu ziehen oder im Eingeständnis der eigenen Niederlage und schließlich in freier Einwilligung in sie einer neuen Zeit zu dienen. Der Erfolg macht schließlich die Geschichte, und über den Kopf der geschichtemachenden Männer hinweg schafft der Lenker der Geschichte immer wieder aus Bösem Gutes. Es ist ein Kurzschluß ungeschichtlich und d. h. unverantwortlich denkender Prinzipienreiter, der die ethische Bedeutung des Erfolges einfach ignoriert, und es ist gut, daß wir einmal gezwungen sind, uns mit dem ethischen Problem des Erfolges ernsthaft auseinanderzusetzen. Solange das Gute Erfolg hat, können wir uns den Luxus leisten, den Erfolg für ethisch irrelevant zu halten. Wenn aber einmal böse Mittel zum Erfolg führen, dann entsteht das Problem. Angesichts solcher Lage erfahren wir, daß weder theoretisch zuschauendes Kritisieren und Rechthabenwollen, also die Weigerung, sich auf den Boden der Tatsachen zu stellen, noch Opportunismus, also die Selbstpreisgabe und Kapitulation angesichts des Erfolges, unserer Aufgabe gerecht werden. Weder beleidigte Kritiker noch Opportunisten wollen und dürfen wir sein, sondern an der geschichtlichen Gestaltung – von Fall zu Fall und in jedem Augenblick, als Sieger oder als Unterlegene – Mitverantwortliche. Wer sich durch nichts, was geschieht, die Mitverantwortung für den Gang der Geschichte abnehmen läßt, weil er sie sich von Gott auferlegt weiß, der wird jenseits von unfruchtbarer Kritik und von ebenso unfruchtbarem Opportunismus ein fruchtbares Verhältnis zu den geschichtlichen Ereignissen finden. Die Rede von heroischem Untergang angesichts einer unausweichlichen Niederlage ist im Grunde sehr unheroisch, weil sie nämlich den Blick in die Zukunft nicht wagt. Die letzte verantwortliche Frage ist nicht, wie ich mich heroisch aus der Affäre ziehe, sondern wie eine kommende Generation weiterleben soll. Nur aus dieser geschichtlich verantwortlichen Frage können fruchtbare – wenn auch vorübergehend sehr demütigende – Lösungen entstehen. Kurz, es ist sehr viel leichter, eine Sache prinzipiell als in konkreter Verantwortung durchzuhalten. Die junge Generation wird immer den sichersten Instinkt dafür haben, ob nur aus Prinzip oder aus lebendiger Verantwortung heraus gehandelt wird; denn es geht dabei ja um ihre eigene Zukunft.

Von der Dummheit

Dummheit ist ein gefährlicherer Feind des Guten als Bosheit. Gegen das Böse läßt sich protestieren, es läßt sich bloßstellen, es läßt sich notfalls mit Gewalt verhindern, das Böse trägt immer den Keim der Selbstzersetzung in sich, indem es mindestens ein Unbehagen im Menschen zurückläßt. Gegen die Dummheit sind wir wehrlos. Weder mit Protesten noch durch Gewalt läßt sich hier etwas ausrichten; Gründe verfangen nicht; Tatsachen, die dem eigenen Vorurteil widersprechen, brauchen einfach nicht geglaubt zu werden – in solchen Fällen wird der Dumme sogar kritisch –, und wenn sie unausweichlich sind, können sie einfach als nichtssagende Einzelfälle beiseitegeschoben werden. Dabei ist der Dumme im Unterschied zum Bösen restlos mit sich selbst zufrieden; ja, er wird sogar gefährlich, indem er leicht gereizt zum Angriff übergeht. Daher ist dem Dummen gegenüber mehr Vorsicht geboten als gegenüber dem Bösen. Niemals werden wir mehr versuchen, den Dummen durch Gründe zu überzeugen; es ist sinnlos und gefährlich.

Um zu wissen, wie wir der Dummheit beikommen können, müssen wir ihr Wesen zu verstehen suchen. Soviel ist sicher, daß sie nicht wesentlich ein intellektueller, sondern ein menschlicher Defekt ist. Es gibt intellektuell außerordentlich bewegliche Menschen, die dumm sind, und intellektuell sehr Schwerfällige, die alles andere als dumm sind. Diese Entdeckung machen wir zu unserer Überraschung anläßlich bestimmter Situationen. Dabei gewinnt man weniger den Eindruck, daß die Dummheit ein angeborener Defekt ist, als daß unter bestimmten Umständen die Menschen dumm *gemacht* werden, bzw. sich dumm machen lassen. Wir beobachten weiterhin, daß abgeschlossen und einsam lebende Menschen diesen Defekt seltener zeigen als zur Gesellung neigende oder verurteilte Menschen und Menschengruppen. So scheint die Dummheit vielleicht weniger ein psychologisches als ein soziologisches Problem zu sein. Sie ist eine besondere Form der Einwirkung geschichtlicher Umstände auf den Menschen, eine psychologische Begleiterscheinung bestimmter äußerer Verhältnisse. Bei genauerem Zusehen zeigt sich, daß jede starke äußere Machtentfaltung, sei sie politischer oder religiöser Art, einen großen Teil der Menschen mit Dummheit schlägt. Ja, es hat den Anschein, als sei das geradezu ein soziologisch-psychologisches Gesetz. Die Macht der einen braucht die Dummheit der anderen. Der Vorgang ist dabei nicht der, daß bestimmte – also etwa intellektuelle – Anlagen des Menschen plötzlich verkümmern oder ausfallen, sondern daß unter dem überwältigenden Eindruck der Machtentfaltung dem Menschen seine innere Selbständigkeit geraubt wird und daß dieser nun – mehr oder weniger unbewußt – darauf verzichtet, zu den sich ergebenden Lebenslagen ein eigenes Verhalten zu finden. Daß der Dumme oft bockig ist, darf nicht darüber hinwegtäuschen, daß er nicht selbständig ist. Man spürt es geradezu im Gespräch mit ihm, daß man es gar nicht mit ihm selbst, mit ihm persönlich, sondern mit über ihn mächtig gewordenen Schlagworten, Parolen etc. zu tun hat. Er ist in einem Banne, er ist verblendet, er ist in seinem eigenen Wesen mißbraucht, mißhandelt. So zum willenlosen Instrument geworden, wird der Dumme auch zu allem Bösen fähig sein und zugleich unfähig, dies als Böses zu erkennen. Hier liegt die Gefahr eines diabolischen Mißbrauchs. Dadurch werden Menschen für immer zugrunde gerichtet werden können.

Aber es ist gerade hier auch ganz deutlich, daß nicht ein Akt der Belehrung, sondern allein ein Akt der Befreiung die Dummheit überwinden könnte. Dabei wird man sich damit abfinden müssen, daß eine echte innere Befreiung in den allermeisten Fällen erst möglich wird, nachdem die äußere Befreiung vorangegangen ist; bis dahin werden wir auf alle Versuche, den Dummen zu überzeugen, verzichten müssen. In dieser Sachlage wird es übrigens auch begründet sein, daß wir uns unter solchen Umständen vergeblich darum bemühen, zu wissen, was »das Volk« eigentlich denkt, und warum diese Frage für den verantwortlich Denkenden und Handelnden zugleich so überflüssig ist — immer nur unter den gegebenen Umständen. Das Wort der Bibel, daß die Furcht Gottes der Anfang der Weisheit sei (Psalm III, 10), sagt, daß die innere Befreiung des Menschen zum verantwortlichen Leben vor Gott die einzige wirkliche Überwindung der Dummheit ist.

Übrigens haben diese Gedanken über die Dummheit doch dies Tröstliche für sich, daß sie ganz und gar nicht zulassen, die Mehrzahl der Menschen unter allen Umständen für dumm zu halten. Es wird wirklich darauf ankommen, ob Machthaber sich mehr von der Dummheit oder von der inneren Selbständigkeit und Klugheit der Menschen versprechen.

Menschenverachtung?

Die Gefahr, uns in Menschenverachtung hineintreiben zu lassen, ist sehr groß. Wir wissen wohl, daß wir kein Recht dazu haben und daß wir dadurch in das unfruchtbarste Verhältnis zu den Menschen geraten. Folgende Gedanken können uns vor dieser Versuchung bewahren: mit der Menschenverachtung verfallen wir gerade dem Hauptfehler unserer Gegner. Wer einen Menschen verachtet, wird niemals etwas aus ihm machen können. Nichts von dem, was wir im anderen verachten, ist uns selbst ganz fremd. Wie oft erwarten wir von anderen mehr, als wir selbst zu leisten willig sind. Warum haben wir bisher vom Menschen, seiner Versuchlichkeit und Schwäche so unnüchtern gedacht? Wir müssen lernen, die Menschen weniger auf das, was sie tun und unterlassen, als auf das, was sie erleiden, anzusehen. Das einzig fruchtbare Verhältnis zu den Menschen – gerade zu den Schwachen – ist Liebe, d. h. der Wille, mit ihnen Gemeinschaft zu halten. Gott selbst hat die Menschen nicht verachtet, sondern ist Mensch geworden um der Menschen willen.

Immanente Gerechtigkeit

Es gehört zu den erstaunlichsten, aber zugleich unwiderleglichsten Erfahrungen, daß das Böse sich – oft in einer überraschend kurzen Frist – als dumm und unzweckmäßig erweist. Damit ist nicht gemeint, daß jeder einzelnen bösen Tat die Strafe auf dem Fuße folgt, aber daß die prinzipielle Aufhebung der göttlichen Gebote im vermeintlichen Interesse der irdischen Selbsterhaltung gerade dem eigenen Interesse dieser Selbsterhaltung entgegenwirkt. Man kann diese uns zugefallene Erfahrung verschieden deuten. Als gewiß scheint jedenfalls dies aus ihr hervorzugehen, daß es im Zusammenleben der Menschen Gesetze gibt, die stärker sind als alles, was sich über sie erheben zu können glaubt, und daß es daher nicht nur unrecht, sondern unklug ist, diese Gesetze zu mißachten. Von hier aus wird uns verständlich, warum die aristotelisch-thomistische Ethik die Klugheit zu einer der Kardinaltugenden erhob. Klugheit und Dummheit sind

nicht ethisch indifferent, wie uns eine neuprotestantische Gesinnungs-
ethik hat lehren wollen. Der Kluge erkennt in der Fülle des Konkreten und der in ihm enthaltenen Möglichkeiten zugleich die unüber-
steiglichen Grenzen, die allem Handeln durch die bleibenden Gesetze
menschlichen Zusammenlebens gegeben sind, und in dieser Erkenntnis handelt der Kluge gut bzw. der Gute klug.

Nun gibt es gewiß kein geschichtlich bedeutsames Handeln, das
nicht immer wieder einmal die Grenzen dieser Gesetze überschritte.
Es ist aber ein entscheidender Unterschied, ob solche Überschreitung
der gesetzten Grenze prinzipiell als deren Aufhebung aufgefaßt und
damit als Recht eigener Art ausgegeben wird, oder ob man sich dieser Überschreitung als vielleicht unvermeidlicher Schuld bewußt
bleibt und sie allein in der alsbaldigen Wiederherstellung und Achtung des Gesetzes und der Grenze gerechtfertigt sieht. Es braucht
keineswegs Heuchelei zu sein, wenn als das Ziel politischen Handelns
die Herstellung des Rechtes und nicht einfach die nackte Selbsterhaltung ausgegeben wird. Es *ist* einfach in der Welt so eingerichtet, daß
die grundsätzliche Achtung der letzten Gesetze und Rechte des Lebens
zugleich der Selbsterhaltung am dienlichsten ist, und daß diese Gesetze sich nur eine ganz kurze, einmalige, im Einzelfall notwendige
Überschreitung gefallen lassen, während sie den, der aus der Not ein
Prinzip macht und also neben ihnen ein eigenes Gesetz aufrichtet, früher oder später – aber mit unwiderstehlicher Gewalt – erschlagen.
Die immanente Gerechtigkeit der Geschichte lohnt und straft nur die
Tat, die ewige Gerechtigkeit Gottes prüft und richtet die Herzen.

Einige Glaubenssätze über das Walten Gottes
in der Geschichte

Ich glaube, daß Gott aus allem, auch aus dem Bösesten, Gutes entstehen lassen kann und will. Dafür braucht er Menschen, die sich alle
Dinge zum Besten dienen lassen. Ich glaube, daß Gott uns in jeder
Notlage soviel Widerstandskraft geben will, wie wir brauchen. Aber
er gibt sie nicht im voraus, damit wir uns nicht auf uns selbst, sondern allein auf ihn verlassen. In solchem Glauben müßte alle Angst

vor der Zukunft überwunden sein. Ich glaube, daß auch unsere Fehler und Irrtümer nicht vergeblich sind, und daß es Gott nicht schwerer ist, mit ihnen fertig zu werden, als mit unseren vermeintlichen Guttaten. Ich glaube, daß Gott kein zeitloses Fatum ist, sondern daß er auf aufrichtige Gebete und verantwortliche Taten wartet und antwortet.

Vertrauen

Die Erfahrung des Verrates ist kaum einem erspart geblieben. Die Gestalt des Judas, die uns früher so unbegreiflich war, ist uns kaum mehr fremd. So ist die Luft, in der wir leben, durch Mißtrauen verpestet, daß wir fast daran zugrundegehen. Wo wir aber die Schicht des Mißtrauens durchbrachen, dort haben wir die Erfahrung eines bisher gar nicht geahnten Vertrauens machen dürfen. Wir haben es gelernt, dort, wo wir vertrauen, dem anderen unseren Kopf in die Hände zu geben; gegen alle Vieldeutungen, in denen unser Handeln und Leben stehen mußte, haben wir grenzenlos vertrauen gelernt. Wir wissen nun, daß nur in solchem Vertrauen, das immer ein Wagnis bleibt, aber ein freudig bejahtes Wagnis, wirklich gelebt und gearbeitet werden kann. Wir wissen, daß es zu dem Verwerflichsten gehört, Mißtrauen zu säen und zu begünstigen, daß vielmehr Vertrauen, wo es nur möglich ist, gestärkt und gefördert werden soll. Immer wird uns das Vertrauen eines der größten, seltensten und beglückendsten Geschenke menschlichen Zusammenlebens bleiben, und es wird doch immer nur auf dem dunklen Hintergrund eines notwendigen Mißtrauens entstehen. Wir haben gelernt, uns dem Gemeinen durch nichts, dem Vertrauenswürdigen aber restlos in die Hände zu geben.

Qualitätsgefühl

Wenn wir nicht den Mut haben, wieder ein echtes Gefühl für menschliche Distanzen aufzurichten und darum persönlich zu kämpfen, dann kommen wir in einer Anarchie menschlicher Werte um. Die Frechheit, die ihr Wesen in der Mißachtung aller menschlichen Distanzen hat, ist ebensosehr das Charakteristikum des Pöbels, wie die innere Unsicherheit, das Feilschen und Buhlen um die Gunst des Frechen, das Sichgemeinmachen mit dem Pöbel der Weg zur eigenen Verpöbelung ist. Wenn man nicht mehr weiß, was man sich und anderen schuldig ist, wo das Gefühl für menschliche Qualität und die Kraft, Distanz zu halten, erlischt, dort ist das Chaos vor der Tür. Wo man um materieller Bequemlichkeiten willen duldet, daß die Frechheit einem zu nahe tritt, dort hat man sich bereits selbst aufgegeben, dort hat man die Flut des Chaos an der Stelle des Dammes, an die man gestellt war, durchbrechen lassen und sich schuldig gemacht am Ganzen. In anderen Zeiten mag es die Sache des Christentums gewesen sein, von der Gleichheit des Menschen Zeugnis zu geben; heute wird gerade das Christentum für die Achtung menschlicher Distanzen und menschlicher Qualität leidenschaftlich einzutreten haben. Die Mißdeutung, als handele man in eigener Sache, die billige Verdächtigung unsozialer Gesinnung, muß entschlossen in Kauf genommen werden. Sie sind die bleibenden Vorwürfe des Pöbels gegen die Ordnung. Wer hier weich und unsicher wird, begreift nicht, worum es geht, ja vermutlich treffen ihn die Vorwürfe sogar mit Recht. Wir stehen mitten in dem Prozeß der Verpöbelung in allen Gesellschaftsschichten und zugleich in der Geburtsstunde einer neuen adligen Haltung, die einen Kreis von Menschen aus allen bisherigen Gesellschaftsschichten verbindet. Adel entsteht und besteht durch Opfer, durch Mut und durch ein klares Wissen um das, was man sich selbst und was man anderen schuldig ist, durch die selbstverständliche Forderung der Achtung, die einem zukommt, wie durch ein ebenso selbstverständliches Wahren der Achtung nach oben wie nach unten. Es geht auf der ganzen Linie um das Wiederfinden verschütteter Qualitätserlebnisse, um eine Ordnung auf Grund von Qualität. Qualität ist der stärkste Feind jeder Art von Vermassung. Gesellschaftlich bedeutet das den Verzicht auf die Jagd nach Positionen, den Bruch mit allem Starkult, den freien Blick nach oben und nach unten, besonders was die Wahl des engeren Freundeskreises angeht, die Freude am verborgenen Leben wie den Mut zum öffentlichen Leben. Kulturell bedeutet das Qualitätserlebnis die Rückkehr von Zeitung und Radio zum Buch, von der Hast zur Muße und Stille, von der Zerstreuung zur Sammlung, von der Sensation zur Besinnung, vom Virtuosenideal zur Kunst, vom Snobismus zur Bescheidenheit, von der Maßlosigkeit zum Maß. Quantitäten machen einander den Raum streitig. Qualitäten ergänzen einander.

Mitleiden

Man muß damit rechnen, daß die meisten Menschen nur durch Erfahrungen am eigenen Leibe klug werden. So erklärt sich *erstens* die erstaunliche Unfähigkeit der meisten Menschen zu präventivem Handeln jeder Art – man glaubt eben selbst immer noch, um die Gefahr herumzukommen, bis es schließlich zu spät ist; *zweitens* die Stumpfheit gegenüber fremdem Leiden; proportional mit der wachsenden Angst vor der bedrohlichen Nähe des Unheils entsteht das Mitleid. Es läßt sich manches zur Rechtfertigung dieser Haltung sagen, ethisch: man will dem Schicksal nicht in die Räder greifen; innere Berufung und Kraft zum Handeln schöpft man erst aus dem eingetretenen Ernstfall; man ist nicht für alles Unrecht und Leiden in der Welt verantwortlich und will sich nicht zum Weltenrichter aufwerfen; psychologisch: der Mangel an Phantasie, an Sensitivität, an innerem Auf-dem-Sprunge-sein wird ausgeglichen durch eine solide Gelassenheit, ungestörte Arbeitskraft und große Leidensfähigkeit. Christlich gesehen, können freilich alle diese Rechtfertigungen nicht darüber hinwegtäuschen, daß es hier entscheidend an der Weite des Herzens mangelt. Christus entzog sich solange dem Leiden, bis seine Stunde gekommen war; dann aber ging er ihm in Freiheit entgegen, ergriff es und überwand es. Christus – so sagt die Schrift – erfuhr alles Leiden aller Menschen an seinem Leibe als eigenes Leiden – ein unbegreiflich hoher Gedanke! –, er nahm es auf sich in Freiheit. Wir sind gewiß nicht Christus und nicht berufen, durch eigene Tat und eigenes Leiden die Welt zu erlösen, wir sollen uns nicht Unmögliches aufbürden und uns damit quälen, daß wir es nicht tragen können, wir sind nicht Herren, sondern Werkzeuge in der Hand des Herrn der Geschichte, wir können das Leiden anderer Menschen nur in ganz begrenztem Maße wirklich mitleiden. Wir sind nicht Christus, aber wenn wir Christen sein wollen, so bedeutet das, daß wir an der Weite des Herzens Christi teilbekommen sollen in verantwortlicher Tat, die in Freiheit die Stunde ergreift und sich der Gefahr stellt, und in echtem Mitleiden, das nicht aus der Angst, sondern aus der befreienden und erlösenden Liebe Christi zu allen Leidenden quillt. Tatenloses Abwarten und stumpfes Zuschauen sind keine christlichen Haltungen. Den Christen rufen nicht erst die Erfahrungen am eigenen Leibe, sondern die Erfahrungen am Leibe der Brüder, um derentwillen Christus gelitten hat, zur Tat und zum Mitleiden.

Vom Leiden

Es ist unendlich viel leichter, im Gehorsam gegen einen menschlichen Befehl zu leiden als in der Freiheit eigenster verantwortlicher Tat. Es ist unendlich viel leichter, in Gemeinschaft zu leiden als in Einsamkeit. Es ist unendlich viel leichter, öffentlich und unter Ehren zu leiden als abseits und in Schanden. Es ist unendlich viel leichter, durch den Einsatz des leiblichen Lebens zu leiden als durch den Geist. Christus litt in Freiheit, in Einsamkeit, abseits und in Schanden, an Leib und Geist, und seither viele Christen mit ihm.

Gegenwart und Zukunft

Es schien uns bisher zu den unveräußerlichen Rechten menschlichen Lebens zu gehören, sich einen Lebensplan entwerfen zu können, beruflich und persönlich. Damit ist es vorbei. Wir sind durch die Macht der Umstände in die Situation geraten, in der wir darauf verzichten müssen, »für den kommenden Tag zu sorgen« (Matth.

6, 34), wobei es ein wesentlicher Unterschied ist, ob das aus der freien Haltung des Glaubens heraus geschieht, die die Bergpredigt meint, oder als erzwungener Frondienst am jeweiligen Augenblick. Für die meisten Menschen bedeutet der erzwungene Verzicht auf Zukunftsplanung den verantwortungslosen, leichtfertigen oder resignierten Verfall an den Augenblick, einige wenige träumen noch sehnsüchtig von einer schöneren Zukunft und versuchen darüber die Gegenwart zu vergessen. Beide Haltungen sind für uns gleich unmöglich. Uns bleibt nur der sehr schmale und manchmal kaum noch zu findende Weg, jeden Tag zu nehmen, als wäre er der letzte, und doch in Glauben und Verantwortung so zu leben, als gäbe es noch eine große Zukunft. »Noch soll man Häuser, Äcker und Weinberge kaufen in diesem Lande« (Jer. 32, 15) muß Jeremia – in paradoxem Widerspruch zu seinen Unheilsweissagungen – unmittelbar vor der Zerstörung der Heiligen Stadt verkündigen, angesichts der völligen Zukunftslosigkeit ein göttliches Zeichen und Unterpfand einer neuen großen Zukunft. Denken und Handeln im Blick auf die kommende Generation, dabei ohne Furcht und Sorge jeden Tag bereit sein zu gehen – das ist die Haltung, die uns praktisch aufgezwungen ist und die tapfer durchzuhalten nicht leicht, aber notwendig ist.

Optimismus

Es ist klüger, pessimistisch zu sein: vergessen sind die Enttäuschungen und man steht vor den Menschen nicht blamiert da. So ist Optimismus bei den Klugen verpönt. Optimismus ist in seinem Wesen keine Ansicht über die gegenwärtige Situation, sondern er ist eine Lebenskraft, eine Kraft der Hoffnung, wo andere resignieren, eine Kraft, den Kopf hoch zu halten, wenn alles fehlzuschlagen scheint, eine Kraft, Rückschläge zu ertragen, eine Kraft, die die Zukunft niemals dem Gegner läßt, sondern sie für sich in Anspruch nimmt. Es gibt gewiß auch einen dummen, feigen Optimismus, der verpönt werden muß. Aber den Optimismus als Willen zur Zukunft soll niemand verächtlich machen, auch wenn er hundertmal irrt; er ist die Gesundheit des Lebens, die der Kranke nicht anstecken soll. Es gibt Menschen, die es für unernst, Christen, die es für unfromm halten, auf eine bessere irdische Zukunft zu hoffen und sich auf sie vorzubereiten. Sie glauben an das Chaos, die Unordnung, die Katastrophe als den Sinn des gegenwärtigen Geschehens und entziehen sich in Resignation oder frommer Weltflucht der Verantwortung für das Weiterleben, für den neuen Aufbau, für die kommenden Geschlechter. Mag sein, daß der Jüngste Tag morgen anbricht, dann wollen wir gern die Arbeit für eine bessere Zukunft aus der Hand legen, vorher aber nicht.

Gefährdung und Tod

Der Gedanke an den Tod ist uns in den letzten Jahren immer vertrauter geworden. Wir wundern uns selbst über die Gelassenheit, mit der wir Nachrichten von dem Tode unserer Altersgenossen aufnehmen. Wir können den Tod nicht mehr so hassen, wir haben in seinen Zügen etwas von Güte entdeckt und sind fast ausgesöhnt mit ihm. Im Grunde empfinden wir wohl, daß wir ihm schon gehören und daß jeder neue Tag ein Wunder ist. Es wäre wohl nicht richtig zu sagen, daß wir gern sterben – obwohl keinem jene Müdigkeit unbekannt ist, die man doch unter keinen Umständen aufkommen lassen darf – dazu sind wir schon zu neugierig oder etwas ernsthafter gesagt: wir möchten gern noch etwas vom Sinn unseres zerfahrenen Lebens zu sehen bekommen. Wir heroisieren den Tod auch nicht, dazu ist uns das Leben zu groß und teuer. Erst recht weigern wir uns, den Sinn des Lebens in der Gefahr zu sehen, dafür sind wir nicht verzweifelt genug und wissen wir zuviel von den Gütern des Lebens, dafür kennen wir auch die Angst um das Leben zu gut und all die anderen zerstörenden Wirkungen einer dauernden Gefährdung des Lebens. Noch lieben wir das Leben, aber ich glaube, der Tod kann uns nicht mehr sehr überraschen. Unseren Wunsch, er möchte uns nicht zufällig, jäh, abseits vom Wesentlichen, sondern in der Fülle des Lebens und in der Ganzheit des Einsatzes treffen, wagen wir uns seit den Erfahrungen des Krieges kaum mehr einzugestehen. Nicht die äußeren Umstände, sondern wir selbst werden es sein, die unseren Tod zu dem machen, was er sein kann, zum Tod in freiwilliger Einwilligung.

Sind wir noch brauchbar?

Wir sind stumme Zeugen böser Taten gewesen, wir sind mit vielen Wassern gewaschen, wir haben die Künste der Verstellung und der mehrdeutigen Rede gelernt, wir sind durch Erfahrung mißtrauisch gegen die Menschen geworden und mußten ihnen die Wahrheit und das freie Wort oft schuldig bleiben, wir sind durch unerträgliche Konflikte mürbe oder vielleicht sogar zynisch geworden – sind wir noch brauchbar? Nicht Genies, nicht Zyniker, nicht Menschenverächter, nicht raffinierte Taktiker, sondern schlichte, einfache, gerade Menschen werden wir brauchen. Wird unsere innere Widerstandskraft gegen das uns Aufgezwungene stark genug und unsere Aufrichtigkeit gegen uns selbst schonungslos genug geblieben sein, daß wir den Weg zur Schlichtheit und Geradheit wiederfinden?

14. 4. 43

Liebe Eltern!

Vor allem müßt Ihr wissen und auch wirklich glauben, daß es mir gut geht. Leider kann ich es Euch erst heute schreiben, aber es war wirklich die ganzen zehn Tage so. Was man sich gewöhnlich bei einer Haft als besonders unangenehm vorstellt, also die verschiedenen Entbehrungen des äußeren Lebens, das spielt merkwürdigerweise tatsächlich fast keine Rolle. Man kann sich auch mit trocken Brot morgens satt essen – übrigens gibt es auch allerlei Gutes! – und die Pritsche macht mir schon gar nichts aus und schlafen kann man von abends 8 Uhr bis morgens um 6 Uhr reichlich. Besonders überrascht hat es mich eigentlich, daß ich vom ersten Augenblick an so gut wie nie Verlangen nach Zigaretten hatte; ich glaube eben doch, daß bei all diesen Dingen das Psychische die entscheidende Rolle spielt; eine so starke innere Umstellung, wie sie eine so überraschende Verhaftung mit sich führt, die Nötigung, sich innerlich zurecht- und abzufinden mit einer völlig neuen Situation –, das alles läßt das Körperliche zurücktreten und unwesentlich werden; und das empfinde ich als eine wirkliche Bereicherung meiner Erfahrung. Alleinsein ist für mich ja nicht etwas so Ungewohntes wie für andere Menschen und ist sicher ein gutes seelisches Dampfbad. Quälend ist oder wäre nur der Gedanke, daß Ihr Euch um mich ängstet und quält, daß Ihr nicht richtig schlaft und eßt. Verzeiht, daß ich Euch Sorge mache, aber ich glaube, daran bin diesmal weniger ich als ein widriges Schicksal schuld. Dagegen ist es gut, Paul-Gerhardt-Lieder zu lesen und auswendig zu lernen, wie ich es jetzt tue. Übrigens habe ich meine Bibel und Lesestoff aus der hiesigen Bibliothek, auch Schreibpapier jetzt genug...

Heute vor 14 Tagen war der 75. Geburtstag. Es war ein schöner Tag. Der Morgen- und Abendchoral mit den vielen Stimmen und Instrumenten klingt noch in mir nach: »Lobe den Herren, den mächtigen König... in wieviel Not hat nicht der gnädige Gott über dir

26

Flügel gebreitet.« So ist es, und darauf wollen wir weiter uns getrost verlassen. – Nun kommt ja der Frühling mit Macht. Ihr werdet viel im Garten arbeiten. Hier im Gefängnishof singt morgens und auch jetzt abends eine Singdrossel ganz wunderbar. Man wird für Geringes dankbar, auch das ist wohl ein Gewinn. Lebt wohl!

Ostersonntag, den 25. 4. 43

Heute ist endlich der 10. Tag wieder da, an dem ich Euch immer schreiben darf, und wie gern würde ich Euch wissen lassen, daß ich auch hier ein frohes Ostern feiere. Es ist das Befreiende von Karfreitag und Ostern, daß die Gedanken weit über das persönliche Geschick hinausgerissen werden zum letzten Sinn alles Lebens, Leidens und Geschehens überhaupt, und daß man eine große Hoffnung faßt. Seit gestern ist es wunderbar still im Haus geworden. »Frohe Ostern« hörte man viele einander zurufen, und neidlos gönnt man jedem, der hier schweren Dienst versieht, die Erfüllung dieses Wunsches.

Nun muß ich Euch aber erst einmal sehr danken für alles, was Ihr mir gebracht habt... Das könnt Ihr Euch nicht vorstellen, was es bedeutet, wenn einem plötzlich gesagt wird: Ihre Mutter, Ihre Schwester, Ihr Bruder waren eben da und haben etwas für Sie abgegeben. Einfach die Tatsache der Nähe, das handgreifliche Zeichen dafür, daß Ihr immer an mich und für mich denkt – was ich ja eigentlich sowieso weiß –, das ist etwas so Beglückendes, daß es durch den ganzen Tag hindurch trägt. Habt vielen, vielen Dank für alles!

Es geht mir weiter gut, ich bin gesund, darf täglich eine halbe Stunde ins Freie und nachdem ich nun auch wieder rauchen kann, vergesse ich manchmal sogar für kurze Zeit, wo ich eigentlich bin! Ich werde gut behandelt, lese viel, außer Zeitung und Roman vor allem die Bibel. Zum richtigen Arbeiten ist die Konzentration noch nicht da, aber ich habe mich in dieser Karwoche doch endlich mit einem, wie Ihr wißt, mich längst sehr beschäftigenden Stück der Passionsgeschichte, dem hohenpriesterlichen Gebet, gründlich befassen können und sogar ein paar Kapitel paulinischer Ethik für mich auslegen können; das war mir sehr wichtig. Also, ich muß wirklich immer noch sehr dankbar sein.

Merkwürdigerweise gehen die Tage hier schnell vorüber. Daß ich drei Wochen hier bin, scheint mir unglaublich. Ich gehe gern um 8 Uhr schlafen – Abendbrot gibt es um 4 Uhr – und freue mich auf meine Träume. Ich habe früher gar nicht gewußt, was für eine glückliche Gabe das ist. Ich träume täglich und eigentlich immer schön. Bis zum Einschlafen sage ich mir die über Tag gelernten Verse auf, am Morgen um 6 Uhr freue ich mich dann, Psalmen und Lieder zu lesen und an Euch alle zu denken und zu wissen, daß Ihr auch an mich denkt. – Inzwischen ist der Tag vorübergegangen und ich hoffe nur, es sieht in Euch ebenso friedlich aus wie in mir; ich habe vieles Gute gelesen und Schönes gedacht und gehofft.

5. 5. 43

Jetzt nach 4 Wochen Haft kommt zu der raschen, bewußten, inneren Aussöhnung mit dem Geschickten allmählich eine gewisse unbewußte natürliche Gewöhnung hinzu. Das ist eine Erleichterung, hat aber auch seine Probleme; denn gewöhnen will und soll man sich wohl an diesen Zustand nicht, das wird Euch ebenso gehen. – Ihr wollt mehr über mein hiesiges Leben wissen: sich eine Zelle vorzustellen, dazu gehört ja nicht viel Phantasie; je weniger, desto richtiger; aber an Ostern brachte die DAZ eine Reproduktion aus Dürers Apokalypse; die habe ich mir aufgehängt und M.s Primeln sind z. T. auch noch da! Von den 14 Stunden des Tages gehe ich etwa drei in der Zelle spazieren, viele Kilometer, außerdem $^1/_2$ Stunde im Hof. Ich lese, lerne, arbeite. Besondere Freude hatte ich wieder an Jer. Gotthelf in seiner klaren, gesunden, stillen Art. Es geht mir gut und ich bin gesund.

Nun rückt die Hochzeit bei S. ja schon ganz nahe. Ich werde vorher nicht mehr schreiben können. Dieser Tage las ich bei Jean Paul, daß die »einzigen feuerbeständigen Freuden die häußlichen Freuden« seien ... Ich wünsche ihnen von Herzen einen sehr frohen Tag und werde mit vielen frohen Gedanken und Wünschen bei ihnen sein, und ich möchte es gern, daß auch sie *nur* mit frohen Gedanken, Erinnerungen und Hoffnungen an mich denken. Grade wenn man persönlich etwas Schweres erlebt, möchte man, daß die echten Freuden des Lebens – und dazu gehört eine Hochzeit doch wahrhaftig – daneben ihr Recht behalten ...

Ich denke jetzt oft an das schöne Hugo-Wolf-Lied, das wir in letzter Zeit mehrfach gesungen haben: »Über Nacht, über Nacht kommt Freud und Leid und eh du's gedacht, verlassen dich beid', und gehen dem Herren zu sagen, wie du sie getragen.« An diesem »Wie« liegt ja alles, es ist wichtiger als alles äußere Ergehen. Es bringt die manchmal quälenden Gedanken über die Zukunft ganz zur Ruhe. Nun also noch einmal vielen Dank für alles, was Ihr täglich für mich denkt, tut und tragt, grüßt Geschwister und Freunde, und R. soll wirklich eine ungetrübte fröhliche Hochzeit feiern und es mir ruhig zutrauen, daß ich mich auch hier wirklich mit ihr freuen kann.

15. 5. 43

Wenn Ihr diesen Brief bekommt, sind die letzten Tage der Hochzeitsvorbereitungen und Feier längst verklungen und auch mein bißchen Sehnsucht, dabei zu sein ... Dankbar denke ich heute an viele schöne vergangene Jahre und Stunden und freue mich mit ihnen allen. Ich bin nun begierig, den Trautext zu hören; der schönste, den ich kenne, steht Römer 15, 7; ich habe ihn oft genommen. Was für ein herrliches Sommerwetter haben sie. Da werden sie als Morgenlied wohl »Die güldne Sonne« von Paul Gerhardt singen.

Nach längerer Pause erhielt ich Euren Brief ... Habt vielen Dank! Für wen das Elternhaus so sehr ein Teil des eigenen Selbst geworden ist wie für mich, der empfindet jeden Gruß mit ganz besonderer Dankbarkeit. Ja, wenn wir uns doch wenigstens mal kurz sehen oder sprechen könnten! Das wäre eine große innere Entspannung.

Man macht sich draußen natürlich doch schwer eine richtige Vorstellung vom Gefangensein. Die Situation als solche, d. h. der einzelne Augenblick ist ja vielfach gar nicht so anders als anderswo, ich lese, denke nach, schreibe, gehe auf und ab – und auch wirklich ohne mich

29

wie der Eisbär an den Wänden wund zu reiben –, und es kommt nur darauf an, sich an das zu halten, was man noch hat und kann – und das ist immer noch sehr viel – und das Aufsteigen der Gedanken an das, was man nicht kann, und d.h. den Groll über die ganze Lage und die Unruhe, in sich niederzuhalten. Allerdings ist mir nie so deutlich geworden wie hier, was die Bibel und Luther unter »Anfechtung« verstehen. Ganz ohne jeden erkennbaren physischen und psychischen Grund rüttelt es plötzlich an dem Frieden und der Gelassenheit, die einen trug, und das Herz wird, wie es bei Jeremia sehr bezeichnend heißt, das trotzige und verzagte Ding, das man nicht ergründen kann. Man empfindet es wirklich als einen Einbruch von außen, als böse Mächte, die einem das Entscheidende rauben wollen. Aber auch diese Erfahrungen sind wohl gut und nötig, man lernt das menschliche Leben besser verstehen. Ich versuche mich jetzt an einer kleinen Studie über das »Zeitgefühl«, ein Erlebnis, das einem für die Untersuchungshaft besonders charakteristisch ist. Einer meiner Zellenvorgänger hat über die Zellentür gekritzelt: »in hundert Jahren ist alles vorbei«, das war sein Versuch, mit diesem Erlebnis der leeren Zeit fertig zu werden, aber dazu ist eben allerlei zu sagen und ich würde mich gern mit Papa darüber unterhalten. »Meine Zeit steht in deinen Händen«, Psalm 31, 16, ist die biblische Antwort auf die Frage. Aber auch in der Bibel gibt es eben die Frage, die hier alles zu beherrschen droht: »Herr, wie lange?«, Psalm 13 ...

Ihr müßt übrigens wirklich den »Berner Geist« von J. Gotthelf lesen, und wenn nicht ganz, so doch damit anfangen; es ist etwas Besonderes und interessiert Euch sicher! Ich kann mich erinnern, daß der alte Schoene immer Gotthelf besonders gerühmt hat, und ich hätte Lust, dem Diederichs-Verlag ein Gotthelf-Brevier vorzuschlagen. Auch für Stifter ist der Hintergrund vor allem das Christliche – seine Waldschilderungen machen mich übrigens oft ganz sehnsüchtig nach den stillen Friedrichsbrunner Waldwiesen –, aber er ist nicht so kräftig wie Gotthelf, dabei doch von einer wunderbaren Einfachheit und Klarheit, so daß ich große Freude an ihm habe. Ja, wenn man erst wieder über alles das miteinander reden könnte! Bei allen Sympathien für die vita contemplativa bin ich doch kein geborener Trappist. Immerhin mag eine Zeit erzwungenen Schweigens auch gut sein, und die Katholiken sagen ja, daß von den rein meditativen Orden die wirksamsten Schriftauslegungen kämen. Ich lese übrigens die Bibel einfach von vorne durch und komme jetzt zu Hiob, den ich besonders liebe. Den Psalter lese ich wie seit Jahren täglich, es gibt kein Buch, das ich so kenne und liebe wie dieses; die Psalmen 3, 47, 70 u. a. kann ich nicht mehr lesen, ohne sie in der Musik von Heinrich Schütz zu hören, deren Kenntnis, die ich R. verdanke, überhaupt zu den größten Bereicherungen meines Lebens gehört.

... Ich fühle mich so sehr als ein Teil von Euch allen, daß ich weiß, daß wir alles gemeinsam erleben, tragen, füreinander tun und denken, auch wenn wir getrennt sein müssen.

Traupredigt aus der Zelle
Mai 1943

Eph. 1, 12: »... daß wir etwas seien zum Lob seiner Herrlichkeit.«

Ein Brautpaar hat das Recht darauf, den Tag der Hochzeit mit dem Gefühl eines unvergleichlichen Triumphes zu begrüßen und zu begehen. Wenn alle Schwierigkeiten, Widerstände, Hindernisse, Zweifel und Bedenken – nicht in den Wind geschlagen, aber ehrlich ausgestanden und überwunden sind – und es ist sicher gut, wenn nicht alles gar zu selbstverständlich geht –, dann haben die beiden in der Tat den entscheidenden Triumph ihres Lebens errungen. Mit dem Ja, das sie zueinander gesprochen haben, haben sie ihrem ganzen Leben in freier Entscheidung eine neue Wendung gegeben; sie haben allen Fragen und Bedenklichkeiten, die das Leben jeder dauernden Verbindung zweier Menschen entgegenstellt, in froher Gewißheit Trotz geboten und sich in eigener Tat und Verantwortung ein Neuland für ihr Leben erobert. Etwas von dem Jubel darüber, daß Menschen so große Dinge tun können, daß ihnen eine so unermeßliche Freiheit und Gewalt gegeben ist, das Steuer ihres Lebens in die Hand zu nehmen, muß bei jeder Hochzeit durchklingen. Es muß etwas von dem berechtigten Stolz der Erdenkinder, ihres eigenen Glückes Schreiner sein zu dürfen, in dem Glück eines Brautpaares liegen. Es ist nicht gut, hier allzu schnell und ergeben von Gottes Willen und Führung zu reden. Es ist zunächst einfach und nicht zu übersehen euer ganz und gar menschlicher Wille, der hier am Werk ist und der hier seinen Triumph feiert; es ist zunächst durchaus euer selbstgewählter Weg, den ihr beschreitet; es ist auch nicht in erster Linie ein frommes, sondern ein durch und durch weltliches Ding, das ihr getan habt und tut. Darum tragt auch ihr selbst und allein die Verantwortung dafür, die euch kein Mensch abnehmen kann; genauer gesagt, dir, Ehepaar, ist die ganze Verantwortung für das Gelingen eures Vorhabens mit all dem Glück, das eine solche Verantwortung in sich schließt, auferlegt. Es wäre eine Flucht in falsche Frömmigkeit, wenn ihr nicht heute zu sagen wagtet: es ist *unser* Wille, es ist *unsere Liebe,* es ist *unser* Weg. »Eisen und Stahl, sie mögen vergehen, *unsere* Liebe bleibt ewig bestehen.« Dieses Verlangen nach der irdischen Glückseligkeit, die ihr ineinander finden wollt und die darin besteht, daß – mit den Worten des mittelalterlichen Liedes – einer des andern Trost ist nach Seele und Leib, dieses Verlangen hat sein Recht vor Menschen und vor Gott.

Gewiß habt gerade ihr beide – wenn irgend jemand – allen Grund, mit einer Dankbarkeit sondergleichen auf euer bisheriges Leben zurückzublicken. Ihr seid mit den Freuden und Schönheiten des Lebens geradezu überschüttet worden, es ist euch alles gelungen, es ist euch die Liebe und die Freundschaft der Menschen um euch herum zugefallen, eure Wege waren meist geebnet, ehe ihr sie betratet, in jeder Lebenslage konntet ihr euch durch eure Familien und Freunde geborgen wissen, jeder hat euch nur Gutes gegönnt, und schließlich habt ihr euch finden dürfen und seid heute ans Ziel eurer Wünsche geführt. – Ihr wißt es selbst, daß sich ein solches Leben kein Mensch aus eigener Kraft schaffen und nehmen kann, sondern daß es dem einen gegeben wird, dem andern versagt bleibt, und das ist es, was wir Gottes Führung nennen. So groß also heute euer Jubel darüber ist, daß euer Wille, euer Weg zum Ziel gekommen ist, so groß wird auch eure Dankbarkeit sein, daß Gottes Wille und Gottes Weg euch hierher geführt hat, und so zuversichtlich ihr heute die Verantwortung für euer

Tun auf euch nehmt, so zuversichtlich dürft und werdet ihr sie heute in Gottes Hände legen.

Indem Gott heute zu eurem Ja sein Ja gibt, indem Gottes Wille in euren Willen einwilligt, indem Gott euch euren Triumph und Jubel und Stolz läßt und gönnt, macht er euch doch zugleich zu Werkzeugen seines Willens und Planes mit euch und mit den Menschen. Gott sagt in der Tat in unbegreiflicher Herablassung sein Ja zu eurem Ja; aber indem er das tut, schafft er zugleich etwas ganz Neues: er schafft aus eurer Liebe – den heiligen Ehestand.

Gott führt eure Ehe. Ehe ist mehr als eure Liebe zueinander. Sie hat höhere Würde und Gewalt; denn sie ist Gottes heilige Stiftung, durch die er die Menschen bis ans Ende der Tage erhalten will. In eurer Liebe seht ihr euch beide nur allein auf der Welt, in der Ehe seid ihr ein Glied in der Kette der Geschlechter, die Gott zu seiner Ehre kommen und vergehen läßt und zu seinem Reich ruft; in eurer Liebe seht ihr nur den Himmel eures eigenen Glückes, durch die Ehe seid ihr verantwortlich in die Welt und die Verantwortung der Menschen hineingestellt; eure Liebe gehört euch allein und persönlich, die Ehe ist etwas Überpersönliches, sie ist ein Stand, ein Amt. Wie die Krone den König macht und nicht schon der Wille zu herrschen, so macht die Ehe und nicht schon eure Liebe zueinander euch zu einem Paar vor Gott und vor den Menschen. Wie ihr den Ring erst euch selbst gegeben habt und ihn noch einmal aus der Hand des Pfarrers empfangt, so kommt die Liebe aus euch, die Ehe von oben, von Gott. Soviel höher Gott ist als der Mensch, soviel höher ist die Heiligkeit, das Recht und die Verheißung der Ehe als die Heiligkeit, das Recht und die Verheißung der Liebe. Nicht eure Liebe trägt die Ehe, sondern von nun an trägt die Ehe eure Liebe.

Gott macht eure Ehe unauflöslich. »Was Gott zusammengefügt hat, das soll der Mensch nicht scheiden« (Matth. 19, 6). Gott fügt euch in der Ehe zusammen; das tut nicht ihr, sondern das tut Gott. Verwechselt eure Liebe zueinander nicht mit Gott. Gott macht eure Ehe unauflöslich, er schützt sie vor jeder Gefahr, die ihr von außen oder innen droht; Gott will der Garant ihrer Unauflöslichkeit sein. Es ist eine beglückende Gewißheit für den, der das weiß, daß keine

Macht der Welt, keine Versuchung, keine menschliche Schwachheit auflösen kann, was Gott zusammenhält; ja, wer das weiß, darf getrost sagen: was Gott zusammengefügt hat, das *kann* der Mensch nicht scheiden. Frei von aller Bangigkeit, die der Liebe immer innewohnt, dürft ihr in Gewißheit und voller Zuversicht nun zueinander sagen: Wir können einander nie mehr verloren gehen, wir gehören einander durch Gottes Willen bis zum Tod.

Gott gründet eine Ordnung, in der ihr in der Ehe miteinander leben könnt. »Ihr Weiber, seid untertan euren Männern, in dem Herrn, wie sich's gehört. Ihr Männer, liebet eure Weiber« (Kol. 3, 18. 19). Mit eurer Ehe gründet ihr ein Haus. Dazu bedarf es einer Ordnung, und diese Ordnung ist so wichtig, daß Gott selbst sie setzt, weil ohne sie alles aus den Fugen ginge. In allem seid ihr frei bei der Gestaltung eures Hauses, nur in einem seid ihr gebunden: die Frau sei dem Manne untertan, und der Mann liebe seine Frau. Damit gibt Gott Mann und Frau die ihnen eigene Ehre. Es ist die Ehre der Frau, dem Manne zu dienen, ihm eine Gehilfin zu sein – wie es in der Schöpfungsgeschichte heißt (1. Mose 2, 20) –, und es ist die Ehre des Mannes, seine Frau von Herzen zu lieben. Er »wird Vater und Mutter verlassen und an seinem Weibe hangen« (Matth. 19, 5), er wird sie »lieben wie sein eigenes Fleisch«. Eine Frau, die über ihren Mann herrschen will, tut sich selbst und ihrem Manne Unehre, ebenso wie ein Mann durch mangelnde Liebe zu seiner Frau sich selbst und seiner Frau Unehre zufügt, und beide verachten die Ehre Gottes, die auf dem Ehestand ruhen soll. Es sind ungesunde Zeiten und Verhältnisse, in denen die Frau ihren Ehrgeiz darin sucht, zu sein wie der Mann, und der Mann in der Frau nur das Spielzeug seiner Herrschsucht und Freiheit erblickt. Es ist der Beginn der Auflösung und des Zerfalls aller menschlichen Lebensordnungen, wenn das Dienen der Frau als Zurücksetzung, ja als Kränkung ihrer Ehre, und die ausschließliche Liebe des Mannes zu seiner Frau als Schwäche oder gar als Dummheit angesehen wird.

Der Ort, an den die Frau von Gott gestellt ist, ist das Haus des Mannes. Was ein Haus bedeuten kann, ist heute bei den meisten in Vergessenheit geraten, uns anderen aber ist es gerade in unserer Zeit besonders klar geworden. Es ist mitten in der Welt ein Reich für sich, eine Burg im Sturm der Zeit, eine Zuflucht, ja ein Heiligtum; es steht nicht auf dem schwankenden Boden der wechselnden Ereignisse des äußeren und öffentlichen Lebens, sondern es hat seine Ruhe in Gott, d. h. es hat von Gott seinen eigenen Sinn und Wert, sein eigenes Wesen und Recht, seine eigene Bestimmung und Würde. Es ist eine Gründung Gottes in der Welt, der Ort, an dem – was auch in der Welt vorgehen mag – Friede, Stille, Freude, Liebe, Reinheit, Zucht, Ehrfurcht, Gehorsam, Überlieferung und in dem allem – Glück wohnen soll. Es ist die Berufung und das Glück der Frau, diese Welt in der Welt dem Manne aufzubauen und in ihr zu wirken. Wohl ihr, wenn sie erkennt, wie groß und reich diese ihre Bestimmung und Aufgabe ist. Nicht das Neue, sondern das Bleibende, nicht das Wechselnde, sondern das Beständige, nicht das Laute, sondern das Stille, nicht die Worte, sondern das Wirken, nicht das Befehlen, sondern das Gewinnen, nicht das Begehren, sondern das Haben – und dies alles beseelt und getragen von der Liebe zum Manne –, das ist das Reich der Frau. In den Sprüchen Salomos heißt es: »Ihres Mannes Herz darf sich auf sie verlassen, und Nahrung wird ihm nicht mangeln. Sie tut ihm Liebes und kein Leides ihr Leben lang. Sie geht mit Wolle und Flachs um und arbeitet gerne mit ihren Händen. Sie steht vor Tage auf und gibt Speise ihrem Hause und Essen ihren Mägden ... Sie breitet ihre Hände aus zu dem Armen und reicht ihre Hand dem Dürftigen ... Kraft und Schöne sind ihr Gewand, und sie lacht des kommenden Tages ... Ihre Söhne stehen auf und preisen sie selig; ihr Mann lobt sie ... Viele Töchter halten sich tugendsam, aber du übertriffst sie alle« (Sprüche 32, 11 f). Das Glück, das der Mann in einer rechten oder, wie es in der Bibel heißt, »tugendsamen«, »klugen« Frau findet, wird in der Bibel immer wieder als das höchste irdische Glück überhaupt gepriesen. »Die ist viel köstlicher als die köstlichsten Perlen« (Sprüche 31, 10). »Eine tugendsame Frau ist eine Krone ihres Mannes« (Sprüche 12, 4). Ebenso offen aber spricht die Bibel von dem Unheil, das durch eine verkehrte, »törichte« Frau über den Mann und das ganze Haus kommt.

Wenn nun der Mann als das Haupt der Frau bezeichnet wird und sogar unter dem Zusatz »gleichwie Christus ist das Haupt der Gemeinde« (Eph. 5, 23), so fällt damit auf unsere irdischen Verhältnisse ein göttlicher Abglanz, den wir erkennen und ehren sollen. Die Würde, die dem Mann hier zugesprochen wird, liegt nicht in seinen persönlichen Fähigkeiten und Anlagen, sondern in seinem Amt, das er mit seiner Ehe empfängt. Mit dieser Würde umkleidet soll ihn die Frau sehen. Ihm selbst aber ist diese Würde höchste Verantwortung. Als das Haupt trägt er die Verantwortung für die Frau, für die Ehe und für das Haus. Ihm fällt die Sorge und der Schutz für die Seinen zu, er vertritt sein Haus gegenüber der Welt, er ist der Halt und Trost der Seinen, er ist der Hausmeister, der ermahnt, straft, hilft, tröstet und der für sein Haus vor Gott steht. Es ist gut, weil göttliche Ordnung, wenn die Frau den Mann in seinem Amte ehrt und wenn der Mann seines Amtes wirklich waltet. »Klug« sind der Mann und die Frau, die die Ordnung Gottes erkennen und halten; »töricht« ist, wer meint, an ihre Stelle eine andere, dem eigenen Willen und Verstand entspringende Ordnung setzen zu können.

Gott hat auf die Ehe einen Segen und eine Last gelegt. Der Segen ist die Verheißung der Nachkommenschaft. Gott läßt die Menschen teilnehmen an seinem immerwährenden Schaffen; aber es ist doch immer Gott selbst, der eine Ehe mit Kinder segnet. »Kinder sind eine Gabe des Herrn« (Ps. 127, 3), und als solche sollen wir sie erkennen. Von Gott empfangen die Eltern ihre Kinder, und zu Gott sollen sie sie wieder führen. Darum haben die Eltern göttliche Autorität gegenüber ihren Kindern. Luther spricht von der »güldenen Kette«, die Gott den Eltern umlegt, und das Halten des 4. Gebotes hat nach der Schrift die besondere Verheißung eines langen Lebens auf Erden. Weil und solange aber die Menschen auf Erden leben, hat Gott ihnen eine Erinnerung daran gegeben, daß diese Erde unter dem Fluch der Sünde steht und nicht das Letzte ist. Über der Bestimmung der Frau und des Mannes liegt der dunkle Schatten eines göttlichen Zorneswortes, liegt eine göttliche Last, die sie tragen müssen. Die Frau soll ihre Kinder mit Schmerzen gebären, und der Mann soll in seiner Sorge für die Seinen viele Dornen und Disteln ernten und seine Arbeit im Schweiße des Angesichts tun. Diese Last soll Mann und Frau dazu führen, zu

Gott zu rufen, und sie an ihre ewige Bestimmung in seinem Reiche erinnern. Die irdische Gemeinschaft ist nur ein Anfang der ewigen Gemeinschaft, das irdische Haus ein Abbild des himmlischen Hauses, die irdische Familie ein Abglanz der Vaterschaft Gottes über alle Menschen, die vor ihm Kinder sind.

Gott schenkt euch Christus als den Grund eurer Ehe. »Nehmet euch untereinander auf, gleichwie euch Christus aufgenommen hat zu Gottes Lobe« (Röm. 15, 7). Mit einem Worte: lebt miteinander in der Vergebung eurer Sünden, ohne die keine menschliche Gemeinschaft, erst recht keine Ehe bestehen kann. Seid nicht rechthaberisch gegeneinander, urteilt und richtet nicht übereinander, erhebt euch nicht übereinander, schiebt nie einander die Schuld zu, sondern nehmt euch auf, wie ihr seid, und vergebt einander täglich und von Herzen.

Vom ersten Tage einer Ehe an bis zum letzten muß es gelten: nehmet euch untereinander auf . . . zu Gottes Lobe. –

So habt ihr Gottes Wort über eure Ehe gehört. Dankt ihm dafür, dankt ihm, daß er euch bis hierher geführt hat, bittet ihn, daß er eure Ehe gründe, festige, heilige und bewahre; so werdet ihr in eurer Ehe »etwas sein zum Lobe seiner Herrlichkeit«. Amen.

... Ich danke Euch sehr für Eure Briefe, *mir* sind sie immer nur zu kurz, aber ich verstehe es ja natürlich! Es ist, als täte sich einen Moment die Gefängnistür auf und man lebt ein Stück Leben draußen mit. Das Verlangen nach Freude in diesem ernsten Hause, in dem man nie ein Lachen hört – selbst dem Wachpersonal scheint es über ihren Eindrücken vergangen zu sein – ist sehr groß, und man schöpft alle inneren und äußeren Quellen der Freude voll aus.

Heute ist Himmelfahrtstag, also ein großer Freudentag für alle, die es glauben können, daß Christus die Welt und unser Leben regiert. Die Gedanken gehen zu Euch allen, zu Kirche und Gottesdiensten, von denen ich nun schon so lange getrennt bin, aber auch zu den vielen unbekannten Menschen, die in diesem Haus ihr Schicksal stumm mit sich herumtragen. Solche und andere Gedanken bewahren mich immer wieder gründlich davor, die eigenen geringen Entbehrungen irgendwie wichtig zu nehmen. Das wäre sehr ungerecht und undankbar.

Ich habe gerade wieder etwas über das »Zeitgefühl« weitergeschrieben; das macht mir großen Spaß, und was man so aus unmittelbarem Erleben schreibt, geht flüssiger von der Hand und man schreibt sich frei. Die »Anthropologie« von Kant, für die ich Dir, Papa, sehr danke, habe ich durchgelesen; ich kannte sie nicht. Ich fand vieles sehr Interessante darin, aber es bleibt doch eine sehr rationalistische Rokokopsychologie, die an vielen wesentlichen Erscheinungen einfach vorbeigeht. Kannst Du mir etwas Gutes über Formen und Funktionen des Gedächtnisses schicken? Das interessiert mich in diesem Zusammenhang jetzt sehr. Sehr hübsch sind Kants Deutungen des »Rauchens« als Selbstunterhaltung.

Daß ihr jetzt Gotthelf lest, freut mich sehr; sicher würden Euch auch seine »Wanderungen« ... ebenso gefallen. Wissenschaftlich habe ich hier Uhlhorns große »Geschichte der christlichen Liebestätigkeit« sehr gern gelesen und mich bei Holls Kirchengeschichte an seine Seminare erinnert.

Fast täglich lese ich etwas Stifter; das geborgene und verborgene

Leben seiner Gestalten – er ist ja so altmodisch, nur sympathische Menschen zu schildern – hat in dieser Atmosphäre hier etwas sehr Wohltuendes und lenkt die Gedanken auf die wesentlichen Lebensinhalte. Überhaupt wird man hier in der Zelle äußerlich und innerlich auf die einfachsten Dinge des Lebens zurückgeführt; so konnte ich z. B. mit Rilke gar nichts anfangen. Aber vielleicht leidet der Verstand auch etwas unter der Enge, in der man lebt?...

Pfingsten, 14. 6. 1943

Nun feiern wir also auch Pfingsten noch getrennt, und es ist doch in besonderer Weise ein Fest der Gemeinschaft. Als die Glocken heute früh läuteten, hatte ich große Sehnsucht nach einem Gottesdienst, aber dann habe ich es gemacht wie Johannes auf Patmos und für mich allein einen so schönen Gottesdienst gehalten, daß die Einsamkeit gar nicht zu spüren war, so sehr wart Ihr alle, alle dabei und auch die Gemeinden, in denen ich Pfingsten schon gefeiert habe. Das P. Gerhardtsche Pfingstlied mit den schönen Versen: »Du bist ein Geist der Freude« und »Gib Freudigkeit und Stärke...« sage ich mir seit gestern abend alle paar Stunden auf und freue mich daran, dazu die Worte: »der ist nicht stark, der nicht fest ist in der Not« (Sprüche 24) und »Gott hat uns nicht gegeben den Geist der Furcht, sondern der Kraft und der Liebe und der Besonnenheit« (2. Tim. 1). Die seltsame Geschichte vom Sprachenwunder hat mich auch wieder sehr beschäftigt. Daß die babylonische Sprachenverwirrung, durch die die Menschen einander nicht mehr verstehen können, weil jeder seine eigene Sprache spricht, ein Ende haben und überwunden sein soll durch die Sprache Gottes, die jeder Mensch versteht und durch die allein die Menschen sich auch wieder untereinander verstehen können, und daß die Kirche der Ort sein soll, an dem das geschieht, das sind doch alles sehr große und wichtige Gedanken. Leibniz hat sich sein Leben lang mit der Idee einer Universalschrift, die nicht in Worten, sondern in evidenten Zeichen alle Begriffe zur Darstellung bringen sollte, herumgeschlagen – ein Ausdruck seines Verlangens, die damals so zerrissene Welt zu heilen –, ein philosophischer Reflex zur

Pfingstgeschichte. – Es ist wieder völlige Stille im Haus, nur die Schritte der in ihren Zellen auf und ab gehenden Gefangenen hört man, und wieviel trostlose und unpfingstliche Gedanken mögen da mit herumgetragen werden. Wenn ich Gefängnispfarrer wäre, dann würde ich an solchen Tagen von frühmorgens bis abends durch die Zellen gehen; da würde sich manches ereignen.

Ihr wartet alle ebenso, wie ich, und ich muß gestehen, daß ich in irgendeinem Bezirk des Unterbewußtseins wohl doch gehofft habe, Pfingsten wieder frei zu sein, obwohl ich mir bewußt immer wieder verbiete, irgendwelche bestimmten Termine ins Auge zu fassen. Morgen sind es nun 10 Wochen; das hatten wir uns wohl unter einer »vorläufigen« Festnahme in unserm Laienverstand nicht vorgestellt. Es ist aber überhaupt ein Fehler, in juristischen Dingen so ahnungslos zu sein, wie ich es bin. Ich spüre hier erst, in was für einer verschiedenen Atmosphäre der Jurist leben muß als der Theologe; aber auch das ist lehrreich und es hat wohl jedes an seinem Ort sein Recht. Und uns bleibt nun eben gar nichts übrig, als im Vertrauen darauf, daß ja jeder zur beschleunigten Klärung tut, was er kann, mit möglichst viel Geduld zu warten und nicht bitter zu werden. Bei Fritz Reuter heißt es so schön: »So egal und sacht fließt kein Lebenslauf, daß er nicht mal gegen einen Damm stößt und sich im Kreise dreht oder daß ihm die Menschen Steine ins klare Wasser schmeißen, na, passieren tut jedem was – und er muß dafür sorgen, daß sein Wasser klar bleibt, daß Himmel und Erde sich in ihm spiegeln kann« – damit ist eigentlich alles gesagt…

Die Studie über das Zeitgefühl ist ungefähr fertig, jetzt muß sie eine Weile ruhen, mal sehen, wie sie das übersteht.

Es ist Pfingstmontag. Eben setze ich mich, um Rüben und Kartoffeln zum Mittag zu essen, da wird völlig unerwartet Euer Pfingstpäckchen abgegeben, das R. gebracht hat. Es ist wirklich nicht zu beschreiben, wie einen so etwas freut. Bei aller Gewißheit der geistigen Verbindung zwischen Euch allen und mir, hat der Geist doch offenbar immer ein ungestilltes Verlangen nach Sichtbarmachung dieser Verbindung der Liebe und des Gedenkens, und die materiellen Dinge werden dann Träger geistiger Realitäten. Ich glaube, das ist etwas Analoges zu dem Verlangen aller Religionen nach dem Sichtbarwerden des Geistes im Sakrament.

24. 6. 43

Was für ein Reichtum ist in solchen bedrängten Zeiten eine große, eng miteinander verbundene Familie, wo einer dem anderen vertraut und beisteht. Ich habe früher bei ... Verhaftungen von Pfarrern manchmal gedacht, es müsse doch für die Alleinstehenden unter ihnen am leichtesten zu ertragen sein. Damals habe ich nicht gewußt, was in der kalten Luft der Gefangenschaft die Wärme, die von der Liebe einer Frau und einer Familie ausgeht, bedeutet und wie gerade in solchen Zeiten der Trennung das Gefühl der unbedingten Zusammengehörigkeit noch wächst ...

Eben kommen Briefe, für die ich Euch sehr danke. Aus den Berichten von Erdbeeren und Himbeeren, von Schulferien und Reiseplänen spüre ich erst, daß es inzwischen wirklich Sommer geworden ist. Hier geht das Leben ziemlich zeitlos dahin. Ich bin froh über die milden Temperaturen. Vor einiger Zeit hatte hier im Hof in einem kleinen Verschlag eine Meise ihr Nest mit 10 Jungen darin; ich habe mich täglich daran gefreut, eines Tages hatte ein roher Kerl alles zerstört, einige Meisen lagen tot auf der Erde – unbegreiflich. Auch ein kleiner Ameisenbau und die Bienen an den Linden machen mir auf meinen Gängen im Hof viel Freude. Ich erinnere mich dann manchmal an die Geschichte von Peter Bamm, der auf einer wunderschönen Insel ist, auf der er auch allerlei mehr oder weniger angenehme Menschen trifft, und der bei dem Angsttraum, es könne einmal eine Bombe alles zerstören, zunächst nur denken kann, es wäre schade um die Schmetterlinge! Es ist wohl das Gefühl für das ungestörte, stille, freie Leben der Natur, das dem Gefangenen ein ganz besonderes – wahrscheinlich etwas sentimentales – Verhältnis zu Tieren und Pflanzen gibt. Nur das Verhältnis zu den Fliegen in der Zelle bleibt für mich noch ganz unsentimental. Der Gefangene neigt wohl überhaupt dazu, den Mangel an Wärme und Gemüt, den er in seiner Umgebung empfindet, bei sich selbst durch eine Übersteigerung des Gefühlsmäßigen zu ersetzen und er reagiert wohl auch leicht überstark auf alles persönlich Gefühlsmäßige. Es ist dann gut, sich selbst immer einmal wieder durch eine kalte Dusche Nüchternheit und Humor zur Ordnung zu rufen, sonst gerät man aus dem Gleichgewicht. Ich glaube, daß gerade diesen Dienst einem das rechtverstandene Christentum besonders wirksam leistet.

Du, Papa, kennst das ja alles gut aus Deinen langen Erfahrungen mit Gefangenen. Was die sogenannte Haftpsychose ist, weiß ich allerdings selbst noch nicht; ich kann mir nur die Richtung ungefähr vorstellen.

3. 7. 43

Wenn am Sonnabend abends um 6 Uhr die Glocken der Gefängniskirche zu läuten anfangen, dann ist das der schönste Augenblick, um nach Haus zu schreiben. Es ist merkwürdig, was für eine Gewalt die Glocken über den Menschen haben und wie eindringlich sie sein können. Es verbindet sich so vieles aus dem Leben mit ihnen. Alles Unzufriedene, Undankbare, Selbstsüchtige schwindet dahin. Es sind lauter gute Erinnerungen, von denen man auf einmal wie von guten Geistern umgeben ist; als erstes sind es immer stille Sommerabende in Friedrichsbrunn, die mir gegenwärtig werden, dann all die verschiedenen Gemeinden, in denen ich gearbeitet habe, dann die vielen schönen häuslichen Feste, Trauungen, Taufen, Konfirmationen – morgen wird mein Patenkind konfirmiert! – man kann es gar nicht aufzählen, was da alles lebendig wird. Aber es können nur sehr friedliche, dankbare und zuversichtliche Gedanken sein. Wenn man nur andern Menschen mehr helfen könnte! Ich habe eine Woche mit viel ruhiger Arbeit und schönen Büchern hinter mir, dazu mit Briefen von Euch … und mit dem wunderschönen heutigen Paket. Es beunruhigt mich etwas, daß Eure Fenster im Luftschutzraum zugemauert werden sollen …

Es ist nun ein Vierteljahr Haft herum. Ich erinnere mich, als Student in der Ethik bei Schlatter gehört zu haben, es gehöre zu den christlichen Staatsbürgerpflichten, eine Untersuchungshaft ruhig auf sich zu nehmen. Damals waren mir das leere Worte. Ich habe in den vergangenen Wochen manchmal daran gedacht; und nun wollen wir auch die Zeit, die uns noch auferlegt ist, ebenso ruhig und mit Geduld abwarten, wie bisher. In Träumen bin ich mehr denn je schon wieder in Freiheit bei Euch... — Ganz wunderschön waren die Feuerlilien, die Kelche öffnen sich morgens langsam und blühen nur einen Tag, am nächsten Morgen sind neue da, übermorgen werden die letzten geblüht haben.

Sonntag, 25. 7. 43

Nun seid Ihr gestern bei der Hitze selbst mit dem Paket hiergewesen! Hoffentlich hat es Euch nicht doch zu sehr angestrengt. Ich danke Euch sehr dafür und für alles Gebrachte. Die sommerlichen Erzeugnisse sind mir hier natürlich besonders willkommen. Nun sind also auch die Tomaten schon reif! In diesen Tagen spüre ich zum ersten Mal die Wärme; noch ist sie hier in der Zelle nicht lästig, besonders, da ich mich ja wenig bewege. Aber das Verlangen nach frischer Luft wächst. Ich möchte mal wieder einen Abend im Garten erleben. Die halbe Stunde spazierengehen am Tage ist zwar schön, aber doch zu wenig. Wahrscheinlich werden die verschiedenen Erkältungserscheinungen, Reißen, Schnupfen etc., erst weggehen, wenn ich wieder an die Luft komme. Eine große Freude sind mir immer die Blumen, die etwas Farbe und Leben in die graue Zelle bringen...

Ich lebe mit meiner Lektüre jetzt ganz im 19. Jahrhundert. Gotthelf, Stifter, Immermann, Fontane, Keller habe ich in diesen Monaten mit reiner Bewunderung gelesen. Eine Zeit, in der man ein so klares, einfaches Deutsch schreiben konnte, muß im Grunde eine sehr gesunde Substanz gehabt haben. Bei den zartesten Dingen wird man nicht sentimental, bei den kräftigsten nicht frivol, bei der Aussprache von Überzeugungen nicht pathetisch, keine übertriebene Simplifizierung und Komplizierung in Sprache und Gegenstand; kurz, das alles ist mir äußerst sympathisch und scheint mir sehr gesund zu sein. Aber es setzt wohl viel ernste Arbeit am deutschen Ausdruck und darum viel Stille voraus. Übrigens haben mich auch die letzten Reuters wieder sehr gefesselt und ich empfinde mit Freude und Erstaunen die innere Gleichgestimmtheit oft bis ins Sprachliche hinein; man fühlt sich doch oft einfach durch die Art und Weise, etwas auszudrücken, mit einem Verfasser verbunden oder von ihm getrennt...

Von Mal zu Mal hoffe ich, daß es der letzte Brief aus dem Gefängnis ist, den ich Euch schreibe. Schließlich wird es ja auch mit jedem Tag wahrscheinlicher und allmählich kriegt man es hier ja auch satt. Ich würde es uns allen so wünschen, daß wir noch ein paar schöne Sommertage zusammen hätten.

3. 8. 43

Ich bin wirklich sehr froh und dankbar, daß ich Euch nun öfter schreiben darf; denn ich fürchte, Ihr macht Euch jetzt Sorgen, erstens wegen der Hitze in der Dachzelle, zweitens wegen der Bitte um den Anwalt. Eben kommt nun Euer herrliches Paket mit Tomaten, Äpfeln, Kompott, Thermosflasche usw. und mit dem phantastischen Kühlsalz, das ich noch gar nicht kannte. Welche Mühe habt Ihr Euch wieder für mich gemacht! Bitte, macht Euch keine Gedanken, ich habe ja oft schlimmere Hitze erlebt, in Italien, Afrika, Spanien, Mexiko und am schlimmsten fast in New York im Juli 1939, und ich weiß ungefähr, wie man sich am besten verhält; ich trinke und esse wenig, sitze ruhig am Schreibtisch und finde mich in meiner Arbeit eigentlich unbehindert. Zwischendurch erfrische ich Magen und Herz mit Euren schönen Sachen. Um Verlegung in einen anderen Stock möchte ich nicht bitten, ich finde das nicht anständig gegen den anderen Gefangenen, der dann in meine Zelle müßte, und vermutlich ohne Tomaten etc., außerdem macht es objektiv wohl nicht viel aus, ob es 34° oder nur 30° im Zimmer hat. Leider weiß ich aber, daß Hans* Hitze immer so schlecht verträgt; das tut mir so leid. Aber es ist eine immer wieder merkwürdige Beobachtung, daß man Unabänderliches ganz anders aushält, als wenn man dauernd den Gedanken hat, man könnte sich irgend etwas erleichtern.

Was nun meine Bitte um den Verteidiger angeht, so hoffe ich sehr, daß Ihr seither nicht in großer Unruhe seid, sondern den Ablauf der

* Hans von Dohnanyi, zur selben Zeit im Gefängnis in der Lehrterstraße

Dinge ebenso ruhig abwartet wie ich. Ihr müßt wirklich nicht denken, ich sei nun sehr niedergeschlagen oder unruhig. Natürlich war es eine Enttäuschung, wie vermutlich auch für Euch. Aber in gewisser Weise ist es auch eine Befreiung, zu wissen, daß nun die endgültige Klärung der Sache, auf die wir so lange warten, bald kommen wird. Ich warte täglich auf genaueren Bescheid...

Ich habe wieder manches Gute gelesen. Mit »Jürg Jenatsch« habe ich eine Jugenderinnerung mit viel Freude und Interesse aufgefrischt. An historischen Sachen fand ich das Werk über die Venezianer sehr instruktiv und fesselnd. Würdet Ihr mir bitte etwas Fontane schikken: »Frau Jenny Treibel«, »Irrungen, Wirrungen«, »Stechlin«? Diese starke Lektüre der letzten Monate wird auch meiner Arbeit sehr zugute kommen. Man lernt aus diesen Sachen oft mehr über die Ethik als aus Lehrbüchern. – »Kein Hüsung« von Reuter habe ich ebenso gern wie Du, Mama. Aber ich bin nun wohl mit den Reuter's durch? Oder habt Ihr noch etwas ganz Besonderes?...

Im »Grünen Heinrich« las ich neulich den hübschen Vers: »Und durch den starken Wellengang / der See, die gegen mich verschworen, / geht mir von Euerem Gesang, / wenn auch gedämpft, kein Ton verloren.«

7. 8. 43

...Ob Ihr nun auch sehr in Luftschutzvorbereitungen seid? Nach allem, was die Zeitung in den letzten Tagen bringt, kommt man ja nicht umhin, sich alles bis in die Einzelheiten hinein noch einmal zu überlegen. Da geht mir z. B. durch den Kopf, daß wir doch einmal vom Gebälk im Keller gesprochen haben und gewisse Bedenken hatten; an dem Hauptbalken in der Mitte sollten doch noch irgendwelche Veränderungen vorgenommen werden? Ob Ihr noch daran denkt und ob die Hilfskräfte dafür zu kriegen sind? Das stelle ich mir jetzt sehr schwierig vor. Wie gern würde ich Euch dabei helfen. Laßt mich doch alles wissen, es interessiert einen ja jede Einzelheit...

Ich glaube, ich habe bisher noch nie erzählt, daß ich täglich, wenn ich nicht mehr lesen und schreiben kann, etwas Schachtheorie treibe;

das macht mir viel Spaß. Wenn Ihr etwas Kleines, Gutes, vielleicht mit Aufgaben, darüber findet, wäre ich dankbar, aber macht Euch keinerlei Umstände damit; es geht auch so ...

17. 8. 43

... Vor allem macht Euch bitte um mich so wenig wie möglich Sorge. Ich halte alles gut aus und bin innerlich ganz ruhig. Und wie gut, daß wir aus früheren Erfahrungen umeinander wissen, daß uns Alarme wirklich gar nicht beunruhigen. Sehr froh bin ich, daß die Gerichte ... in Berlin bleiben! ... Im übrigen habt wohl Ihr – wie ich auch – Besseres zu tun, als immerfort über mögliche Alarme nachzudenken. Abstand gewinnen von den Vorgängen und Aufregungen des Tages, das lernt man hier in der Zelle fast von selbst ...

Nachdem ich in den letzten 14 Tagen des unsicheren täglichen Wartens kaum zur produktiven Arbeit kam, will ich jetzt versuchen, wieder ans Schreiben zu gehen. Ich hatte in den vergangenen Wochen einen Entwurf zu einem Schauspiel versucht, habe aber inzwischen festgestellt, daß der Stoff eigentlich nicht dramatisch ist, und werde ihn nun in die erzählende Form umzuarbeiten versuchen. Es geht um das Leben einer Familie. Da mischt sich naturgemäß viel Persönliches ein ...

Der Tod der drei jungen Pastoren geht mir sehr nahe. Ich wäre dankbar, wenn ihren Verwandten irgendwie gesagt werden könnte, daß ich ihnen jetzt nicht schreiben kann; sie würden das sonst nicht verstehen. Die drei haben mir unter meinen Schülern mit am nächsten gestanden. Es ist ein großer, persönlicher und kirchlicher Verlust. Von meinen Schülern sind es nun wohl über dreißig, die gefallen sind, und großenteils die besten ...

Das war nun doch für Euch eine bewegte Nacht! Ich war sehr erleichtert, als mir der Hauptmann bestellen ließ, es sei bei Euch alles in Ordnung. Von meiner hochgelegenen Zelle und dem bei Alarmen vollständig heruntergelassenen Fenster aus sieht man das schauerliche Feuerwerk über der Stadt in südlicher Richtung sehr deutlich, und ohne das geringste Gefühl persönlicher Beunruhigung kommt einem in solchen Augenblicken doch der ganze Widersinn meiner gegenwärtigen Lage in ihrem untätigen Warten überwältigend stark zum Bewußtsein. Merkwürdig berührte mich dann heute früh die Losung der Brüdergemeine: »Ich will Frieden geben eurem Lande, daß ihr schlafet und euch niemand schrecke« (3. Mos. 26, 6).

Dummerweise bekam ich am Sonntag nacht einen Magen-Darm-Katarrh, hatte gestern Fieber, das aber heute wieder herunter ist. Ich bin aber nur eben zum Briefschreiben aufgestanden und lege mich danach gleich wieder vorsichtshalber hin; ich möchte unter keinen Umständen krank werden. Da es hier für solche Fälle keine besondere Verpflegung gibt, bin ich sehr froh an Eurem Knäckebrot und einer seit langem für solche Fälle aufgehobenen Leibnizkeksschachtel. Außerdem hat mir ein Sanitäter etwas von seinem Weißbrot abgegeben. So komme ich ganz gut durch. Man sollte wohl für alle Fälle immer etwas Derartiges hier haben, vielleicht auch ein kleines Tütchen Grieß oder Flocken, die einem im Revier gekocht werden könnten. Bis Ihr den Brief kriegt, ist die Sache längst erledigt ...

31. August 43

... In den letzten Tagen habe ich wieder gut arbeiten können und viel geschrieben. Wenn ich nach ein paar Stunden völliger Versenkung in den Stoff mich wieder in meiner Zelle vorfinde, dann brauche ich immer wieder erst einen Moment, um mich zu orientieren. Das Unwahrscheinliche meines gegenwärtigen Aufenthaltes ist doch immer noch nicht überwunden bei aller Gewöhnung an das Äußere. Ich finde es ganz interessant, diesen allmählichen Prozeß der Gewöhnung und Anpassung an sich zu beobachten. Als ich vor 8 Tagen zum Essen Messer und Gabel bekam – das ist eine neue Einrichtung –, schien mir das fast überflüssig, so selbstverständlich war es mir geworden, mit dem Löffel das Brot zu streichen etc. Andererseits glaube ich, daß man sich an etwas, was man als sinnwidrig empfindet, also z. B. den Zustand des Gefangenseins als solchen, überhaupt nicht oder doch nur sehr schwer gewöhnt. Da bedarf es immer noch eines bewußten Aktes, um sich zurechtzufinden. Wahrscheinlich gibt es darüber doch auch psychologische Arbeiten?

Die Weltgeschichte von Delbrück liest sich sehr schön. Ich finde nur, daß es mehr eine deutsche Geschichte ist. Die »Mikrobenjäger« habe ich mit sehr viel Freude zu Ende gelesen. Sonst habe ich mehreres von Storm gelesen, aber im ganzen doch, ohne davon sehr beeindruckt zu sein. Ich hoffe, Ihr bringt mir noch Fontane oder Stifter...

5. September 43

Von der vorletzten Nacht brauchen wir uns wohl gegenseitig nichts zu erzählen. Ich werde den Blick durch das Zellenfenster auf den grausigen Nachthimmel nicht vergessen. Sehr froh war ich, schon am Morgen durch den Hauptmann zu hören, daß bei Euch alles gut gegangen ist... Es ist merkwürdig, wie einen in solchen Nachtstunden ganz ausschließlich der Gedanke an diejenigen Menschen, ohne die man nicht leben möchte, bewegt und das Eigene völlig zurücktritt oder geradezu ausgelöscht ist. Man spürt dann erst, wie verwoben das eigene Leben mit dem Leben anderer Menschen ist, ja, wie das Zentrum des eigenen Lebens außerhalb seiner selbst liegt und wie wenig man ein Einzelner ist. Das »als wär's ein Stück von mir« ist schon richtig, und ich habe es bei Todesnachrichten von gefallenen Amtsbrüdern und Schülern oft empfunden. Ich glaube, das ist einfach eine Naturtatsache; das menschliche Leben greift weit über die eigene körperliche Existenz hinaus. Am stärksten empfindet das wahrscheinlich eine Mutter. – Darüber hinaus aber sind es zwei Worte der Bibel, in denen sich für mich immer wieder dieses Erlebnis zusammenfaßt. Das eine aus Jeremia 45: »Siehe, was ich gebaut habe, das breche ich ab, und was ich gepflanzt habe, das reute ich aus... und du begehrst dir große Dinge? Begehre es nicht! aber deine Seele will ich dir zur Beute geben«, und das andere aus Psalm 60: »Gott, der du die Erde bewegt und zerrissen hast, heile ihre Brüche, die so zerschellt ist.«...

Von Euch wüßte ich gern, ob der Splittergraben angelegt ist und ob Ihr nicht einen Durchbruch vom Keller zum Graben machen lassen könnt. Der Hauptmann M. hat sich das so machen lassen...

Mir geht es weiter gut. Ich bin zwei Stock tiefer gelegt worden wegen der Luftgefahr. Nun sehe ich von meinem Fenster gerade auf die Kirchtürme; das ist sehr hübsch. In der vergangenen Woche konnte ich wieder ganz gut schreiben. Nur fehlt mir die Bewegung in der freien Luft, von der ich für produktives Arbeiten sehr abhängig bin. Aber nun ist es ja nicht mehr lange, und das ist die Hauptsache...

13. 9. 43

Auf meinen, in einem der letzten Briefe geäußerten Wunsch, etwas mehr Post zu bekommen, habe ich dieser Tage nun wirklich eine ganze Reihe von Briefen gekriegt, über die ich mich sehr gefreut habe. Fast komme ich mir vor wie Palmström, der sich »ein Quartal gemischte Post« bestellt. Aber im Ernst, ein Tag mit Briefen hebt sich aus der Monotonie der übrigen immer sehr fühlbar hinaus. Nun kam auch noch die Sprecherlaubnis dazu, so ist es mir wirklich gut gegangen. Nach der unangenehmen Verzögerung der Postbestellung in den letzten Wochen habe ich das sehr dankbar empfunden. Ich fand Euch auch ein bißchen besser aussehend und das hat mich sehr gefreut; denn mir ist immer noch die Tatsache, daß Ihr in diesem Jahr ganz um die so nötigen Ferien gekommen seid, der Hauptdruck bei meiner ganzen Geschichte. Vor dem Winter müßt Ihr doch noch einmal etwas heraus und am liebsten käme ich mit...

Es ist ein merkwürdiges Gefühl, schlechthin in allem auf die Hilfe der anderen angewiesen zu sein. Aber jedenfalls lernt man in solchen Zeiten dankbar werden und wird das hoffentlich nicht wieder vergessen. Im normalen Leben wird es einem oft gar nicht bewußt, daß der Mensch überhaupt unendlich mehr empfängt, als er gibt, und daß Dankbarkeit das Leben erst reich macht. Man überschätzt wohl leicht das eigene Wirken und Tun in seiner Wichtigkeit gegenüber dem, was man nur durch andere geworden ist.

Die stürmischen Ereignisse in der Welt, die die letzten Tage gebracht haben, fahren einem hier natürlich in alle Glieder und man möchte an irgendeiner Stelle etwas Nützliches leisten können; aber diese Stelle kann eben im Augenblick nur die Zelle des Gefängnisses sein, und was man hier tun kann, spielt sich im Bereich des Unsichtbaren ab und gerade da ist der Ausdruck »tun« sehr unangemessen. Ich denke manchmal an Schubert's »Münnich« und seinen Kreuzzug.

Im übrigen lese und schreibe ich soviel wie möglich, und ich bin froh, daß ich in den mehr als 5 Monaten noch nie einen Augenblick Langeweile empfinden mußte. Die Zeit ist immer ausgefüllt, aber im Hintergrund steht eben doch von morgens bis abends das Warten.

Vor einigen Wochen bat ich Euch mal um die Besorgung neu erschienener Bücher: N. Hartmann: »Systematische Philosophie«, »Das Zeitalter des Marius und Sulla« im Dieterich-Verlag; nun bitte ich noch um R. Benz: »Die deutsche Musik«. Ich möchte diese Sachen nicht gern ungelesen vorbeigehen lassen und wäre froh, sie hier noch lesen zu können. K. F. schrieb doch von einem allgemeinverständlichen physikalischen Buch, das er mir schicken wollte. Auch K. macht doch von Zeit zu Zeit schöne Bücherentdeckungen. Was hier an Brauchbarem ist, habe ich fast alles gelesen. Vielleicht versuche ich es doch noch mal mit Jean Paul's Siebenkäs oder Flegeljahren. Sie stehen in meinem Zimmer. Später entschließt man sich wahrscheinlich nie mehr dazu, und es gibt ja viele belesene Leute, die ihn sehr lieben. Mir ist er trotz mehrerer Anläufe immer zu langatmig und manieriert erschienen. – Da es aber inzwischen Mitte September geworden ist, hoffe ich ja, daß alle diese Wünsche schon überholt sind, bevor sie erfüllt werden ...

... Mir wäre es lieber, es würde einem gleich von vornherein die voraussichtliche Dauer einer solchen Sache mitgeteilt. Auch in meiner hiesigen Arbeit hätte ich manches anders und fruchtbarer gestalten können. Schließlich ist eben, so wie wir eingestellt sind, jede Woche und jeder Tag kostbar. So paradox es klingt, ich war gestern wirklich froh, als erst die Zulassung des Anwalts und dann der Haftbefehl kam. So kommt das scheinbar ziellose Warten doch wohl bald zu Ende. Immerhin hat gerade die lange Dauer meiner Festnahme mich Eindrücke gewinnen lassen, die ich nicht wieder vergessen werde... Im übrigen schreibe ich und merke, daß mir auch das freie, nichttheologische Schriftstellern Spaß macht. Aber wie schwer die deutsche Sprache ist, erkenne ich erst jetzt richtig, und wie leicht kann man sie verhunzen!...

Beim Durchlesen finde ich, daß der Brief etwas unzufrieden klingt. Das soll er nicht und das entspräche auch nicht der Wirklichkeit. So sehr ich mich hier heraussehne, so glaube ich doch, daß kein einziger Tag verloren ist. Wie sich diese Zeit später einmal auswirken wird, läßt sich noch nicht sagen. Aber sie wird sich auswirken...

... Draußen sind zauberhafte Herbsttage und ich wünschte Euch – und mich mit Euch – in Friedrichsbrunn; auch Hans und seiner Familie, die alle so besonders an dem Häuschen hängen, wünschte ich es so sehr. Aber wie viele Menschen mag es heute in der Welt geben, die sich noch ihre Wünsche erfüllen können? Ich bin zwar nicht der Meinung des Diogenes, dem Wunschlosigkeit das höchste Glück und ein leeres Faß eine ideale Behausung ist; warum soll man sich da ein X für ein U machen lassen? Aber daß es, besonders wenn man noch jünger ist, ganz gut sein kann, eine Zeitlang auf Wünsche verzichten zu müssen, das glaube ich doch; nur darf es, finde ich, nicht dazu kommen, daß die Wünsche in einem überhaupt absterben und man indifferent wird. Aber diese Gefahr besteht auch bei mir zur Zeit noch in keiner Weise...

Eben kommt wieder ein Brief von C. Ich finde es erstaunlich, wie er immer wieder daran denkt. Was für ein Weltbild mag sich in dem Kopf eines 14jährigen gestalten, wenn er monatelang seinem Vater und seinem Patenonkel ins Gefängnis schreiben muß. Allzuviel Illusionen über die Welt werden in einem solchen Kopf nicht mehr Platz haben. Für ihn ist die Kinderzeit wahrscheinlich doch mit diesen Ereignissen zu Ende gegangen. Ich lasse ihm sehr danken und freue mich schon sehr darauf, ihn wiederzusehen.

Daß ihr die »Systematische Philosophie« von Hartmann noch gekriegt habt, ist sehr schön. Ich sitze nun sehr dahinter und werde einige Wochen damit zu tun haben, wenn nicht inzwischen doch die ersehnte Unterbrechung kommt...

13. 10. 43

Vor mir steht der bunte Dahlienstrauß, den Ihr mir gestern gebracht habt, und erinnert mich an die schöne Stunde, die ich mit Euch haben konnte, und an den Garten und überhaupt daran, wie schön die Welt in diesen Herbsttagen sein kann. Ein Vers von Storm, den ich dieser Tage kennenlernte, gehört so ungefähr zu dieser Stimmung und geht mir immer wieder durch den Sinn, wie eine Melodie, die man nicht los wird: »Und geht es draußen noch so toll, / unchristlich oder christlich, / ist doch die Welt, die schöne Welt / so gänzlich unverwüstlich.« Um das zu wissen, genügen sogar ein paar bunte Herbstblumen, ein Blick aus dem Zellenfenster und eine halbe Stunde »Bewegung« auf dem Gefängnishof, auf dem ja ein paar schöne Kastanien und Linden stehen. Aber letzten Endes faßt sich, jedenfalls für mich, die »Welt« doch zusammen in ein paar Menschen, die man sehen und mit denen man zusammensein möchte... Wenn ich dazu noch an den Sonntagen gelegentlich eine gute Predigt hören könnte – manchmal trägt mir der Wind Bruchstücke der Choräle zu –, wäre es noch schöner...

Ich habe in der letzten Zeit wieder viel geschrieben, und bei allem, was ich mir für den Tageslauf vorgenommen habe, sind mir die Stunden des Tages jetzt oft zu kurz, so daß ich sogar manchmal schon das komische Gefühl habe, ich hätte hier – für dies und jenes Nebensächliche – »keine Zeit«! Morgens nach dem Frühstück, also ab 7 Uhr ungefähr, treibe ich Theologie, dann schreibe ich bis Mittag, nachmittags lese ich, dann kommt ein Kapitel aus der Weltgeschichte von Delbrück, etwas englische Grammatik, aus der ich doch noch allerlei lernen kann, und schließlich, je nach der Verfassung, schreibe oder lese ich wieder. Abends bin ich dann müde genug, um mich gern hinzulegen, wenn auch noch nicht zu schlafen ...

Siehe auch den Brief vom 22. Oktober 1943, Gesammelte Schriften II, 422 f.

31. 10. 43

... Heute ist Reformationsfest, ein Tag, der einen gerade in unseren Zeiten wieder sehr nachdenklich machen kann. Man fragt sich, warum aus Luthers Tat Folgen entstehen mußten, die genau das Gegenteil von dem waren, was er wollte, und die ihm selbst seine letzten Lebensjahre verdüstert haben und ihm manchmal sogar sein Lebenswerk fraglich werden ließen. Er wollte eine echte Einheit der Kirche und des Abendlandes, d. h. der christlichen Völker, und die Folge war der Zerfall der Kirche und Europas; er wollte die »Freiheit des Christenmenschen« und die Folge war Gleichgültigkeit und Verwilderung; er wollte die Aufrichtung einer echten weltlichen Gesellschaftsordnung ohne klerikale Bevormundung und das Ergebnis war der Aufruhr schon im Bauernkrieg und bald danach die allmähliche Auflösung aller echten Bindungen und Ordnungen des Lebens. Ich kann mich aus meiner Studentenzeit an eine Auseinandersetzung zwischen Holl und Harnack erinnern, ob die großen geistesgeschichtlichen Bewegungen sich durch ihre primären oder ihre sekundären Motive durchsetzten. Damals glaubte ich, Holl, der das erste behauptete, müsse recht haben. Heute denke ich, daß er unrecht hatte. Kierkegaard hat schon vor 100 Jahren gesagt, daß Luther heute das Gegenteil von dem sagen würde, was er damals gesagt hat. Ich glaube, das ist richtig – cum grano salis.

Nun noch eine Bitte: Würdet Ihr für mich bestellen: Wolf-Dietrich Rasch: »Lesebuch der Erzähler« (Kiepenheuer Verlag 1943), Wilhelm v. Scholz: »Die Ballade« (Th. Knaur Verlag 1943), Friedrich Reck-Malleczewen: »Briefe der Liebe aus 8 Jahrhunderten« (Keilverlag 1943)? Vermutlich sind die Auflagen nicht groß, darum muß man gleich bestellen.

Mein Rheumatismus, der neulich für ein paar Stunden so war, daß ich nicht allein vom Stuhl aufstehen und nicht einmal die Hände zum Essen heben konnte – sie haben mich daraufhin gleich ins Revier unter den Lichtbügel gebracht – ist wieder viel besser. Aber ganz losgeworden bin ich ihn doch seit Mai nicht mehr. Was tut man eigentlich später mal dagegen?...

9. II. 43

...Sehr erfreut und überrascht war ich über die Stifter-Anthologie. Da sie hauptsächlich aus Briefstücken besteht, ist mir fast alles neu. Die letzten 10 Tage stehen für mich ganz unter dem Eindruck des »Witiko«, der sich – nachdem ich Euch solange mit Suchen danach gequält habe – hier in der Gefängnisbibliothek anfand, wo ich ihn wirklich nicht vermutet hatte! Mit seinen 1000 Seiten, die man nicht überfliegen kann, sondern mit viel Ruhe lesen muß, wird er wohl heute nicht allzu vielen Menschen zugänglich sein, und ich weiß daher nicht, ob ich ihn Euch empfehlen soll. Für mich gehört er zu den schönsten Büchern, die ich überhaupt kenne; dabei versetzt er einen in der Reinheit der Sprache und der Gestalten in ein ganz seltenes und eigenartiges Glücksgefühl. Eigentlich sollte man ihn statt des »Kampf um Rom« mit 14 Jahren zum ersten Male lesen und dann damit aufwachsen. Auch die guten heutigen historischen Romane, etwa von der Bäumer, kann man gar nicht in einem Atem damit nennen. Es ist ein Buch sui generis. Ich würde es sehr gern besitzen, aber es wird wohl kaum möglich sein, es zu bekommen. Einen ähnlich starken Eindruck hatte ich bisher unter allen Romanen, die ich kenne, nur vom »Don Quijote« und von Gotthelfs »Berner Geist«. –

An Jean Paul bin ich auch diesmal wieder gescheitert. Ich komme nicht darüber hinweg, daß ich ihn maniriert und eitel finde. Er muß ja menschlich auch ziemlich fatal gewesen sein. – Es ist schön, so auf Entdeckungsfahrten durch die Literatur zu gehen, und es ist erstaunlich, was man nach so vielen Jahren des Lesens noch für Überraschungen erlebt. Vielleicht könnt Ihr mir noch zu weiteren verhelfen?

Vor ein paar Tagen bekam ich R.s Brief, für den ich ihm sehr danke. An das Programm des Furtwänglerkonzertes, in dem er war, habe ich von hier aus sehnsüchtig gedacht. Hoffentlich verlerne ich in dieser Zeit hier nicht noch den Rest meiner Technik. Nach einem Trio-, Quartett- oder Singabend habe ich manchmal richtigen Hunger. Das Ohr möchte einmal wieder etwas anderes hören als die Stimmen in diesem Bau. Nach über 7 Monaten wird man es eben doch reichlich satt hier. Aber das ist ja eigentlich selbstverständlich und ich brauche es Euch nicht erst zu sagen. Hingegen ist es nicht selbstverständlich, daß es mir trotz allem gut geht, daß ich mancherlei Freuden erleben darf und bei allem guten Mutes bin – und daher bin ich jeden Tag sehr dankbar ...

17. II. 43

Während ich diesen Brief schreibe, hören S.s am heutigen Bußtag alle zusammen die h-moll-Messe. Seit Jahren gehört sie für mich ebenso zum Bußtag wie die Matthäuspassion zum Karfreitag. Ich erinnere mich genau an den Abend, an dem ich sie zum ersten Male hörte. Ich war 18 Jahre, kam aus einem Harnackseminar, in dem er meine erste Seminararbeit sehr freundlich besprochen hatte und die Bemerkung fallen ließ, er hoffe, ich würde mich einmal für Kirchengeschichte habilitieren; ich war noch ganz erfüllt davon, als ich in der Philharmonie ankam; dann setzte das große »Kyrie eleison« ein und im selben Augenblick versank alles andere. Es war ein unbeschreiblicher Eindruck. Heute gehe ich nun aus der Erinnerung Stück für Stück durch und freue mich, daß S.s diese für mich schönste Bach'sche Musik hören können ...

Es ist jetzt gegen Abend im Hause still, und ich kann ungestörter meinen Gedanken nachgehen. Über Tag stelle ich immer wieder fest, mit wie verschiedener Lautstärke die Menschen ihre Arbeit tun und wohl von der Natur so ausgestattet sind. Ein fortissimo vor der Zellentür ist der ruhigen wissenschaftlichen Arbeit nicht gerade besonders zuträglich.

Mit großem Vergnügen habe ich in der letzten Woche Goethes Reinecke Fuchs wieder gelesen. Vielleicht macht es Euch auch mal wieder Spaß ...

1. Advent. 28. 11. 43

Obwohl man nicht weiß, ob und wie Briefe gegenwärtig bestellt werden, möchte ich doch gern am Nachmittag des 1. Advents an Euch schreiben. Das Altdorfersche Weihnachtsbild, auf dem man die Heilige Familie mit der Krippe unter den Trümmern eines verfallenen Hauses sieht – wie kam er nur vor 400 Jahren dazu, entgegen aller Tradition, das so darzustellen? –, ist einem diesmal besonders gegenwärtig. Auch so kann und soll man Weihnachten feiern, das wollte er vielleicht sagen; jedenfalls sagt er es uns. Ich denke gern daran, wie Ihr jetzt wohl mit den Kindern zusammensitzt und mit ihnen Advent feiert wie vor Jahren mit uns. Nur tut man alles wohl jetzt intensiver, weil man nicht weiß, wie lange man es noch hat.

Ich denke noch etwas mit Grausen daran, daß Ihr beide, ohne daß einer von uns dabei war, so eine schlimme Nacht und einen so schlimmen Augenblick durchmachen mußtet. Es kommt einem so unfaßlich vor, daß man in solchen Zeiten eingesperrt ist und nichts helfen kann. Ich hoffe nun sehr, daß das wirklich bald zu Ende geht und nicht weitere Verzögerungen erleidet. Trotzdem, beunruhigt Euch bitte um mich nicht. Man wird sehr gestärkt aus dieser ganzen Sache hervorgehen.

Daß wir hier den erwarteten Angriff auf Borsig in unserer Nähe hatten, wißt Ihr sicher schon. Nun hat man die – nicht gerade sehr christliche – Hoffnung, daß sie sobald nicht wieder in unsere Gegend kommen. Es war auch nicht gerade schön, und wenn ich einmal frei bin, werde ich Vorschläge machen, wie man das für solche Fälle hier verbessern kann. Erstaunlicherweise blieben meine Fensterscheiben heil, während fast alle anderen kaputt sind. So ist es für die Anderen wirklich scheußlich kalt. Da die Gefängnismauer z. T. eingerissen ist, kann vorläufig auch keine »Bewegung« stattfinden. Wenn nur wenigstens die Möglichkeit bestünde, nach den Alarmen etwas voneinander zu hören! ...

In den letzten Tagen habe ich sehr gern die »Geschichten aus alter Zeit« von dem alten Kulturhistoriker W. H. Riehl gelesen. Wahrscheinlich kennt Ihr sie aus viel früherer Zeit. Heute sind sie so gut wie unbekannt und doch sehr hübsch und erfreulich zu lesen. Auch zum Vorlesen für die Kinder wären sie geeignet. So viel ich weiß, hatten wir früher ein paar Bände von ihm; aber wir haben sie inzwischen wohl längst zu irgendeiner Büchersammlung gegeben.

Wenn Ihr mir mal das Buch über den Aberglauben mitbringt, wäre es sehr schön. Hier fangen die Leute an, Karten zu legen, ob am Abend Alarm kommt! Es ist interessant, wie in so aufgeregten Zeiten der Aberglaube blüht und wie viele doch bereit sind, mindestens mit einem halben Ohr darauf zu hören ...

17. 12. 43

Es bleibt mir wohl nichts übrig, als Euch für alle Fälle schon einen Weihnachtsbrief zu schreiben. Wenn es mir auch über mein Begriffsvermögen geht, daß man mich möglicherweise noch über Weihnachten hier sitzen lassen will, so habe ich in den vergangenen achteinhalb Monaten doch gelernt, das Unwahrscheinliche gerade für wahrscheinlich zu halten, und mit einem sacrificium intellectus über mich ergehen zu lassen, was ich nicht ändern kann – allerdings, ganz vollständig ist dieses sacrificium doch nicht und der intellectus geht im stillen seine eigenen Wege.

Ihr müßt vor allem nicht denken, daß ich mich durch dieses einsame Weihnachten werde niederschlagen lassen; es wird in der Reihe der verschiedenartigen Weihnachten, die ich in Spanien, in Amerika, in England gefeiert habe, für immer seinen besonderen Platz einnehmen, und ich will in späteren Jahren nicht beschämt, sondern mit einem gewissen Stolz an diese Tage zurückdenken können. Das ist das einzige, was mir niemand nehmen kann.

Daß es aber nun auch Euch... nicht erspart bleibt, mich Weihnachten im Gefängnis zu wissen, und daß damit über die wenigen fröhlichen Stunden, die Euch in dieser Zeit noch geblieben sind, ein Schatten fallen soll, das kann ich nur dadurch verwinden, daß ich glaube und weiß, daß Ihr nicht anders denken werdet als ich und daß wir in unserer Haltung angesichts dieses Weihnachtsfestes einig sind; und das kann schon gar nicht anders sein, weil ja diese Haltung nur ein geistiges Erbstück von Euch ist. Ich brauche Euch nicht zu sagen, wie groß meine Sehnsucht nach Freiheit und nach Euch allen ist. Aber Ihr habt uns durch Jahrzehnte hindurch so unvergleichlich schöne Weihnachten bereitet, daß die dankbare Erinnerung daran stark genug ist, um auch ein dunkleres Weihnachten zu überstrahlen. In solchen Zeiten erweist es sich eigentlich erst, was es bedeutet, eine Vergangenheit und ein inneres Erbe zu besitzen, das von dem Wandel der Zeiten und Zufälle unabhängig ist. Das Bewußtsein, von einer geistigen Überlieferung, die durch Jahrhunderte reicht, getragen zu sein, gibt einem allen vorübergehenden Bedrängnissen gegenüber das sichere Gefühl der Geborgenheit. Ich glaube, wer sich im Besitze solcher Kraftreserven weiß, braucht sich auch weicherer Gefühle, die meiner Meinung nach doch zu den besseren und edleren der Menschen gehören, nicht zu schämen, wenn die Erinnerung an eine gute und reiche Vergangenheit sie hervorruft. Überwältigen werden sie denjenigen nicht, der an den Werten festhält, die ihm kein Mensch nehmen kann.

Vom Christlichen her gesehen, kann ein Weihnachten in der Gefängniszelle ja kein besonderes Problem sein. Wahrscheinlich wird in diesem Hause hier von Vielen ein sinnvolleres und echteres Weihnachten gefeiert werden als dort, wo man nur noch den Namen dieses Festes hat. Daß Elend, Leid, Armut, Einsamkeit, Hilflosigkeit und Schuld vor den Augen Gottes etwas ganz anderes bedeuten als im Urteil der Menschen, daß Gott sich gerade dorthin wendet, wo die Menschen sich abzuwenden pflegen, daß Christus im

Stall geboren wurde, weil er sonst keinen Raum in der Herberge fand – das begreift ein Gefangener besser als ein anderer und das ist für ihn wirklich eine frohe Botschaft, und indem er das glaubt, weiß er sich in die alle räumlichen und zeitlichen Grenzen sprengende Gemeinschaft der Christenheit hineingestellt und die Gefängnismonate verlieren ihre Bedeutung.

Ich werde am Heiligen Abend sehr an Euch alle denken, und ich möchte gern, daß Ihr glaubt, daß auch ich ein paar wirklich schöne Stunden haben werde und mich die Trübsal bestimmt nicht übermannt...

Wenn man an die Schrecken denkt, die in letzter Zeit in Berlin über so viele Menschen gekommen sind, dann wird einem erst bewußt, für wieviel wir noch dankbar sein müssen. Es wird wohl überall ein sehr stilles Weihnachten werden und die Kinder werden später noch lange daran zurückdenken. Aber vielleicht geht gerade dabei manchem zum erstenmal auf, was Weihnachten eigentlich ist...

25. 12. 43

Weihnachten ist vorüber. Es hat mir ein paar stille, friedliche Stunden gebracht und vieles Vergangene war ganz gegenwärtig. Die Dankbarkeit dafür, daß Ihr und alle Geschwister in den schweren Luftangriffen bewahrt worden seid, und die Zuversicht, Euch in nicht zu ferner Zeit in Freiheit wiederzusehen, war größer als alles Bedrückende. Ich habe mir Eure und M.s Kerzen angezündet und die Weihnachtsgeschichte und einige schöne Weihnachtslieder gelesen und vor mich hingesummt und habe dabei an Euch alle gedacht und gehofft, daß Ihr nach aller Unruhe der vergangenen Wochen doch auch eine friedliche Stunde finden möchtet...

Auch das neue Jahr wird noch manche Sorge und Unruhe bringen; aber ich glaube, wir dürfen in dieser Silvesternacht doch mit größerer Zuversicht denn je den Vers aus dem alten Neujahrslied singen und beten: »Schleuß' zu die Jammerpforten / und laß an allen Orten / nach soviel Blutvergießen / Die Freudenströme fließen.« Ich würde nicht, was wir uns Größeres auch erbitten und wünschen könnten...

... Ich sitze bei offenem Fenster, in das die fast frühlingsmäßige Sonne scheint, und ich nehme diesen ungewöhnlichen schönen Jahresanfang für ein gutes Omen. Gegenüber dem vergangenen kann dieses Jahr nur besser werden. – Es geht mir gut. Ich arbeite wieder etwas konzentrierter und lese mit besonderer Freude Dilthey...

Verzeiht, daß ich in letzter Zeit nicht mehr regelmäßig schrieb. Die Hoffnung, Euch endlich etwas Definitives in meiner Sache mitteilen zu können, hat mich die Briefe von einem Tag auf den anderen verschieben lassen. Wenn einem mit aller Bestimmtheit erst der Juli 1943, dann – wie Ihr Euch selbst erinnern werdet – als äußerste Grenze der September 1943 als Abschluß der Angelegenheit zugesichert wird, und es vergeht dann Monat um Monat, ohne daß sich das Geringste rührt, und wenn man noch dazu der zuversichtlichen Überzeugung ist, daß sich bei einer Verhandlung, die der Sache auf den Grund geht, alles sehr einfach klären würde, und wenn man schließlich die Aufgaben sieht, die heute draußen auf einen warten – dann kommt man bei allem Bemühen, Geduld und Verständnis aufzubringen, doch gelegentlich in die Verfassung, in der man besser keine Briefe schreibt, sondern eine Weile schweigt, erstens weil aus ungeordneten Gedanken und Empfindungen doch nur ungerechte Worte entstehen, zweitens weil das Geschriebene meist längst überholt ist, wenn es den anderen erreicht. Es ist immer wieder ein kleiner innerer Kampf, sich ganz nüchtern an das Tatsächliche zu halten, sich Illusionen und Phantasien aus dem Kopf zu schlagen und mit dem Gegebenen sich zufrieden zu geben, weil man dort, wo man die äußeren Notwendigkeiten nicht versteht, an eine innere und unsichtbare Notwendigkeit glaubt. Außerdem – ein Leben, das sich im Beruflichen und Persönlichen voll entfalten kann und so zu einem ausgeglichenen und erfüllten Ganzen wird, wie es in Eurer Generation noch möglich war, gehört wohl nicht mehr zu den Ansprüchen, die unsere Generation stellen darf. Darin liegt wohl der größte Verzicht, der uns Jüngeren, die wir Euer Leben noch vor Augen haben, auferlegt ist und abgenötigt wird. Das Unvollendete, Fragmentarische unseres Lebens empfinden wir darum wohl besonders stark. Aber gerade das Fragment kann ja auch wieder auf eine menschlich nicht mehr zu leistende höhere Vollendung hinweisen. Daran muß ich besonders beim Tode so vieler meiner besten ehemaligen Schüler denken. Wenn auch die Gewalt der äußeren Ereignisse unser Leben in Bruchstücke schlägt, wie die Bomben unsere Häuser, so soll doch möglichst noch sichtbar bleiben, wie das Ganze geplant und gedacht war, und mindestens wird immer noch zu erkennen sein, aus welchem Material hier gebaut wurde oder werden sollte...

2. 3. 44

... M. hatte Euch wohl erzählt, daß ich ihr das letztemal – obwohl dieses Thema sonst eigentlich nicht zu unseren Gesprächsstoffen gehört – gesagt habe, daß das Essen wegen herabgesetzter Rationen hier etwas knapper geworden ist und ich daher manchmal etwas Hunger hatte, was aber sicher auch damit zusammenhing, daß ich während der paar Grippetage fast nichts gegessen hatte. Nun habt Ihr mich wieder so schön versorgt und ich gebe ohne weiteres zu, daß die Welt sich doch manchmal wieder etwas anders ansieht, wenn man etwas Richtiges im Magen hat, und daß auch die Arbeit besser vom Fleck kommt. Trotzdem wäre es mir ein ganz scheußlicher Gedanke, wenn ich Euch, die Ihr den ganzen Tag viel zu tun habt, noch etwas wegesse; Ihr braucht Eure Kräfte jetzt nötiger als ich. Nun ist es wieder März geworden und Ihr seid immer noch nicht gereist...

Die Harnacksche Akademiegeschichte hat mich sehr beeindruckt, und mich teils glücklich, teils wehmütig gestimmt. Es gibt heute so wenige Menschen, die an das 19. und 18. Jahrhundert noch innerlich und geistig Anschluß suchen; die Musik versucht sich aus dem 16.

und 17. Jahrhundert zu erneuern, die Theologie aus der Reformationszeit, die Philosophie aus Thomas von Aquino und Aristoteles, die heutige Weltanschauung aus der frühgermanischen Vergangenheit — aber wer ahnt überhaupt noch, was im vorigen Jahrhundert, also von unseren Großvätern, gearbeitet und geleistet worden ist, und wieviel von dem, was sie gewußt haben, ist uns bereits verloren gegangen! Ich glaube, die Menschen werden eines Tages aus dem Staunen über die Fruchtbarkeit dieser jetzt vielfach so mißachteten und kaum gekannten Zeit nicht herauskommen.

Könntet Ihr mir bitte Dilthey: »Weltanschauung und Analyse des Menschen seit Renaissance und Reformation« verschaffen? ...

26. 4. 44

... Dieses zweite Frühjahr, das ich hier von der Zelle aus erlebe, ist doch recht anders als das vor einem Jahr. Damals waren alle Eindrücke frisch und lebendig, Entbehrungen und Freuden erlebte man intensiver; inzwischen ist das eingetreten, was ich nie für möglich gehalten hätte — Gewöhnung, und die Frage ist nur, ob die Abstumpfung oder die Abklärung überwiegt; es wird wohl auf verschiedenen Gebieten verschieden sein. Die Dinge, gegen die man abstumpft, wird man schnell vergessen haben, sie sind zu gleichgültig; andere Dinge hingegen hat man bewußt oder unbewußt in sich verarbeitet, man wird sie nie vergessen, sondern sie sind aus starken Erlebnissen in die feste Gestalt klarer Erkenntnisse, Vorsätze und Pläne übergegangen, und als solche behalten sie für das künftige Leben ihre Bedeutung. Es ist sicher ein großer Unterschied, ob man einen Monat oder ein Jahr im Gefängnis ist, man hat dann nicht nur einen interessanten oder starken Eindruck, sondern einen ganz großen neuen Lebenskreis in sich aufgenommen. Allerdings glaube ich, daß schon gewisse innere Voraussetzungen dazugehören, um sich gerade diesen Lebensbereich ohne Gefahr assimilieren zu können, und ich denke mir eine lange Haft für sehr junge Leute als für ihre innere Entwicklung sehr gefährlich. Der Ansturm der Eindrücke ist doch so gewaltig, daß er vieles über den Haufen zu werfen droht. Euch muß ich sehr dafür danken, daß Ihr mir durch Eure regelmäßigen Besuche, Briefe und Pakete alles immer wieder sehr erleichtert habt und die Freude über jeden Gruß von Euch ist seit dem erstenmal immer gleich groß gewesen und ein immer neuer Antrieb, die Zeit hier voll auszunutzen ... Könntet Ihr wohl versuchen, mir das neue Buch von Ortega y Gasset »Das Wesen geschichtlicher Krisen« und möglichst auch das vorige, »Geschichte als System«, zu beschaffen, ferner von H. Pfeffer »Das britische Empire und die USA«? Hoffentlich sehen wir uns bald wieder!

Es grüßt Euch herzlich

Euer dankbarer Dietrich.

Die Aufnahmeformalitäten wurden korrekt erledigt. Ich wurde für die erste Nacht in eine Zugangszelle eingeschlossen; die Decken auf der Pritsche hatten einen so bestialischen Gestank, daß es trotz der Kälte nicht möglich war, sich damit zuzudecken. Am nächsten Morgen wurde mir ein Stück Brot in die Zelle geworfen, so daß ich es am Boden auflesen mußte. Der Kaffee bestand zu einem Viertel aus Kaffeesatz. Von außen drangen in meine Zelle zum erstenmal jene wüsten Beschimpfungen der Untersuchungsgefangenen durch das Personal, die ich seither täglich von morgens bis abends gehört habe. Als ich mit den anderen Neueingelieferten anzutreten hatte, wurden wir von einem Schließer als Strolche etc. etc. tituliert, jeder wurde nach dem Grund seiner Verhaftung gefragt: als ich sagte, daß mir dieser nicht bekannt sei, antwortete der Schließer höhnisch lachend: »Den werden Sie schon bald genug erfahren!« Es dauerte ein halbes Jahr, bis ich einen Haftbefehl erhielt. Beim Durchgehen der verschiedenen Büros wollten gelegentlich Unteroffiziere, die meinen Beruf erfahren hatten, sich kurz mit mir unterhalten. Es wurde ihnen bedeutet, daß niemand mit mir sprechen dürfe. Während des Badens tauchte plötzlich ein mir unbekannt gebliebener Unteroffizier auf und fragte mich, ob ich Pastor N.* kenne; als ich dies bejahte, rief er: »Das ist ein guter Freund von mir« und verschwand wieder. Ich wurde in die abgelegenste Einzelzelle auf dem obersten Stock gebracht; ein Schild, welches jedem den Zutritt ohne besondere Genehmigung verbot, wurde angebracht. Es wurde mir mitgeteilt, daß mein Schriftverkehr bis auf weiteres gesperrt sei, daß ich nicht, wie alle anderen Häftlinge, eine halbe Stunde des Tages ins Freie dürfe, worauf ich der Hausordnung gemäß einen Anspruch habe. Ich erhielt weder Zeitungen noch Rauchwaren. Nach 48 Stunden wurde mir meine Bibel zurückgegeben. Sie war darauf untersucht worden,

* Martin Niemöller

ob ich Säge, Rasiermesser etc. eingeschmuggelt hatte. Im übrigen öffnete sich die Zelle in den nächsten zwölf Tagen nur zum Essenempfang und zum Heraussetzen des Kübels. Es wurde kein Wort mit mir gewechselt. Ich blieb ohne Mitteilung über Grund und Dauer meiner Haft. Wie ich aus Bemerkungen entnahm und wie sich auch bestätigte, war ich auf der Abteilung für die schwersten Fälle untergebracht, wo die zum Tode Verurteilten und an Händen und Füßen Gefesselten lagen.

In der ersten Nacht in meiner Zelle konnte ich wenig schlafen, da in der Nebenzelle ein Häftling mehrere Stunden hintereinander laut weinte, ohne daß sich jemand darum kümmerte. Ich glaubte damals, das würde auch zu den allnächtlichen Erlebnissen gehören; es hat sich jedoch in all den folgenden Monaten nur noch einmal wiederholt. Von dem eigentlichen Betrieb im Hause bekam ich in diesen ersten Tagen völliger Isolierung nichts zu sehen; nur aus dem fast ununterbrochenen Schreien der Schließer formte ich mir ein Bild von den Vorgängen. Der wesentliche Eindruck, der bis heute derselbe geblieben ist, bestand darin, daß hier der Untersuchungshäftling bereits als Verbrecher behandelt wird und daß praktisch für den Gefangenen keine Möglichkeit besteht, sich bei ungerechter Behandlung zu seinem Recht zu verhelfen. Später hörte ich mehrfach Gespräche von Schließern, in denen sie ganz unverblümt sagten, bei einer eventuellen Meldung eines Gefangenen über ungerechte Behandlung oder gar darüber, geschlagen worden zu sein – was an sich streng verboten ist –, würde man doch niemals dem Gefangenen, sondern immer ihnen glauben, zumal sich immer ein Kamerad finden werde, der unter Eid für sie aussagen würde; ich habe auch von Fällen erfahren, in denen diese üble Praktik befolgt worden ist.

Nach zwölf Tagen wurden im Hause meine verwandtschaftlichen Verhältnisse bekannt. Es war für mich persönlich zwar sehr erleichternd, aber objektiv beschämend, wie sich von diesem Augenblick an alles veränderte. Ich wurde in eine geräumigere Zelle gelegt, diese wurde mir täglich durch einen Fourier gereinigt, es wurden mir beim Essenausteilen größere Rationen angeboten, was ich stets ablehnte, da diese nur auf Kosten der Mitgefangenen gegangen wären, der

Hauptmann holte mich zum täglichen Spaziergang ab, was zur Folge hatte, daß das Personal mich mit ausgesuchter Höflichkeit behandelte, mehrere kamen sich sogar entschuldigen: »sie hätten ja nicht gewußt etc...« Peinlich! –

Gesamtbehandlung: Tonangebend sind diejenigen Schließer, die den Gefangenen gegenüber den übelsten und brutalsten Ton anschlagen. Der ganze Bau hallt von wüsten Schimpfworten ehrenrühriger Art, so daß auch ruhigere und gerechtere Schließer sich davon angeekelt fühlen; aber sie können sich kaum durchsetzen. Gefangene, die später freigesprochen werden, müssen sich hier während monatelanger Untersuchungshaft wie Verbrecher beschimpfen lassen und sind allem völlig wehrlos ausgeliefert, da Beschwerdemachen des Gefangenen rein theoretisch ist. Private Besitzverhältnisse, Zigaretten, Versprechungen für später spielen eine erhebliche Rolle. Der kleine Mann ohne Beziehungen etc. muß alles über sich ergehen lassen. Dieselben Leute, die sich an anderen Gefangenen austoben, begegnen mir mit kriecherischer Höflichkeit. Versuche, mit ihnen ein vernünftiges Wort über die Behandlung aller anderen Gefangenen zu sprechen, scheitern daran, daß sie im Augenblick alles zugeben, aber eine Stunde später dieselben wie vorher sind. Ich darf nicht unterlassen zu sagen, daß auch eine Anzahl der Schließer ruhig, sachlich und nach Möglichkeit freundlich mit den Gefangenen umgeht; aber sie bleiben meist in untergeordneten Posten.

Essen: Der Gefangene kann sich des Eindrucks nicht erwehren, daß er die ihm zustehenden Rationen nicht voll erhält. Von dem angeblich in die Suppe verarbeiteten Fleisch ist häufig nicht das geringste zu merken. Brot und Wurst werden sehr ungleich geschnitten. Eine Wiegeprobe einer Wurstration, die ich persönlich durchführte, ergab 15 g statt 25 g. Küchenfouriere und in der Küche Dienst tuende Unteroffiziere sind voll von unerfreulichen Eindrücken und Beobachtungen in dieser Hinsicht. Bei einer Belegschaft von 700 Gefangenen wirkt sich bereits die geringste Ungenauigkeit enorm aus. Ich weiß glaubwürdig, daß bei Kostproben des Gefangenenessens durch Arzt oder Offiziere eine starke Fleisch- oder Sahnensauce in die dafür bestimmten Teller zugesetzt wird. Das Lob der guten Gefangenenverpflegung ist daher nicht verwunderlich. Ich weiß ebenso, daß das für die Gefangenen bestimmte Fleisch vorher in den Kesseln für die Personalkost ausgekocht worden ist etc. etc. Ein gelegentlicher Vergleich zwischen Gefangenen- und Personalkost ist einfach verblüffend. Unter aller Kritik ist das Sonntags- und Feiertagsmittagessen; es besteht aus einer völlig fett-, fleisch- und kartoffellosen Wasserkohlsuppe. An diesen Tagen werden keine Essensproben vorgenommen. Daß die Verpflegung bei längerer Haft für junge Leute völlig unzulänglich ist, scheint mir unzweifelhaft. Eine Gewichtsstatistik der Gefangenen wird nicht geführt. Obwohl es sich um Untersuchungsgefangene handelt und noch dazu um Soldaten, die zum Teil direkt zur Truppe entlassen werden, ist es streng verboten, sich Eßwaren schicken zu lassen; das wird den Häftlingen unter Androhung schwerer Strafen mitgeteilt. Eßwaren, selbst Eier und belegte Brote, die den Häftlingen von Angehörigen bei Besuchen mitgebracht werden, werden zurückgewiesen. Das schafft bei Besuchern und Häftlingen große Verbitterung. Heeresstreifen, die die Häftlinge einliefern, lassen sich – entgegen bestehender Bestimmungen – in der Küche verpflegen.

Beschäftigung: Der weitaus größte Teil der Untersuchungshäftlinge verbringt den Tag ohne jede Arbeit, obwohl die meisten um Arbeit bitten. Sie erhalten aus einer sehr mittelmäßigen Bücherei in der Woche drei Bücher. Beschäftigungsspiele jeder Art (Schach etc.) sind auch in den Gemeinschaftszellen verboten und werden dort, wo Häftlinge sich solche behelfsmäßig angefertigt haben, weggenommen, die betreffenden Häftlinge werden bestraft. Eine gemeinnützige Beschäftigung für die ca. 700 Gefangenen, wie sie z. B. in der Anlegung von Luftschutzunterständen bestehen würde, wird nicht unternommen. Gottesdienste gibt es nicht. Die zum Teil sehr jugendlichen Gefangenen (u. a. Flakhelfer) müssen unter dem Mangel an Beschäftigung und Betreuung besonders in langer Einzelhaft Schaden an Körper und Seele leiden.

Licht: In den Wintermonaten mußten die Gefangenen oft mehrere Stunden lang im Dunkeln sitzen, da aus Trägheit des Personals das Licht in den Zellen nicht eingeschaltet wurde. Wenn die Gefangenen, denen das Recht auf Beleuchtung zusteht, sich in solchen Fällen durch Herausstecken der Fahne oder durch Klopfen bemerkbar machten, wurden sie vom Personal wütend angeschrien und das Licht wurde bis zum nächsten Tag nicht eingeschaltet. Auf die Pritschen dürfen sich die Gefangenen erst beim Zapfenstreich legen, so daß sie die Stunden bis dahin völlig im Dunkeln sitzen müssen. Das ist innerlich sehr zermürbend und erzeugt nur Bitterkeit.

Alarme: Luftschutzkeller gibt es für die Gefangenen nicht. Es wäre bei den vorhandenen Arbeitskräften eine Kleinigkeit gewesen, hierfür rechtzeitig Sorge zu tragen. Nur für die Leitung des Hauses wurde ein Befehlsbunker angelegt. Im übrigen werden bei Alarmen nur die Gefangenen des obersten Stockwerkes in die Erdgeschoßzellen mit eingeschlossen. Auf meine Frage, warum nicht auch die Insassen des zweiten Stocks auf den ersten gebracht würden, wurde geantwortet, das mache zuviel Arbeit. Ein Sanitätsbunker existiert nicht. Als bei einem schweren Angriff das Revier gebrauchsunfähig wurde, konnte erst nach dem Beschuß mit dem Verbinden der Verletzten begonnen werden. Das Schreien und Toben der eingeschlossenen Gefangenen bei einem schweren Angriff, die zum Teil wegen geringfügiger Vergehen oder gar unschuldig hier sitzen, vergißt derjenige nie, der es erlebt hat. 700 Soldaten werden hier schutzlos den Gefahren eines Bombenangriffs ausgesetzt.

Einzelnes: Die einzige Möglichkeit für den Gefangenen, in dringenden Fällen mit dem Personal in Verbindung zu treten, besteht im Herausstecken der Fahne. Diese bleibt oft stundenlang unbeachtet bzw. schiebt ein vorbeigehender Schließer die Fahne einfach wieder zurück, ohne sich nach dem Wunsche des Gefangenen zu erkundigen. Klopft der Gefangene dann an die Tür, so ergeht eine Schimpfkanonade über ihn. Meldet sich außerhalb der Behandlungszeit ein Gefangener krank, so macht er dadurch dem Personal besondere Umstände und wird dementsprechend meist wütend angefahren; nur mit großen Schwierigkeiten kann er es erreichen, daß er ins Revier geführt wird. Ich habe zweimal erlebt, wie Gefangene mit Fußtritten ins Revier gestoßen wurden; der eine von ihnen hatte eine akute Blinddarmentzündung und mußte sofort ins Lazarett überführt werden, der andere hatte einen langanhaltenden Weinkrampf. – Sämtliche Untersuchungshäftlinge, auch die mit den geringsten Straftaten, werden in Fesseln zur Vernehmung und Verhandlung vorgeführt; für einen Soldaten in Uniform bedeutet das eine schwere Kränkung und wirkt bei der Vernehmung bedrückend. – Die Fouriere, die sowohl die Kübel entleeren wie die Verpflegung austeilen müssen, erhalten zum Waschen dieselbe geringe Seifenmenge, die schon für die gewöhnlichen Häftlinge kaum ausreicht.

Ich *muß* die Gelegenheit Deiner Nähe einfach wahrnehmen, Dir zu schreiben. Du weißt ja, daß man mir hier sogar den Pfarrer versagt hat ... Laß Dir also einiges berichten, was Du über mich wissen sollst. In den ersten 12 Tagen, in denen ich hier als Schwerverbrecher abgesondert und behandelt wurde – meine Nachbarzellen sind bis heute fast nur mit gefesselten Todeskandidaten belegt – hat sich Paul Gerhardt in ungeahnter Weise bewährt, dazu die Psalmen und die Apokalypse. Ich bin in diesen Tagen vor allen schweren Anfechtungen bewahrt worden. Du bist der einzige Mensch, der weiß, daß die »acedia«-»tristitia« mit ihren bedrohlichen Folgen mir oft nachgestellt hat, und hast Dir vielleicht – so fürchtete ich damals – in dieser Hinsicht Sorgen um mich gemacht. Aber ich habe mir von Anfang an gesagt, daß ich weder den Menschen noch dem Teufel diesen Gefallen tun werde; dies Geschäft sollen sie selbst besorgen, wenn sie wollen; und ich hoffe, immer dabei bleiben zu können. – Anfangs beschäftigte mich auch die Frage, ob es wirklich die Sache Christi sei, um derentwillen ich Euch allen solchen Kummer zufüge; aber bald schlug ich mir diese Frage als Anfechtung aus dem Kopf und wurde gewiß, daß gerade das Durchstehen eines solchen Grenzfalles mit aller seiner Problematik mein Auftrag sei, und wurde darüber ganz froh und bin es bis heute geblieben (1. Petr. 2, 20; 3, 14).

Persönlich machte ich mir Vorwürfe, die Ethik nicht abgeschlossen zu haben (z. T. ist sie wohl beschlagnahmt) und es tröstete mich etwas, daß ich das Wesentliche Dir gesagt hatte, und wenn Du es auch nicht mehr wüßtest, so würde es doch irgendwie indirekt wieder auftauchen. Außerdem waren meine Gedanken ja auch noch unfertig.

Dann empfand ich es als Versäumnis, den lange gehegten Wunsch, mit Dir wieder einmal zum Abendmahl zu gehen, nicht durchgeführt zu haben ... und weiß doch, daß wir – wenn auch nicht leiblich – so doch spiritualiter der Gabe der Beichte, Absolution und Kommunion teilhaftig geworden sind und darüber ganz froh und ruhig sein dürfen. Aber sagen wollte ich es einmal.

Sobald es ging, habe ich angefangen, außer täglicher Bibelarbeit (ich habe 2½mal das Alte Testament gelesen und viel gelernt) Nicht-Theologisches zu arbeiten. Ein Aufsatz über das »Zeitgefühl« entsprang hauptsächlich dem Bedürfnis, mir meine eigene Vergangenheit gegenwärtig zu machen in einer Situation, in der die Zeit so leicht »leer« und »verloren« erscheinen konnte. Dankbarkeit und Reue sind es, die uns unsere Vergangenheit immer gegenwärtig halten. Aber darüber später mehr.

Dann ging ich an ein kühnes Unternehmen, das mir auch schon lange vorgeschwebt hat; ich begann, die Geschichte einer bürgerlichen Familie unserer Zeit zu schreiben. All die unzähligen Gespräche, die wir in dieser Richtung geführt haben, und alles selbst Erlebte bildeten dafür den Hintergrund, kurz, eine Rehabilitierung des Bürgertums, wie wir es in unseren Familien kennen, und zwar gerade vom Christentum her. Die Kinder zweier befreundeter Familien wachsen allmählich in die verantwortlichen Aufgaben und Ämter einer kleinen Stadt hinein und versuchen gemeinsam den Aufbau des Gemeinwesens, Bürgermeister, Lehrer, Pfarrer, Arzt, Ingenieur. Viele Dir bekannte Züge würdest Du darin entdecken und Du kommst auch darin vor. Aber noch bin ich nicht weit über die Anfänge hinausgekommen, besonders durch die immer wieder falschen Prognosen über meine Entlassung und die damit verbundene innere Ungesammeltheit. Es macht mir aber große Freude. Nur spräche ich gern täglich mit Dir darüber. Ja, das fehlt mir überhaupt mehr, als Du denkst ... Nebenbei schrieb ich einen Aufsatz über: »Was heißt: die Wahrheit sagen?« und z. Zt. versuche ich, Gebete für Gefangene zu schreiben, die es merkwürdigerweise noch nicht gibt und die vielleicht Weihnachten verteilt werden sollen.

Und nun die Lektüre. Ja, E., daß wir Stifter nicht gemeinsam kennengelernt haben, bereue ich sehr. Das hätte unsere Gespräche sehr gefördert. Das muß nun auf später vertagt werden. Aber ich habe Dir darüber viel zu erzählen. Später? Wann und wie wird es sein? Ich habe für alle Fälle dem Anwalt ein Testament übergeben ... Aber vielleicht – oder sicher – bist Du jetzt in größerer Gefahr! Ich werde jeden Tag an Dich denken und Gott bitten, Dich zu behüten und zurückzuführen ... Ob es sich für den Fall, daß ich nicht verurteilt werde, sondern freikomme und eingezogen werde, nicht einrichten ließe, daß ich in Dein Regiment käme? Das wäre doch herrlich! Übrigens mach Dir, falls ich verurteilt werden sollte, was man nie wissen kann, gar keine Sorge um mich! *Das* trifft mich wirklich nicht, außer daß ich dann eben bis zur »Bewährungsfrist« wohl noch ein paar Monate sitzen muß und das ist wahrlich nicht schön. Aber schön ist vieles nicht! Die Sache, für die ich verurteilt werden würde, ist so einwandfrei, daß ich nur stolz darauf sein dürfte. Im übrigen hoffe ich, daß, wenn Gott uns das Leben erhält, wir wenigstens Ostern wieder froh miteinander feiern können ...

Aber laß uns einander versprechen, treu in der Fürbitte für einander zu bleiben. Ich werde für Dich um Kraft, Gesundheit, Geduld und Bewahrung vor Konflikten und Versuchung bitten. Bitte Du für mich um das gleiche. Und wenn es beschlossen sein sollte, daß wir uns nicht wiedersehen, dann laß uns bis zuletzt in Dankbarkeit und Vergebung aneinander denken, und Gott möge uns dann schenken, daß wir einst füreinander bittend und miteinander lobend und dankend vor seinem Thron stehen.

... Ich finde hier (und ich denke, auch Du) das Aufstehen am Morgen innerlich am schwersten (Jer. 31, 26!). Ich bete jetzt ganz einfach um die Freiheit. Es gibt auch eine falsche Gelassenheit, die gar nicht christlich ist. Über etwas Ungeduld, Sehnsucht, Widerspruch gegen das Unnatürliche und eine ganze Portion Verlangen nach Freiheit und irdischem Glück und Wirkenkönnen brauchen wir uns als Christen durchaus nicht zu schämen. Darin sind wir uns, glaube ich, auch ganz einig.

Im übrigen bleiben wir wohl beide, trotz alldem oder gerade wegen alldem, was wir jetzt jeder in seiner Weise erleben, durchaus unverändert die Alten, nicht wahr?! Du glaubst hoffentlich nicht, daß ich als Mann der »inneren Linie« hier herauskomme, jetzt noch viel weniger als je! und ebenso glaube ich es von Dir. Was wird das für ein Freudentag sein, wenn wir uns unsere Erlebnisse erzählen! Ich kann doch manchmal sehr böse werden, daß ich jetzt nicht frei bin! ...

MORGENGEBET

Gott, zu Dir rufe ich in der Frühe des Tages.
Hilf mir beten
und meine Gedanken sammeln zu Dir;
ich kann es nicht allein.

In mir ist es finster,
aber bei Dir ist das Licht;
ich bin einsam, aber Du verläßt mich nicht;
ich bin kleinmütig, aber bei Dir ist die Hilfe;
ich bin unruhig, aber bei Dir ist der Friede;
in mir ist Bitterkeit, aber bei Dir ist die Geduld;
ich verstehe Deine Wege nicht, aber
Du weißt den Weg für mich.

Vater im Himmel,
Lob und Dank
sei Dir für die Ruhe der Nacht,
Lob und Dank sei Dir für den neuen Tag.
Lob und Dank sei Dir für alle Deine Güte
und Treue in meinem vergangenen Leben.
Du hast mir viel Gutes erwiesen,
laß mich nun auch das Schwere
aus Deiner Hand hinnehmen.
Du wirst mir nicht mehr auflegen,
als ich tragen kann.
Du läßt Deinen Kindern alle Dinge zum
Besten dienen.

Herr Jesus Christus,
Du warst arm
und elend, gefangen und verlassen wie ich.
Du kennst alle Not der Menschen,
Du bleibst bei mir,
wenn kein Mensch mir beisteht,
Du vergißt mich nicht und suchst mich,
Du willst, daß ich Dich erkenne und mich
zu Dir kehre.
Herr, ich höre Deinen Ruf und folge,
hilf mir!

Heiliger Geist,
gib mir den Glauben, der mich vor
Verzweiflung, Süchten und Laster rettet,
gib mir die Liebe zu Gott und den Menschen,
die allen Haß und Bitterkeit vertilgt,
gib mir die Hoffnung, die mich befreit von
Furcht und Verzagtheit.

Heiliger, barmherziger Gott,
mein Schöpfer und mein Heiland,
mein Richter und mein Erretter,
Du kennst mich und all mein Tun.
Du haßt und strafst das Böse in dieser und
jener Welt ohne Ansehen der Person,
Du vergibst Sünden dem,
der Dich aufrichtig darum bittet,
Du liebst das Gute und lohnst es auf dieser
Erde mit einem getrosten Gewissen
und in der künftigen Welt
mit der Krone der Gerechtigkeit.

Vor Dir denke ich an all die Meinen,
an die Mitgefangenen und alle, die
in diesem Hause ihren schweren Dienst tun.

Herr, erbarme Dich!
Schenke mir die Freiheit wieder,
und laß mich derzeit so leben,
wie ich es vor Dir und vor den Menschen
verantworten kann.
Herr, was dieser Tag auch bringt, –
Dein Name sei gelobt!
Amen.

*

Wenn ich schlafe, wacht sein Sorgen
und ermuntert mein Gemüt,
da ich alle liebe Morgen
schaue neue Lieb' und Güt'.
Wäre mein Gott nicht gewesen,
hätte mich sein Angesicht
nicht geleitet, wär' ich nicht
aus so mancher Angst genesen.
Alles Ding währt seine Zeit,
Gottes Lieb' in Ewigkeit.

Paul Gerhardt

ABENDGEBET

Herr, mein Gott, ich danke Dir, daß Du
diesen Tag zu Ende gebracht hast;
ich danke Dir, daß Du Leib und Seele zur
Ruhe kommen läßt.
Deine Hand war über mir und hat mich
behütet und bewahrt.
Vergib allen Kleinglauben
und alles Unrecht dieses Tages
und hilf, daß ich allen vergebe, die mir
Unrecht getan haben.

Laß mich in Frieden unter Deinem Schutz
schlafen
und bewahre mich vor den Anfechtungen
der Finsternis.
Ich befehle Dir die Meinen, ich befehle Dir
dieses Haus,
ich befehle Dir meinen Leib
und meine Seele.
Gott, Dein heiliger Name sei gelobt.
Amen.

*

Ein Tag, der sagt dem andern,
mein Leben sei ein Wandern
zur großen Ewigkeit.
O Ewigkeit, so schöne,
mein Herz an dich gewöhne;
mein Heim ist nicht in dieser Zeit.

Tersteegen

GEBET IN BESONDERER NOT

Herr Gott,
großes Elend ist über mich gekommen.
Meine Sorgen wollen mich erdrücken.
Ich weiß nicht ein noch aus.
Gott sei gnädig und hilf.
Gib Kraft zu tragen, was Du schickst.
Laß die Furcht nicht über mich herrschen,
sorge Du väterlich für die Meinen,
für Frau und Kinder.

Barmherziger Gott, vergib mir alles,
was ich an Dir
und den Menschen gesündigt habe.

Ich traue Deiner Gnade und gebe mein
Leben ganz in Deine Hand.
Mach Du mit mir, wie es Dir gefällt und
wie es gut für mich ist.
Ob ich lebe oder sterbe, ich bin bei Dir
und Du bist bei mir, mein Gott.
Herr, ich warte auf Dein Heil
und auf Dein Reich.
Amen.

*

Unverzagt und ohne Grauen
soll ein Christ, wo er ist,
stets sich lassen schauen.
Wollt' ihn auch der Tod aufreiben,
soll der Mut dennoch gut
und fein stille bleiben.
Kann uns doch kein Tod nicht töten,
sondern reißt unsern Geist
aus viel tausend Nöten,
schließt das Tor der bittern Leiden
und macht Bahn, da man kann
gehn zu Himmelsfreuden.

Paul Gerhardt

... Falls ich Weihnachten noch hier im Loch sitzen sollte, laß Dich dadurch nicht bekümmern. Ich habe eigentlich keine Angst davor. Weihnachten kann man als Christ auch im Gefängnis feiern, – jedenfalls leichter als Familienfeste. Daß Du Sprecherlaubnis beantragt hast, dafür danke ich Dir ganz besonders. Ich glaube auch, daß es jetzt ohne Komplikationen möglich war. Allerdings hätte ich nicht gewagt, Dich darum zu bitten. Aber da Du es nun von Dir aus getan hast, ist es ja noch viel schöner. Es ist meine ganze Hoffnung, daß es nun wirklich dazu kommt! Aber weißt du, auch wenn es abgelehnt wird, so bleibt doch die Freude, daß Du es versucht hast, und nur der Zorn über gewisse Leute* wird für den Termin noch etwas größer, was nichts schadet. (Ich denke nämlich manchmal, ich bin über die ganze Sache noch nicht wütend genug!) Also wollen wir dann auch diese bittere Pille hinunterschlucken – daran gewöhnen wir beide uns in letzter Zeit ja allmählich. Ich bin froh, daß ich Dich im Augenblick der Verhaftung noch sah und vergesse das nicht...

Noch etwas über mein äußeres Leben: Wir stehen zu gleicher Zeit auf; der Tag dauert bis 20 Uhr; ich sitze mir die Hosen durch, während Du Dir die Sohlen abläufst. Ich lese »V. B.« [Völkischer Beobachter] und »Reich«; ich habe mehrere *sehr* nette Leute kennengelernt. Täglich werde ich allein $^1/_2$ Stunde spazierengeführt. Nachmittags wird im Revier mein Rheumatismus sehr freundlich, aber ohne Erfolg behandelt. Alle 8 Tage kriege ich von Euch die herrlichsten Sachen zum Essen. Ich danke Dir sehr für alles, auch für die Zigarren, und die Zigaretten von der Reise! Wenn Ihr nur satt werdet! Hast Du viel Hunger? Das wäre scheußlich! Es fehlt mir nichts – als Ihr alle. Ich möchte die g-moll-Sonate mit Dir spielen und Schütz singen, und den 70. und 47. Psalm von Dir hören. Das war Dein Bestes!

Die Zelle wird mir gereinigt. Dabei kann ich dem Reiniger etwas zu essen abgeben. Einer wurde neulich zum Tode verurteilt. Das hat

* Dr. Roeder

mich sehr betroffen. – Man sieht in $7^1/_2$ Monaten viel, besonders was kleine Dummheiten für große Folgen haben können. Längere Freiheitsentziehung wirkt sich m. E. auf die meisten in *jeder* Hinsicht demoralisierend aus. Ich habe mir ein anderes System des Strafvollzuges ausgedacht. Prinzip: jeden auf dem Gebiet strafen, auf dem er etwas ausgefressen hat; z. B. »unerlaubte Entfernung« mit Urlaubsentzug etc., »unberechtigtes Ordentragen« mit verschärftem Fronteinsatz, »Kameradendiebstahl« mit zeitweiliger Kennzeichnung des Diebes, »Lebensmittelschiebung« mit Beschränkung der Rationen etc. Warum gibt es im alttestamentlichen *Gesetz* eigentlich keine Freiheitsstrafen?

21. II. 43

Heute ist Totensonntag... Dann kommt die Adventszeit, an die wir so viele gemeinsame schöne Erinnerungen haben... So eine Gefängniszelle ist übrigens ein ganz guter Vergleich für die Adventssituation; man wartet, hofft, tut dies und jenes – letzten Endes Nebensächliches – die Tür ist verschlossen und kann nur *von außen* geöffnet werden. Das fällt mir nur eben so ein; glaube nicht, daß einem hier viel an Symbolen gelegen ist! Zweierlei aber muß ich Dir doch noch sagen, was Dir vielleicht wunderlich vorkommt: 1. Ich entbehre sehr die Tischgemeinschaft; jeder materielle Genuß, den ich von Euch kriege, verwandelt sich mir hier in eine Erinnerung an die Tischgemeinschaft mit Euch. Ob sie nicht darum doch ein wesentlicher Bestandteil des Lebens ist, weil sie eine Realität des Reiches Gottes ist? 2. Ich habe die Anweisung Luthers, sich »mit dem Kreuz zu segnen« bei Morgen- und Abendgebet ganz von selbst als eine Hilfe empfunden. Es liegt darin etwas Objektives, nach dem man hier besonderes Verlangen hat. Erschrick nicht! Ich komme bestimmt nicht als »homo religiosus« von hier heraus! – ganz im Gegenteil, mein Mißtrauen und meine Angst vor der »Religiosität« sind hier noch größer geworden als je. Daß die Israeliten den Namen Gottes *nie* aussprachen, gibt mir immer wieder zu denken und ich verstehe es immer besser.

... Ich lese jetzt mit viel Interesse Tertullian, Cyprian und andere Kirchenväter! Z. T. viel zeitgemäßer als die Reformatoren und zugleich eine Basis für das evangelisch-katholische Gespräch.

... Übrigens halte ich rein rechtlich eine Verurteilung eigentlich für ausgeschlossen.

22. II. 43

... Sag mal, wie kommst Du bei den Soldaten eigentlich mit Deiner Bereitwilligkeit, ungerechte Vorwürfe einfach einzustecken... aus? Ich habe hier schon ein paar Mal Leute, die sich nur die geringste Ungezogenheit erlaubten, ganz kolossal angepfiffen, so daß sie ganz verdutzt und von dann an völlig in Ordnung waren. Das macht mir dann richtig Spaß; aber ich bin mir klar darüber, daß es eigentlich eine ganz unmögliche Empfindlichkeit ist, über die ich kaum wegkomme... Ganz wild kann ich werden, wenn ich beobachte, daß völlig wehrlose Leute ungerecht angebrüllt und beschimpft werden. Diese kleinen Quälgeister der Menschen, die sich dabei austoben können und die es eben überall gibt, können mich noch stundenlang in Aufregung versetzen.

... Das »Neue Lied«, das ich erst seit ein paar Tagen hier habe, läßt unzählige schönste Erinnerungen wachwerden! – Du siehst, immer wieder fällt mir etwas ein, was ich mit Dir bereden möchte. Wenn man nach so langer Zeit erst mal anfängt, findet man kein Ende...

23. II. 43

Der Angriff heute Nacht war nicht gerade schön. Ich habe immerfort an Euch alle... gedacht. In solchen Augenblicken geht einem das Gefangensein doch über den Spaß. Ihr geht hoffentlich wieder nach S. Ich habe mich gestern nacht gewundert, wie nervös die Frontsoldaten beim Alarm sind...

Nach dem gestrigen Luftangriff halte ich es eigentlich doch für richtig, Dir noch kurz mitzuteilen, was für Verfügungen ich für den Fall meines Todes getroffen habe... Du wirst das hoffentlich mit der Dir eigenen Unsentimentalität lesen!...

Freitag, 26. II. 43

Es ist also wirklich dazu gekommen, – wenn auch nur für einen Augenblick; aber das ist nicht so wichtig; auch ein paar Stunden wären ja viel zu wenig und man wird hier in der Abgeschlossenheit so aufnahmefähig, daß man auch von ein paar Minuten lange zehren kann. Dieses Bild – die vier Menschen, die mir in meinem Leben am nächsten stehen, einen Augenblick um mich gehabt zu haben – das wird mich nun lange begleiten. Als ich darauf in meine Zelle kam, lief ich eine Stunde lang nur auf und ab, das Essen stand da und wurde kalt, und ich mußte schließlich über mich selbst lachen, weil ich mich dabei ertappte, daß ich von Zeit zu Zeit ganz stereotyp vor mich hinsagte: »Das war wirklich schön!« Ich habe immer intellektuelle Hemmungen, wenn ich das Wort »unbeschreiblich« für etwas verwende; denn wenn man sich etwas Mühe gibt und die nötige Klarheit erzwingt, dann gibt es m. E. nur sehr wenig »Unbeschreibliches«; aber im Augenblick scheint mir der heutige Vormittag dazu zu gehören. Nun liegt Karls [Barth] Zigarre vor mir, eine wirklich unbeschreibliche Realität, – war er denn nett? und verständnisvoll? und V. [Visser 't Hooft]? es ist einfach großartig, daß Du sie sahst! –, dann die gute alte beliebte »Wolf« – Hamburg [Zigarre] aus besseren Zeiten –, neben mir auf einem Kasten aufgebaut steht der Adventskranz –, in meinem Vorratsregal warten u. a. Eure Rieseneier auf die nächsten Frühstücke – (es hat ja keinen Sinn, wenn ich sage, »so etwas dürft Ihr Euch nicht absparen!« aber ich denke es, und freue mich doch!)... Ich kann mich an meinen ersten Gefangenenbesuch – den bei Fritz Onnasch, Du warst auch mit! – erinnern, daß er mich ganz scheußlich mitgenommen hat, obwohl Fritz sehr heiter und nett war. Ich hoffe nun sehr, daß es Dir heute bei mir nicht ähnlich gegangen ist! Das würde nämlich auf der falschen Vorstellung beruhen, als sei das Gefangensein eine ununterbrochen empfundene Qual. So ist es ja nicht, und gerade solche Besuche erleichtern einem das Leben tagelang ganz fühlbar, auch wenn sie natürlich manches in einem aufwecken, was glücklicherweise eine Weile geschlafen hat. Aber auch das schadet nichts. Man weiß wieder einmal, wie reich man war, man wird dankbar dafür und faßt neue Hoffnung und Lebenswillen. Ich danke Dir und Euch allen *sehr!* ...

27. II. 43

...Inzwischen war hier der erwartete Großangriff auf Borsig. Es ist wirklich ein einzigartiges Gefühl, die »Weihnachtsbäume«, diese Leucht-Absteckzeichen, die das Kommandoflugzeug abwirft, unmittelbar über sich heruntergehen zu sehen. Schauderhaft das Toben und Schreien der Gefangenen in ihren Zellen. Wir hatten keine Toten, nur Verwundete; aber bis 1 Uhr waren wir mit Verbinden fertig. Ich konnte gleich danach ganz fest schlafen. Ganz offen reden die Leute hier von der Angst, die sie gehabt haben. Ich weiß nicht recht, was ich davon halten soll; denn eigentlich ist die Angst doch auch etwas, dessen sich der Mensch schämt. Ich habe das Empfinden, man könnte eigentlich nur in der Beichte davon reden. Es kann sonst so leicht etwas Schamloses darin liegen. Deswegen braucht man ja noch lange nicht den Heroischen zu markieren. Andererseits kann eine naive Offenheit etwas ganz Entwaffnendes haben. Aber es gibt eben auch so eine zynische, ich möchte fast sagen gottlose Offenheit, die sich dann ebenso auf dem Gebiet des Saufens und Hurens austobt, und die einen so chaotischen Eindruck macht. Ob nicht die Angst doch auch zu den »pudenda« gehört, die verborgen werden sollen? Ich muß das noch weiter überlegen, Du wirst ja damit auch Deine Erfahrungen gemacht haben. – Daß wir die grauenhaftesten Dinge des Krieges jetzt so intensiv erleben müssen, ist, wenn wir sie überlegen, für später wohl die notwendige Erziehungsgrundlage dafür, daß uns auf dem Boden des Christentums ein Wiederaufbau des Lebens der Völker im Inneren und Äußeren möglich ist. Darum müssen wir das, was wir erleben, wirklich in uns bewahren, verarbeiten, fruchtbar werden lassen und es nicht von uns abschütteln. Noch nie haben wir den zornigen Gott so handgreiflich zu spüren bekommen, und das ist Gnade. »Heute, so Ihr seine Stimme hört, verstocket Eure Herzen nicht!« (Ps. 95, 7 f.) Die Aufgaben, denen wir entgegengehen, sind ungeheuer; für sie sollen wir jetzt vorbereitet und reif gemacht werden.

28. II. 43

Der 1. Advent. Er begann mit einer ruhigen Nacht. Gestern abend im Bett habe ich zum ersten Mal im Neuen Lied die – »unsere« – Adventslieder aufgeschlagen. Kaum eines kann ich vor mich hinsummen, ohne an Finkenwalde, Schlönwitz, Sigurdshof* erinnert zu werden. Heute früh hielt ich meine Sonntagsandacht, hängte den Adventskranz an einen Nagel und band das Lippi'sche Krippenbild hinein. Zum Frühstück aß ich das zweite Eurer Straußeneier mit Hochgenuß. Bald danach wurde ich aufs Revier zu einer Besprechung geholt, die bis Mittag dauerte. Nach dem Essen habe ich auf Grund der üblen Erfahrungen des letzten Alarms (eine Luftmine in 25 m Entfernung, Revier ohne Fenster, Licht, hilfeschreiende Gefangene, um die sich außer uns aus dem Revier niemand kümmerte; doch auch wir konnten in der Dunkelheit wenig helfen und beim Öffnen einer Zelle von Schwerbestraften muß man immer vorsichtig sein, daß sie einem nicht mit dem Stuhlbein über den Kopf schlagen, um auszureißen – kurz, es war nicht schön!) einen Bericht über Erfahrungen und Notwendigkeiten der ärztlichen Versorgung bei Alarmen hier im Haus geschrieben. Hoffentlich nützt es was. Ich bin froh, irgendwie mithelfen zu können, und zwar an vernünftiger Stelle.

Vergessen habe ich noch, Dir zu berichten, daß ich gestern nachmittag die märchenhaft duftende »Wolf«-Zigarre im Revier bei net-

* Orte des Predigerseminars der Bekennenden Kirche in Pommern

ter Unterhaltung geraucht habe. Ich danke Dir sehr dafür! Die Zigarettenfrage ist seit den Alarmen leider katastrophal. Beim Verbinden baten die Verwundeten um eine Zigarette und die Sanitäter und ich selber haben vorher auch allerlei vertilgt. Um so dankbarer bin ich für das, was Ihr mir vorgestern mitgebracht habt! Übrigens sind fast im ganzen Haus die Scheiben heraus, und die Leute sitzen frierend in ihren Zellen. Obwohl ich vergessen hatte, meine Fenster beim Herausgehen zu öffnen, fand ich nachts zu meiner größten Überraschung die Scheibe unversehrt. Darüber bin ich sehr froh, wenn mir auch die andern schrecklich leid tun.

Wie schön, daß Du doch noch Advent mitfeiern kannst! Ihr werdet jetzt gerade die ersten Lieder zusammen singen. Das Altdorfer'sche Krippenbild fällt mir ein und dazu der Vers: »Die Krippe glänzt hell und klar, die Nacht gibt ein neu Licht dar, Dunkel muß nicht kommen drein, der Glaub bleibt immer im Schein« – und dazu die adventliche Melodie Aber nicht im $^4/_4$-Takt, sondern in dem schwebenden erwartenden Rhythmus, der sich dem Text anpaßt! Nachher werde ich noch eine der erfreulichen Novellen des alten W. H. Riehl lesen. Die würden Dir auch Spaß machen, auch zum Vorlesen in der Familie sind sie sehr geeignet. Man muß versuchen, sie mal zu kriegen.

29. II. 43

Der heutige Montag unterscheidet sich von allen bisherigen deutlich. Während sonst am Montagmorgen das Geschrei und Geschimpfe auf den Gängen am wüstesten war, sind offenbar nach den Erlebnissen der vorigen Woche selbst die größten Schreier und Angeber recht kleinlaut geworden, eine sehr spürbare Veränderung! – Ich muß Dir persönlich übrigens noch folgendes sagen: die schweren Luftangriffe, besonders der letzte, bei dem ich, als durch die Luftmine im Revier die Fenster herausstürzten und Flaschen und Medikamente aus Schränken und Regalen fielen, völlig im Dunkeln auf dem Fußboden lag und nicht viel Hoffnung auf einen guten Ausgang hatte, führen mich ganz elementar zum Gebet und zur Bibel zurück. Darüber später einmal mündlich mehr. In mehr als einer Hinsicht ist diese Gefängniszeit für mich eine sehr heilsame Pferdekur. Aber das läßt sich im einzelnen wohl wirklich nur persönlich erzählen.

30. 11. 43

Roeder* wollte mir am Anfang gar zu gern an den Kopf; nun mußte er sich mit einer höchst lächerlichen Anklage begnügen, die ihm wenig Ruhm eintragen wird. – ...

In den vergangenen Monaten habe ich wie noch nie erfahren, daß ich alles, was ich hier an Erleichterungen und Hilfe bekomme, nicht mir selbst, sondern anderen Menschen verdanke... Der Wunsch, alles durch sich selbst sein zu wollen, ist ein falscher Stolz. Auch was man anderen verdankt, gehört eben zu einem und ist ein Stück des eigenen Lebens, und das Ausrechnenwollen, was man sich selbst »verdient« hat und was man anderen verdankt, ist sicher nicht christlich und im übrigen ein aussichtsloses Unternehmen. Man ist eben mit dem, was man selbst ist und was man empfängt, ein Ganzes. Das wollte ich Dir noch sagen, weil ich es jetzt selbst erlebt habe und doch nicht erst jetzt, sondern unausgesprochen schon in den langen Jahren unserer vita communis.

2. Advent

Das Bedürfnis, mich an einem stillen Sonntagvormittag mit Dir zu unterhalten, ist so groß und der Gedanke, daß so ein Brief vielleicht auch Dir eine einsame Stunde unterhaltsamer machen könnte, so verlockend, daß ich, ohne zu wissen, ob, wie und wo Dich diese Zeilen erreichen, Dir schreiben will... Wie und wo mögen wir beide diesmal Weihnachten feiern? Ich wünsche Dir, daß es Dir gelingt, etwas von der Freude... auch den Soldaten, mit denen Du zusammen bist, zu vermitteln. Denn nicht nur die Angst, wie ich

---

* Kriegsgerichtsrat, Untersuchungsführer

sie hier bei jedem neuen Luftalarm bei den Leuten immer neu erlebe, ist ansteckend, sondern auch die Ruhe und die Freude, mit der wir dem jeweils Auferlegten begegnen. Ja, ich glaube, die stärkste Autorität bildet sich durch solche Haltung, – wenn sie nicht zur Schau getragen, sondern echt und selbstverständlich ist. Die Menschen suchen einen ruhenden Pol und richten sich nach ihm aus. Ich glaube, Draufgängertypen sind wir beide nicht, aber das hat mit dem Herzen, das durch Gnade fest wird, auch nichts zu tun.

Ich spüre übrigens immer wieder, wie alttestamentlich ich denke und empfinde; so habe ich in den vergangenen Monaten auch viel mehr Altes Testament als Neues Testament gelesen. Nur wenn man die Unaussprechlichkeit des Namens Gottes kennt, darf man auch einmal den Namen Jesus Christus aussprechen; nur wenn man das Leben und die Erde so liebt, daß mit ihr alles verloren und zu Ende zu sein scheint, darf man an die Auferstehung der Toten und eine neue Welt glauben; nur wenn man das Gesetz Gottes über sich gelten läßt, darf man wohl auch einmal von Gnade sprechen, und nur wenn der Zorn und die Rache Gottes über seine Feinde als gültige Wirklichkeit stehen bleiben, kann von Vergebung und von Feindesliebe etwas unser Herz berühren. Wer zu schnell und zu direkt neutestamentlich sein und empfinden will, ist m. E. kein Christ. Wir haben darüber ja schon manchmal gesprochen und jeder Tag bestätigt mir, daß es richtig ist. Man kann und darf das letzte Wort nicht vor dem vorletzten sprechen. Wir leben im Vorletzten und glauben das Letzte, ist es nicht so? Lutheraner (sogenannte!) und Pietisten würden eine Gänsehaut bei diesen Gedanken kriegen, aber richtig ist es darum doch. In der »Nachfolge« habe ich diese Gedanken nur angedeutet (im ersten Kap.) und nachher nicht richtig durchgeführt. Das muß nun später geschehen. Diese Konsequenzen sind aber weitreichend, u. a. für das katholische Problem, für den Amtsbegriff, für den Gebrauch der Bibel etc., aber vor allem eben für die Ethik. Warum wird im Alten Testament kräftig und oft zur Ehre Gottes gelogen (ich habe die Stellen jetzt zusammengestellt), totgeschlagen, betrogen, geraubt, die Ehe geschieden, sogar gehurt (vgl. den Stammbaum Jesu), gezweifelt und gelästert und geflucht, während es im Neuen

Testament dies alles nicht gibt? Religiöse »Vorstufe«? Das ist eine sehr naive Auskunft; es ist ja ein und derselbe Gott. Aber darüber später und mündlich mehr!

Es ist inzwischen Abend geworden. Eben sagte der Unteroffizier, der mich vom Revier in meine Behausung brachte, als wir uns verabschiedeten, etwas verlegen lächelnd, aber doch ganz ernst zu mir: »Beten Sie doch, Herr Pfarrer, daß wir heute keinen Alarm kriegen!«

Meinen täglichen Spaziergang mache ich seit einiger Zeit mit einem Gauredner, Kreisleiter, Regierungsdirektor, ehemaligem Mitglied der D. C.-Kirchenregierung* in Braunschweig, z. Zt. Standortführer der Partei in Warschau. Er ist hier total zusammengeklappt und schließt sich mit einer geradezu kindlichen Anhänglichkeit an mich an, holt sich in jeder Kleinigkeit Rat, erzählt mir, wann er geweint hat etc. Nachdem ich mehrere Wochen sehr kühl war, verschaffe ich ihm jetzt einige Erleichterungen, wofür er rührend dankbar ist und mir immer wieder erklärt, er sei so froh, gerade mit einem Manne wie mir hier zusammengetroffen zu sein. Kurz, es gibt die seltsamsten Situationen; wenn ich Dir nur erst mal richtig erzählen könnte!

Ich habe noch über das Reden über die eigene Angst, von dem ich Dir kürzlich schrieb, nachgedacht. Ich glaube, unter dem Anschein der Ehrlichkeit wird hier etwas als »natürlich« ausgegeben, was doch im Grunde ein Symptom der Sünde ist; es ist wirklich ganz analog dem offenen Reden über sexuelle Dinge. »Wahrhaftigkeit« heißt eben doch nicht, daß alles, was ist, aufgedeckt wird. Gott selbst hat den Menschen Kleider gemacht, d. h. in statu corruptionis sollen viele Dinge im Menschen verhüllt bleiben, und das Böse, wenn man es schon nicht ausrotten kann, soll jedenfalls verhüllt werden; Bloßstellung ist zynisch; und wenn der Zyniker sich auch besonders ehrlich vorkommt oder als Wahrheitsfanatiker auftritt, so geht er doch an der entscheidenden Wahrheit, nämlich daß es seit dem Sündenfall auch Verhüllung und Geheimnis geben muß, vorbei. Das

---

* Die Deutschen Christen (D. C.) waren Exponenten des Nationalsozialismus in der evangelischen Kirche

Große an Stifter liegt für mich darin, daß er darauf verzichtet, in das Innere des Menschen einzudringen, daß er die Verhüllung respektiert und den Menschen gewissermaßen nur ganz vorsichtig von außen, aber nicht von innen her betrachtet. Jede Neugierde ist ihm ganz fremd. Es ist mir einmal eindrucksvoll gewesen, daß Frau v. K. mir mit wirklichem Entsetzen von einem Film erzählte, in dem das Wachstum einer Pflanze mit Zeitraffer dargestellt war; sie und ihr Mann hätten das nicht ertragen können als ein unerlaubtes Eindringen in das Geheimnis des Lebens. In dieser Richtung liegt Stifter. Aber geht nicht auch von hier aus eine Brücke zu der sogenannten englischen »Heuchelei«, der man die deutsche »Ehrlichkeit« gegenüberstellt? Ich glaube, wir Deutschen haben die Bedeutung der »Verhüllung«, d. h. im Grunde den status corruptionis der Welt nie recht begriffen. Kant sagt einmal sehr gut in der Anthropologie, wer die Bedeutung des Scheins in der Welt verkenne und bestreite, der sei ein Hochverräter an der Menschheit.

Hast Du übrigens das Buch über den »Witiko«, das mir Freitag mitgebracht wurde, aufgetrieben? Wer sollte es sonst sein? Obwohl es mehr fleißig als klug ist, habe ich es z. T. mit großem Interesse gelesen. Hab vielen Dank!

Übrigens: »Die Wahrheit sagen« (worüber ich einen Aufsatz schrieb), heißt m. E.: sagen, wie etwas in Wirklichkeit ist, d. h. Respektierung des Geheimnisses, des Vertrauens, der Verhüllung. »Verrat« z. B. ist nicht Wahrheit, ebensowenig wie Frivolität, Zynismus etc. Das Verhüllte darf nur in der Beichte offenbart werden, d. h. vor Gott. Auch darüber später mehr!

Zur psychischen Bewältigung von Widrigkeiten gibts einen leichteren Weg des »An den Widrigkeiten Vorbeidenkens« – das habe ich so ungefähr gelernt – und einen schwereren: sie bewußt ins Auge fassen und überwinden; das kann ich noch nicht. Man muß das aber auch lernen; denn das erste ist ein kleiner Selbstbetrug, glaube ich, allerdings wohl ein erlaubter.

Als ich gestern Deinen Brief las, war es mir, als gäbe eine Quelle, ohne die mein geistiges Leben zu verdorren begann, nach langer, langer Zeit wieder die ersten Tropfen Wasser. Dir kommt das natürlich übertrieben vor ... Das ist in meiner Abgeschlossenheit ganz anders. Ich muß notgedrungen vom Vergangenen leben ... Jedenfalls hat Dein Brief meine gerade in den letzten Wochen etwas eingerosteten und müdegewordenen Gedanken wieder ins Laufen gebracht. Ich war eben so völlig daran gewöhnt, alles mit Dir auszutauschen, daß eine so plötzliche und so lange Unterbrechung eine tiefe Umstellung und eine große Entbehrung bedeutete. Nun sind wir wenigstens wieder im Gespräch ... Es darf Roeder und Genossen nicht gelingen, zu allem Porzellan, was sie zerschlagen, auch noch unsere wichtigsten persönlichen Beziehungen zu zerstören.

... Und nun nehme ich mit Freuden Dein »abendliches Gespräch« auf (zumal hier wieder einmal das Licht ausgegangen ist und ich bei Kerzen sitze). Ich stelle mir also vor, wir säßen wie in alten Zeiten nach dem Abendbrot (und der regelmäßigen abendlichen Arbeit*) zusammen oben in meinem Zimmer und rauchten, schlügen gelegentlich Akkorde auf dem Klavichord an und erzählten uns, was der Tag gebracht hat. Dann würde ich Dich zunächst unendlich viel zu fragen haben, über die Ausbildungszeit, über Deine Reise zu Karolus** ... Und schließlich würde ich anfangen, Dir zu erzählen, z. B. daß es trotz allem, was ich so geschrieben habe, hier scheußlich ist, daß mich die grauenhaften Eindrücke oft bis in die Nacht verfolgen und daß ich sie nur durch Aufsagen unzähliger Liederverse verwinden kann und daß dann das Aufwachen manchmal mit einem Seufzer statt mit einem Lob Gottes beginnt. An die physischen Entbehrungen gewöhnt man sich, ja man lebt monatelang sozusagen leiblos – fast zu sehr –, an die psychischen Belastungen gewöhnt man sich nicht, im Gegenteil; ich habe das Gefühl, ich werde durch das, was ich sehe und

* Abhören ausländischer Sender
** Karl Barth

höre, um Jahre älter und die Welt wird mir oft zum Ekel und zur Last. Vermutlich wunderst Du Dich jetzt, daß ich das so sage und denkst an meine Briefe; ja Du selbst schriebst so nett, ich sei »etwas bemüht« gewesen, Euch über meine Lage Zuversicht zu geben. Ich frage mich selbst oft, wer ich eigentlich bin, der, der unter diesen gräßlichen Dingen hier immer wieder sich windet und das heulende Elend kriegt, oder der, der dann mit Peitschenhieben auf sich selbst einschlägt und nach außen hin (und auch vor sich selbst) als der Ruhige, Heitere, Gelassene, Überlegene dasteht und sich dafür (d. h. für diese Theaterleistung, oder ist es keine?) bewundern läßt? Was heißt Haltung eigentlich? Kurz, man kennt sich weniger denn je über sich selbst aus und legt auch keinen Wert mehr darauf, und der Überdruß an aller Psychologie und die Abneigung gegen die seelische Analyse wird immer gründlicher. Ich glaube, darum ist mir Stifter und Gotthelf so wichtig gewesen. Es geht um Wichtigeres als um Selbsterkenntnis.

Dann würde ich mit Dir darüber sprechen, ob Du glaubst, daß dieser Prozeß, der mich in Zusammenhang mit der Abwehr gebracht hat (und ich denke, das ist kaum verborgen geblieben), möglicherweise die Ausübung meines Berufes für später gefährdet? Diese Frage kann ich zunächst überhaupt nur mit Dir besprechen und vielleicht können wir, falls es zur Sprecherlaubnis kommt, darüber etwas reden. Überleg es Dir und sag mir bitte die Wahrheit.

... Manchmal denke ich, ich hätte nun eigentlich mein Leben mehr oder weniger hinter mir und müßte nur noch meine Ethik fertigmachen. Aber weißt Du, in solchen Augenblicken faßt mich ein mit nichts anderem zu vergleichendes Verlangen danach, nicht spurlos abzutreten – wohl auch eher ein alttestamentlicher als neutestamentlicher Wunsch ...

... Wenn wir uns doch noch vor Deiner Abreise in die Freiheit sehen könnten! Aber wenn nun wirklich Weihnachten mir auch noch im Gefängnis zugedacht ist, so werde ich das in meiner Weise als ein Frontweihnachten begehen, darin kannst Du außer Sorge sein. Die großen Schlachten sind leichter zu schlagen und weniger zermürbend als der tägliche Kleinkrieg. Auch hoffe ich doch, daß Du im Februar auf irgendeine Weise ein paar Tage Urlaub herausschlägst, und bis dahin bin ich bestimmt raus; denn bei dem Quatsch, den sie mir anhängen, müssen sie mich beim Termin herauslassen.

Ich schreibe wieder an dem Aufsatz über: Was heißt die Wahrheit sagen? Die Bedeutung des Vertrauens, der Treue, des Geheimnisses wird gegenüber dem »zynischen« Wahrheitsbegriff, für den alle diese Bindungen nicht existieren, stark herausgearbeitet. »Lüge« ist die Zerstörung und die Feindschaft gegen das Wirkliche, wie es in Gott ist; wer zynisch die Wahrheit sagt, lügt. – Übrigens, ich vermisse den Gottesdienst so merkwürdig wenig. Woran liegt das?

Dein biblischer Vergleich mit dem »Essen des Briefes« ist sehr hübsch. – Solltest Du nach Rom kommen, so besuche doch Sch. in der Propaganda fide! – War der Ton bei den Soldaten sehr übel oder nimmt man auf Dich Rücksicht? Hier im Revier geht es zwar sehr unverblümt, aber nicht schweinisch zu. Einige von den jungen Gefangenen erliegen scheint's dem langen Alleinsein und den langen dunklen Abendstunden so vollständig, daß sie darüber ganz kaputt gehen. Es ist auch ein Unsinn, diese Leute monatelang beschäftigungslos einzusperren; es ist wirklich in jeder nur denkbaren Hinsicht nichts als demoralisierend. – ...

18. 12. 43

Auch Du mußt wenigstens einen Weihnachtsbrief bekommen. Ich glaube nicht mehr an meine Freilassung. Nach meiner Auffassung wäre ich beim Termin am 17. 12. freigekommen; aber die ... wollten den sicheren Weg gehen, und nun werde ich voraussichtlich noch Wochen, wenn nicht Monate hier sitzen. Die letzten Wochen waren psychisch eine schwerere Belastung als alles Vorige. Aber daran ist nichts mehr zu ändern, nur daß es schwerer ist, sich in etwas zu fügen, wovon man glaubt, daß es hätte verhindert werden können, als in das Unvermeidliche. Aber wenn Tatsachen geschaffen sind, muß man sich eben zurechtfinden. Ich denke heute vor allem daran, daß auch Du bald Tatsachen gegenüberstehen wirst, die für Dich sehr hart sein werden, wohl noch härter als für mich. Ich meine nun, daß man zunächst alles versuchen soll, um diese Tatsachen noch abzuändern. Ist alles versucht und vergeblich, dann ist das Tragen viel leichter. Es ist zwar nicht alles, was geschieht, einfach »Gottes Wille«, aber es geschieht schließlich doch nichts »ohne Gottes Willen« (Matth. 10, 29), d. h. es gibt durch jedes Ereignis, und sei es noch so unglücklich, hindurch einen Zugang zu Gott. Wenn man eben erst eine überaus glückliche Ehe begonnen hat und Gott dafür gedankt hat, dann ist es maßlos schwer, sich darein zu finden, daß derselbe Gott, der eben noch diese Ehe begründet hat, nun schon wieder eine Zeit so großer Entbehrung von uns verlangt. Nach meinen Erfahrungen gibt es nichts Quälenderes als die Sehnsucht. Manche Menschen sind in ihrem Leben von früh auf schon so durcheinander geschüttelt worden, daß sie sich eine große Sehnsucht sozusagen gar nicht mehr leisten, sie haben sich abgewöhnt, den inneren »Spannungsbogen« über lange Zeiten hinaus auszudehnen und schaffen sich kurzfristigere und leichter zu befriedigende Freuden als Ersatz. Das ist das Schicksal der proletarischen Schichten und der Ruin aller geistigen Fruchtbarkeit. Man darf wirklich nicht sagen, daß es für den Menschen gut sei, wenn er früh und oft im Leben Prügel bezogen hat. In den meisten Fällen macht das den Menschen doch kaputt. Gewiß sind sie für Zeiten wie die unsere abgehärteter, aber auch unendlich stumpfer. Wenn *wir* für längere Zeit von den Menschen, die wir lieben, gewaltsam getrennt werden, dann *können* wir einfach nicht, wie die meisten anderen, uns einen billigen Ersatz durch andere Menschen schaffen –, ich meine nicht aus Moral, sondern einfach aus unserem Wesen heraus. Der Ersatz widert uns an. Wir müssen einfach warten und warten, wir müssen an der Trennung unsäglich leiden, wir müssen Sehnsucht empfinden fast bis zum Krankwerden, und nur dadurch halten wir die Gemeinschaft mit den Menschen, die wir lieben, aufrecht, wenn auch auf eine sehr schmerzhafte Weise. Ich habe ein paarmal in meinem Leben das Heimweh kennengelernt. Es gibt keinen schlimmeren Schmerz, und ich habe in den Monaten hier im Gefängnis ein paarmal ganz schreckliche Sehnsucht gehabt. Und weil ich denke, daß es Dir in den nächsten Monaten ähnlich gehen wird, wollte ich Dir schreiben, was für Erfahrungen ich dabei gemacht habe. Vielleicht können sie Dir etwas nützen. Die erste Folge solcher Sehnsuchtszeiten ist immer, daß man den normalen Tageslauf irgendwie vernachlässigen möchte, daß also eine gewisse Unordnung in unser Leben kommen will. Ich war manchmal in der Versuchung, morgens einfach nicht um 6 Uhr aufzustehen wie üblich – was durchaus möglich gewesen wäre –, sondern länger zu schlafen. Ich habe mich bisher immer noch dazu zwingen können, das nicht zu tun; es war mir klar, daß das der Anfang der Kapitulation gewesen wäre, dem vermutlich Schlimmeres gefolgt wäre; und aus der äußeren und rein körperlichen Ordnung (morgendliches Turnen, Kaltabwaschen) geht schon etwas Halt für die innere Ordnung aus. Weiter: es ist nichts verkehrter, als den Versuch zu machen, in solchen Zeiten sich irgendeinen Ersatz für das Unersetzbare zu schaffen. Es gelingt doch nicht und eine noch größere innere Unordnung tritt ein; die Kraft aber, die Spannung zu überwinden, die doch nur aus der vollen Konzentration auf den Gegenstand der Sehnsucht entspringen kann, wird angefressen und das Durchhalten noch unerträglicher... Weiter: ich glaube, es ist gut, nicht mit Fremden von seinem Zustand zu reden – das wühlt immer noch mehr auf –, sondern nach Möglichkeit sich für Nöte anderer Menschen offenzuhalten. Vor allem darf man nie dem self-pity, dem Sichselbstbemitleiden, verfallen. Und was nun schließlich die christliche Seite der Sache betrifft, so sagt der Vers: »...daß nicht vergessen werde, / was man so gern vergißt, / daß diese arme Erde / nicht unsre Heimat ist« wohl etwas Wesentliches, aber doch nur etwas Allerletztes. Ich glaube, wir sollen Gott in unserem *Leben* und in dem, was er uns an Gutem gibt, so lieben und solches Vertrauen zu ihm fassen, daß wir, wenn die Zeit kommt und da ist – aber wirklich erst dann! – auch mit Liebe, Vertrauen und Freude zu ihm gehen. Aber – um es deutlich zu sagen – daß ein Mensch in den Armen seiner Frau sich nach dem Jenseits sehnen soll, das ist, milde gesagt, eine Geschmacklosigkeit und jedenfalls nicht Gottes Wille. Man soll Gott in dem finden und lieben, was er uns gerade gibt; wenn es Gott gefällt, uns ein überwältigendes irdisches Glück genießen zu lassen, dann soll man nicht frömmer sein als Gott und dieses Glück durch übermütige Gedanken und Herausforderungen und durch eine wildgewordene religiöse Phantasie, die an dem, was Gott gibt, nie ge-

93

nug haben kann, wurmstichig werden lassen. Gott wird es dem, der ihn in seinem irdischen Glück findet und ihm dankt, schon nicht an Stunden fehlen lassen, in denen er daran erinnert wird, daß das Irdische nur etwas Vorläufiges ist und daß es gut ist, sein Herz an die Ewigkeit zu gewöhnen, und schließlich werden auch die Stunden nicht ausbleiben, in denen wir aufrichtig sagen können: »ich wollt', daß ich daheime wär'...« Aber das alles hat seine Zeit und die Hauptsache ist, daß man mit Gott Schritt hält und ihm nicht immer schon einige Schritte vorauseilt, allerdings auch keinen Schritt hinter ihm zurückbleibt. Es ist Übermut, alles auf einmal haben zu wollen, das Glück der Ehe und das Kreuz und das himmlische Jerusalem, in dem nicht Mann und Frau ist. »Er tut alles fein zu seiner Zeit« (Pred. 3). Alles hat »seine Stunde: weinen und lachen,... herzen und ferne sein von Herzen,... zerreißen und zunähen... und Gott sucht wieder auf, was vergangen ist.« Dies letzte heißt doch wohl, daß nichts Vergangenes verloren ist, daß Gott mit uns unsere Vergangenheit, die zu uns gehört, wieder aufsucht. Wenn also die Sehnsucht nach einem Vergangenen uns überfällt – und das geschieht zu völlig unberechenbaren Zeiten –, dann können wir wissen, daß das nur eine der vielen »Stunden« ist, die Gott für uns immer bereit hält und dann sollen wir wohl nicht auf eigene Faust, sondern mit Gott das Vergangene wieder aufsuchen. Genug davon, ich sehe, daß ich mir zuviel zugemutet habe; ich kann Dir eigentlich doch nichts zu dieser Sache sagen, was Du nicht schon selbst weißt.

4. Advent

... Mir geht in den letzten Wochen immer wieder der Vers durch den Kopf: »Lasset fahr'n, o liebe Brüder, / was euch quält, / was euch fehlt, / ich bring alles wieder.« Was heißt dies: »ich bring alles wieder«? Es geht nichts verloren, in Christus ist alles aufgehoben, aufbewahrt, allerdings in verwandelter Gestalt, durchsichtig, klar, befreit von der Qual des selbstsüchtigen Begehrens. Christus bringt dies alles wieder, und zwar so, wie es von Gott ursprünglich gemeint war, ohne die Entstellung durch unsere Sünde. Die aus Eph. 1, 10

stammende Lehre von der Wiederbringung aller Dinge – ἀνακεφα-
λαίωσις re-capitulatio (Irenäus) – ist ein großartiger und überaus
tröstlicher Gedanke. Das »Gott sucht wieder auf, was vergangen ist«
bekommt hier seine Erfüllung. Und niemand hat das so einfach und
kindlich auszudrücken vermocht wie Paul Gerhardt in dem Wort, das
er dem Christuskind in den Mund legt: »ich bring alles wieder«.*
Vielleicht kann Dir dieser Vers in den kommenden Wochen auch etwas helfen. Außerdem habe ich zum erstenmal in diesen Tagen das
Lied: »Ich steh an Deiner Krippe hier . . .« für mich entdeckt. Ich hatte mir bisher nicht viel daraus gemacht. Man muß wohl lange allein
sein und es meditierend lesen, um es aufnehmen zu können. Es ist in
jedem Worte ganz außerordentlich gefüllt und schön. Ein klein wenig mönchisch-mystisch ist es, aber doch gerade nur so viel, wie es
berechtigt ist; es gibt eben neben dem Wir doch auch ein Ich und
Christus, und was das bedeutet, kann gar nicht besser gesagt werden als in diesem Lied; und noch einige Stellen aus der Imitatio
Christi, die ich jetzt in der lateinischen Ausgabe hin und wieder lese
(sie ist übrigens lateinisch doch unendlich viel schöner noch als
deutsch), gehören hierhin; auch denke ich gelegentlich an das

aus dem augustinischen »O bone Jesu« von Schütz.

Ist dieser Passus nicht in gewisser Weise, nämlich in seiner ekstatisch-
sehnsüchtigen und doch so reinen Andacht, auch so etwas wie die
»Wiederbringung« alles irdischen Verlangens? »Wiederbringung«
ist übrigens ja nicht zu verwechseln mit »Sublimierung«! »Sublimierung« ist σάρξ (und pietistisch?!), »Wiederbringung« ist Geist,
und zwar nicht im Sinne von »Vergeistigung« (was auch σάρξ ist),
sondern von καινὴ κτίσις durch das πνεῦμα ἅγιον. Ich glaube,
daß dieser Gedanke auch sehr wichtig ist, wenn wir mit Menschen zu
sprechen haben, die uns nach dem Verhältnis zu ihren Toten fragen.
»Ich bring alles wieder« – d. h. wir können und sollen es uns nicht
selbst wieder nehmen, sondern von Christus geben lassen. (Übrigens,
wenn ich mal begraben werde, dann möchte ich gern, daß das »Eins

* Aus: »Fröhlich soll mein Herze springen«

bitte ich vom Herren« und »Eile, Gott, mich zu erretten« und »O bone Jesu« gesungen wird.*)

Am 24. mittags soll hier immer ein rührender alter Mann aus eigenem Antrieb kommen und Weihnachtslieder blasen. Nach den Erfahrungen vernünftiger Leute ist aber die Wirkung nur die, daß die Häftlinge das heulende Elend kriegen und ihnen dieser Tag nur noch schwerer würde; es wirke »demoralisierend«, sagte einer, und ich kann es mir vorstellen. In früheren Jahren sollen die Häftlinge mehrfach dabei gepfiffen und Krach geschlagen haben, wohl einfach, um nicht weich zu werden. Ich glaube auch, daß angesichts *dieses* Elends, das in diesem Hause herrscht, eine doch mehr oder weniger nur spielerisch-sentimentale Erinnerung an Weihnachten unangebracht ist. Es würde schon ein gutes, persönliches Wort, eine Predigt, dazugehören. Ohne ein solches kann die Musik allein direkt zur Gefahr werden. Glaube übrigens bitte nicht, daß ich mich persönlich irgendwie davor fürchte; das wirklich nicht; aber mir tun die vielen hilflosen jungen Soldaten in ihren Zellen leid. Man wird wohl überhaupt diesen Druck, der durch die täglichen schweren Eindrücke auf einem lastet, niemals mehr ganz los werden; und wahrscheinlich ist das auch ganz richtig so. Die Gedanken einer gründlichen Reform der Strafjustiz beschäftigen mich sehr und werden hoffentlich auch einmal fruchtbar gemacht werden können.

Wenn Du den Brief noch rechtzeitig kriegst, so sorge doch bitte dafür, daß ich für die Festtage etwas Gutes zu lesen bekomme. Ich hatte um einiges seit längerer Zeit gebeten, es scheint aber nicht zu haben zu sein. Etwas spannend darf es ruhig sein. Wenn Du ohne Schwierigkeiten die »Prädestinationslehre« von Barth (ungebunden) oder die Gotteslehre** finden kannst, laß sie mir doch mitbringen ...

Der Propagandaredner, mit dem ich täglich spazierengehe, wächst sich allmählich geradezu zu einer schwer erträglichen Klette aus. Während im ganzen die Leute hier doch versuchen, Haltung zu bewahren, auch in sehr schweren Fällen, ist er total zusammengeklappt

* Alles von Heinrich Schütz
** Kirchliche Dogmatik II, 1 und II, 2 von Barth, aus der Schweiz zugeschickt, ohne Titel und Umschlag, weil in Deutschland verboten

und macht eine wirklich traurige Figur. Ich bin so nett wie möglich zu ihm und rede zu ihm wie zu einem Kind. Es ist manchmal schon fast komisch. Netter ist es, daß, wie ich höre, die in der Küche oder im Freien arbeitenden Gefangenen sich nachmittags mitteilen, wann ich im Revier bin und dann mit irgendwelchen Gründen heraufkommen, weil es so nett wäre, sich mit mir zu unterhalten. Das ist natürlich eigentlich unerlaubt, aber es hat mir Spaß gemacht, als ich es erfuhr, und Dir macht es sicher auch Spaß. Aber sieh, daß nicht darüber geredet wird. – Dieser Brief ist wohl für längere Zeit die letzte Möglichkeit, daß wir uns ohne Mitleser schreiben...

Nun Schluß! lies und vergiß nicht Sprüche 18, 24.

22. 12. 43

Nun scheint die Entscheidung gefallen zu sein, daß ich Weihnachten nicht bei Euch sein kann – aber keiner wagt es mir zu sagen. Warum eigentlich nicht? Traut man mir so wenig contenance zu ...? ... Die Engländer haben für diesen Zustand das treffende Wort vom »Tantalisieren« geprägt... Ich möchte Dir morgen irgendwie sagen, daß für mich die Führung meiner ganzen Angelegenheit ganz entscheidend eine Glaubensfrage ist, und ich habe das Gefühl, sie ist zu sehr eine Sache der Berechnung und der Vorsicht geworden. Es geht mir wirklich nicht um die doch mehr oder weniger kindliche Frage, ob ich zu Weihnachten zu Hause bin oder nicht... Ich könnte es, glaube ich, gern zum Opfer bringen, wenn ich es »im Glauben« tun könnte und wüßte, daß es so sein müßte. »Im Glauben« kann ich alles ertragen (– hoffe ich –), auch eine Verurteilung, auch die anderen befürchteten Folgen (Ps. 18, 30); aber eine ängstliche Vorsicht zermürbt. Macht Euch bitte keine Sorgen um mich, wenn etwas Schlimmeres (Befürchtung einer Verbringung ins KZ) geschieht. Das haben andere Brüder auch schon durchgemacht. Aber ein glaubensloses Hin- und Herschwanken, ein endloses Beraten ohne Handeln, ein Nichts-wagen-wollen, das ist eine wirkliche Gefahr. Ich muß die Gewißheit haben können, in Gottes Hand und nicht in Menschenhänden zu sein. Dann wird alles leicht, auch die härteste Entbehrung. Es handelt sich – ich glaube, das kann ich wirklich sagen – jetzt

97

nicht bei mir um eine »begreifliche Ungeduld«, wie man vielleicht sagen wird, sondern darum, daß alles im Glauben geschieht ...

Du mußt übrigens wissen, daß ich noch keinen Augenblick meine Rückkehr 1939* bereut habe, noch auch irgend etwas von dem, was dann folgte. Das geschah in voller Klarheit und mit bestem Gewissen. Ich will nichts von dem, was sich seit damals ereignet hat, aus meinem Leben streichen, weder das Persönliche (... Sigurdshof, Ostpreußen, Ettal, meine Krankheit unter Deiner Assistenz, die Berliner Zeit), noch das Allgemeine. Und daß ich jetzt sitze (erinnerst Du Dich an das Jahr, das ich Dir im vorigen März prophezeite?), rechne ich auch zu dem Teilnehmen an dem Schicksal Deutschlands, zu dem ich entschlossen war. Ohne jeden Vorwurf denke ich an das Vergangene und ohne Vorwurf nehme ich das Gegenwärtige hin; aber ich möchte nicht durch menschliche Manipulationen in Ungewißheit geraten. Wir können nur in der Gewißheit und im Glauben leben – Du bei den Soldaten draußen, ich in der Zelle. – In der »Imitatio Christi« lese ich gerade: Custodi diligenter cellam tuam, et custodiet te! (»halte treu Wacht über Deine Zelle und sie wird Wacht halten über dich!«). – Gott erhalte uns im Glauben.

Heiligabend 1943

Es ist $^1/_2$ 10 Uhr abends; ich habe ein paar schöne friedliche Stunden verbracht und in großer Dankbarkeit daran gedacht, daß Ihr heute zusammensein könnt ...

Daß wir auch in diesem Jahr die Losungen austauschen konnten, war mir eine der größten Weihnachtsfreuden. Ich hatte schon manchmal daran gedacht und darauf gehofft, aber es nicht mehr für möglich gehalten. Nun wird uns dieses Buch, das mir gerade in den vergangenen Monaten so wichtig war, auch das nächste Jahr hindurch begleiten, und wir werden, wenn wir es morgens lesen, besonders aneinander denken. Habt vielen, vielen Dank! ...

* Kurz vor Kriegsausbruch aus Amerika, trotz verlockender Angebote drüben

Für die Euch nun bevorstehende Zeit der Trennung möchte ich Euch gern einiges sagen. Wie schwer uns solche Trennung fällt, davon braucht man gar nicht erst zu sprechen. Aber da ich ja nun ein dreiviertel Jahr von allen Menschen, an denen ich hänge, getrennt bin, habe ich einige Erfahrungen gemacht, die ich Euch schreiben möchte...

Zunächst: es gibt nichts, was uns die Abwesenheit eines lieben Menschen ersetzen kann und man soll das auch gar nicht versuchen; man muß es einfach aushalten und durchhalten; das klingt zunächst sehr hart, aber es ist doch zugleich ein großer Trost; denn indem die Lücke wirklich unausgefüllt bleibt, bleibt man durch sie miteinander verbunden. Es ist verkehrt, wenn man sagt, Gott füllt die Lücke aus; er füllt sie gar nicht aus, sondern er hält sie vielmehr gerade unausgefüllt und hilft uns dadurch, unsere alte Gemeinschaft miteinander – wenn auch unter Schmerzen – zu bewahren. Ferner: je schöner und voller die Erinnerungen, desto schwerer ist die Trennung. Aber die Dankbarkeit verwandelt die Qual der Erinnerung in eine stille Freude. Man trägt das vergangene Schöne nicht wie einen Stachel, sondern wie ein kostbares Geschenk in sich. Man muß sich hüten, in den Erinnerungen zu wühlen, sich ihnen auszuliefern, wie man auch ein kostbares Geschenk nicht immerfort betrachtet, sondern nur zu besonderen Stunden und es sonst nur wie einen verborgenen Schatz, dessen man sich gewiß ist, besitzt; dann geht eine dauernde Freude und Kraft von dem Vergangenen aus. Ferner: Trennungszeiten sind für das Zusammenleben nicht verloren und unfruchtbar, sie brauchen es jedenfalls nicht zu sein, sondern es kann sich in ihnen – allen Problemen zum Trotz – eine ganz merkwürdig starke Gemeinschaft bilden. Weiter: ich habe es hier besonders erfahren, daß die *Tatsachen* immer bewältigt werden können und daß nur die Sorge und die Angst sie vorher ins Maßlose vergrößern. Vom ersten Aufwachen bis zum Einschlafen müssen wir den anderen Menschen ganz und gar Gott befehlen und ihm überlassen, und aus unseren Sorgen für den Anderen Gebete für ihn werden lassen. »Mit Sorgen und mit Grämen... läßt Gott sich *gar nichts* nehmen...!«...

... Wieder liegen all die schönen Geschenke aufgebaut auf der Kante des hochgeklappten Bettes und vor mir sind die Bilder, an denen ich mich freue. Noch zehre ich fast ununterbrochen von Deinem Besuch... Es war wirklich eine »necessitas«! Es gibt einen geistigen Hunger nach einer Aussprache, der viel quälender ist als der leibliche... In wenigen Worten und Andeutungen sind ganze Fragenkomplexe berührt und geklärt. Dieses nach jahrelanger, nicht immer reibungsloser Übung gewonnene Aufeinandereingestellt- oder -eingespieltsein dürfen wir nie mehr verlieren. Es ist ein unglaublicher Gewinn und eine ungewöhnliche Hilfe. Was haben wir in den 1 ½ Stunden nicht alles berührt und voneinander zu erfahren bekommen! Ich danke Dir sehr dafür, daß Du das erwirkt und durchgesetzt hast.

... Die Leute hier haben mir Weihnachten so hübsch wie möglich machen wollen; aber ich war immer wieder froh, wenn ich wieder für mich allein war; das hat mich selbst gewundert und ich frage mich manchmal, wie ich mich unter den Menschen wieder zurechtfinden werde. Du kennst ja meine gelegentlichen Rückzüge aus großen Festen auf mein Zimmer. Ich fürchte, das wird noch schlimmer geworden sein. Ich habe die Einsamkeit trotz aller Entbehrungen doch auch liebgewonnen. Sehr gern spreche ich mit einem oder zwei Menschen; aber jede größere Ansammlung von Menschen und vor allem jedes Gerede und Geschwätz ist mir ein Greuel...

23. 1. 44

Seit dem 9. 1. (Abreise ins Feld) denke ich anders an Euch als bisher... Auch für mich war ja dieser Sonntag, wenn auch anders als für Euch, ein Einschnitt. Es ist ein merkwürdiges Gefühl, einen Menschen, an dessen Ergehen und Schicksal man selbst jahrelang irgendwie sehr beteiligt gewesen ist, eines Tages einer ganz unbekannten Zukunft, der gegenüber man so gut wie ohnmächtig ist, entgegengehen sehen zu müssen. Dieses Bewußtsein der eigenen Ohnmacht... hat, finde ich, zwei Seiten, es ist beängstigend, aber es ist doch auch irgendwie befreiend. Solange wir selbst das Schicksal eines anderen Menschen mitzugestalten versuchen, werden wir doch letzten Endes die Frage, ob das, was wir tun, auch wirklich zum Besten des anderen ist, nie ganz los, jedenfalls bei den großen Eingriffen in ein anderes Leben; wenn uns dann plötzlich fast alle Möglichkeiten, selber etwas mitzuwirken, abgeschnitten werden, dann steht hinter aller Angst um den anderen doch auch irgendwo das Bewußtsein, daß sein Leben nun ganz in bessere und stärkere Hände gelegt ist. Sich gegenseitig diesen Händen anzuvertrauen, ist wohl die große Aufgabe der kommenden Wochen und vielleicht auch Monate für Euch, für uns ... Mag in dem, was den Tatsachen vorausgeht, noch soviel Versagen, Sichverrechnen und Schuld liegen, in den Tatsachen selbst ist Gott. Wenn wir lebend durch diese nächsten Wochen oder Monate hindurchkommen, dann werden wir nachher sehr klar erkennen, daß es gut war, daß für uns alle die Dinge gerade so kamen, wie sie gekommen sind. Der Gedanke, daß manches Schwere im Leben hätte vermieden werden können, wenn wir weniger mutig darauflosgelebt hätten, ist doch wirklich zu fade, als daß man ihn auch nur einen Augenblick ernstnehmen könnte. Es ist mir im Blick auf Eure Vergangenheit so völlig gewiß, daß es richtig war, was bisher geschah, daß auch das Gegenwärtige nur richtig sein kann. Auf echte Freuden und Lebensinhalte zu verzichten, um Schmerzen zu vermeiden, ist sicher nicht christlich und auch nicht menschlich ...

Soeben kommt die Nachricht von der Landung in Nettuno. Ob Du dort irgendwo bist? Bei jeder solchen Wendung merke ich, daß Gelassenheit nicht ein Stück meiner Natur ist, sondern daß ich sie mir immer wieder mühsam erobern muß; – übrigens Gelassenheit von Natur ist doch wohl in den meisten Fällen nur ein euphemistischer Ausdruck für Indifferenz und Indolenz und insofern nicht gerade etwas sehr Respektables! –; bei Lessing las ich kürzlich: »Ich bin zu stolz, mich unglücklich zu denken – knirsche eins mit den Zähnen – und lasse den Kahn gehen, wie Wind und Wellen wollen. Genug, daß ich ihn nicht selbst umstürzen will!« Sollte dieser Stolz und dieses Zähneknirschen dem Christen ganz untersagt und fremd sein? etwa zugunsten einer vorzeitig vorbeugenden milden Gelassenheit? Gibt es nicht auch die stolze und zähneknirschende Gelassenheit?, die doch wieder etwas ganz anderes ist als das sture, stumpfe, starre, leblose und vor allem gedankenlose Sich-einem-Unvermeidlichen-Unterwerfen? Ich glaube, daß Gott besser geehrt wird, wenn wir das Leben, das er uns gegeben hat, in allen seinen Werten erkennen und ausschöpfen und lieben und darum auch den Schmerz über beeinträchtigte oder verlorene Lebenswerte stark und aufrichtig empfinden – man beschimpft das ja gern als die Schwäche und Empfindsamkeit der bürgerlichen Existenz – als wenn man gegen die Werte des Lebens stumpf ist und daher auch gegen den Schmerz stumpf sein kann. Hiob's Wort: »Der Herr hat's gegeben usw....« (cap. 1, 21) schließt das eher ein als aus, wie ja auch aus seinen zähneknirschenden Reden und ihrer göttlichen Rechtfertigung (cap. 42, 7 ff) gegenüber der falschen, vorzeitigen frommen Ergebung seiner Freunde deutlich genug hervorgeht...

... Was Du in diesem Zusammenhang über die Freundschaft, die sich im Unterschied zu Ehe und Verwandtschaft keiner allgemein anerkannten Rechte erfreut, und die daher ganz auf dem ihr innewohnenden Gehalt beruht, sagst, finde ich sehr gut beobachtet. Es ist ja tatsächlich nicht leicht, die Freundschaft soziologisch einzuordnen. Sie muß wohl als ein Unterbegriff des Kultur- und Bildungsbegriffs verstanden werden, während Bruderschaft unter den Kirchenbegriff und Kameradschaft unter den Begriff der Arbeit und den Begriff des Politischen fällt. Ehe, Arbeit, Staat und Kirche haben ihr konkretes göttliches Mandat, wie steht es aber mit Kultur und Bildung? Ich glaube nicht, daß man sie einfach dem Arbeitsbegriff unterordnen kann, so verlockend das in vieler Hinsicht wäre. Sie gehören nicht in den Bereich des Gehorsams, sondern in den Spielraum der Freiheit, der alle drei Bereiche der göttlichen Mandate umgibt. Wer von diesem Spielraum der Freiheit nichts weiß, kann ein guter Vater, Bürger und Arbeiter, wohl auch ein Christ sein, aber ob er ein voller Mensch ist (und insofern auch ein Christ im vollen Umfang des Begriffes), ist mir fraglich. Unsere »protestantisch« (nicht lutherisch!) – preußische Welt ist so stark durch die 4 Mandate bestimmt, daß der Spielraum der Freiheit dahinter ganz zurückgetreten ist. Ob vielleicht – so scheint es heute fast – der Begriff der *Kirche* es ist, von dem aus allein das Verständnis für den Spielraum der Freiheit (Kunst, Bildung, Freundschaft, Spiel) wiederzugewinnen ist?, also die »ästhetische Existenz« (Kierkegaard) gerade nicht aus dem Bereich der Kirche zu verweisen, sondern gerade in ihr neu zu begründen wäre? Ich glaube das eigentlich, und der Anschluß an das Mittelalter würde auch von hier aus neu gewonnen werden! Wer kann denn z. B. in unseren Zeiten noch unbeschwert Musik oder Freundschaft pflegen, spielen und sich freuen? Sicher nicht der »ethische« Mensch, sondern nur der Christ. Gerade weil die Freundschaft in den Bereich der Freiheit (»des Christenmenschen«!?) gehört, muß man sie allem Stirnrunzeln der »ethischen« Existenzen gegenüber zuversichtlich verteidigen, gewiß ohne den Anspruch auf die »necessitas« eines göttlichen Gebotes, aber mit dem Anspruch auf die »necessitas« der Freiheit! Ich glaube, daß innerhalb des Bereiches dieser Freiheit die Freundschaft das weitaus seltenste – wo gibt es sie eigentlich noch in unserer vorwiegend durch die *drei anderen* Mandate bestimmten Welt? – und kostbarste Gut ist. Es läßt sich mit den Gütern der Mandate nicht vergleichen, es ist ihnen gegenüber sui generis, aber gehört doch zu ihnen wie die Kornblume zum Ährenfeld.

Zu Deiner Bemerkung über die »Angst Christi«: Sie wird doch nur im *Gebet* (wie auch in den Psalmen) ausgesprochen (es ist mir immer noch dunkel, warum die Evangelisten dieses Gebet, das kein Mensch gehört haben kann, – die Auskunft, daß Jesus es den Jüngern im evangelium quadraginta dierum offenbart habe, ist eine Ausflucht! – berichten; kannst Du mir dazu etwas sagen?).

Deine Erinnerung an Sokrates zum Thema Bildung und Tod ist vielleicht sehr fruchtbar. Ich muß darüber noch nachdenken. Klar ist mir an dem ganzen Problem eigentlich nur, daß eine »Bildung«, die in der Gefahr versagt, keine ist. Bildung muß der Gefahr und dem Tod gegenübertreten können – »impavidum feriunt ruinae« (Horaz) (»einen Unerschrockenen werden die Ruinen treffen«) – wenn sie ihn auch nicht »überwinden« kann; was heißt überwinden? Im Gericht die Vergebung, im Schrecken die Freude finden? Aber darüber müssen wir noch mehr sprechen . . .

Was wird aus Rom werden? Der Gedanke, daß es zerstört werden könnte, ist mir ein Alpdruck. Wie gut, daß wir es noch im Frieden sahen!

Mir geht es weiter gut, ich arbeite und warte. Im übrigen bin ich in jeder Hinsicht von ungebrochenem Optimismus und wünsche, daß Du es auch bist! Auf baldiges frohes Wiedersehen!

Wenn Du den Laokoon wiedersiehst, achte doch mal darauf, ob er (der Kopf des Vaters) nicht möglicherweise das Vorbild für spätere Christusbilder ist. Mich hat das letzte Mal dieser Schmerzensmann der Antike sehr ergriffen und lange beschäftigt...

...Mit meinem täglichen Spaziergehgenossen habe ich einen neuen Ton anschlagen müssen; trotz aller Bemühungen, sich an mich anzuschmeißen, entglitt ihm kürzlich eine Bemerkung über das Problem Juden etc., die mich veranlaßt hat, ihn so ablehnend und kühl zu behandeln, wie ich vielleicht noch nie jemanden behandelt habe, wie ich auch dafür gesorgt habe, daß ihm prompt die kleinen Annehmlichkeiten entzogen werden. Nun soll er ruhig eine Weile herumwimmern, das läßt mich – ich wundere mich selbst, aber es ist mir auch interessant: – völlig kalt. Er ist wirklich eine klägliche Figur, aber gewiß nicht der »arme Lazarus«! –

29. u. 30. I. 44

... auch weil ich es selbst nur schwer ertragen kann, Dir nicht zu schreiben, benutze ich diesen stillen Sonnabendnachmittag, der sich von dem Gepolter der letzten beiden Nächte merkwürdig abhebt, um mich etwas mit Dir zu unterhalten. Wie mögen die ersten Tage der unmittelbaren Berührung mit dem Krieg und möglicherweise die ersten persönlichen Eindrücke von dem angelsächsischen Gegenüber, das wir bisher nur aus friedlichen Zeiten kannten, auf Dich gewirkt haben?...

Wenn ich jetzt morgens und abends an Dich denke, so muß ich mich ernstlich davor hüten, daß ich nicht mit meinen Gedanken an den vielerlei Sorgen und Nöten, die Dich betreffen, hängen bleibe, sondern daß es wirklich ein Gebet wird. In diesem Zusammenhang muß ich einmal mit Dir über das Gebet in der Not sprechen. Es ist eine schwierige Sache und doch ist das Mißtrauen, mit dem wir es bei uns selbst begleiten, vielleicht auch nicht gut. Ps. 50 heißt es ganz deutlich: »Rufe mich an in der Not, so will ich Dich erretten, so sollst Du mich preisen.« Die ganze Geschichte der Kinder Israel besteht aus solchen Hilfeschreien. Und ich muß sagen, daß gerade die letzten beiden Nächte mich wieder ganz elementar vor diese Frage gestellt haben. Wenn die Bomben so um das Haus herum einschlagen, kann ich gar nicht anders, als an Gott, an sein Gericht, an den »ausgereckten Arm« seines Zorns (Jes. 5, 25 und 9, 11 – 10, 4), an meine mangelnde Bereitschaft zu denken; ich spüre, wie so etwas wie Gelübde ausgesprochen werden, und dann denke ich an Euch alle und sage: lieber mich als einen von ihnen, – und spüre dabei, wie ich an Euch hänge. Ich will nicht mehr darüber sagen, das geht nur mündlich, – aber es ist eben doch so, daß die Not kommen muß, um uns aufzurütteln und ins Gebet zu treiben, und ich empfinde das jedesmal als beschämend, und es ist es auch. Vielleicht liegt es daran, daß es mir in einem solchen Augenblick bisher unmöglich gewesen ist, den anderen ein christliches Wort zu sagen. Als wir gestern abend wieder auf dem Fußboden lagen und einer vernehmlich: »Ach Gott, ach Gott!« rief – sonst ein sehr leichtfertiger Geselle – brachte ich es nicht über mich, ihn irgendwie christlich zu ermutigen und zu trösten, sondern ich weiß, daß ich nach der Uhr sah und nur sagte: es dauert höchstens noch 10 Minuten. Das geschah nicht mit Überlegung, sondern von selbst und wohl aus dem Gefühl heraus, diesen Augenblick nicht zu religiösen Erpressungen benutzen zu dürfen. (Übrigens hat ja Jesus am Kreuz auch nicht auf die beiden Schächer eingeredet, sondern einer von ihnen hat sich an ihn gewandt!)

Leider hat mich vorgestern nacht ein großer Verlust getroffen. Der für mein Gefühl bei weitem intelligenteste und menschlich sympathischste Mann aus dem hiesigen Haus ist in der Stadt durch einen Volltreffer getötet worden. Ich hätte ihn später bestimmt mit Dir zusammengebracht und wir hatten schon manche Pläne für die Zukunft. Wir hatten viele gute Gespräche, kürzlich brachte er mir noch »Daumier und die Justiz« mit und ich habe es noch bei mir; ein aus dem Arbeiterstand hervorgegangener wirklich gebildeter Mann, Philosoph, Vater von 3 Kindern. Das hat mich sehr erschüttert.

In den letzten Tagen habe ich wieder an der kleinen literarischen

Arbeit, von der ich schon schrieb, gesessen; es ist die Begegnung zweier langjähriger Freunde nach langer Trennung im Krieg. Ich hoffe, dieses Gespräch Dir bald schicken zu können. Du brauchst keine Angst zu haben, es ist *kein* Schlüsselroman!

. . . In früheren Zeiten hätte eines der Probleme, mit denen wir jetzt fertig zu werden haben, genügt, um uns reichlich auszufüllen. Jetzt sollen wir Krieg, Ehe, Kirche, Berufsfragen, Wohnungssorgen, Gefahr und Tod nahestehender Menschen, dazu meine gegenwärtige besondere Situation auf einen Nenner bringen. Bei den meisten Menschen gehen diese Dinge ja wohl einfach unverbunden nebeneinander her. Für den Christen und für den »Gebildeten« ist das unmöglich, er läßt sich weder aufspalten noch zerreißen; der gemeinsame Nenner muß sich sowohl gedanklich wie in der persönlich einheitlichen Lebenshaltung finden lassen. Wer sich von den Ereignissen und Fragen zerreißen läßt, hat die Probe für Gegenwart und Zukunft nicht bestanden. Bei dem jungen Witiko heißt es einmal, er ziehe in die Welt, »um das Ganze zu tun«; es geht also um den ἄνθρωπος τέλειος (τέλειος heißt ja ursprünglich »ganz« = vollkommen) – »Ihr sollt ganz (τέλειος) sein, wie euer Vater im Himmel ›ganz‹ ist« (Matth. 5, 48), – im Unterschied zum ἀνὴρ δίψυχος – dem »Zweifler« – aus Jacobus 1, 8. Witiko »tut das Ganze«, indem er sich im wirklichen Leben zurechtzufinden sucht und dabei immer auf den Rat der Erfahrenen hört, also indem er selbst ein Glied des »Ganzen« ist. Man wird nicht für sich allein ein »Ganzer«, sondern nur mit anderen zusammen . . .

Ich habe gerade angefangen, Harnacks Geschichte der Preußischen Akademie zu lesen, sehr schön. Ich glaube, in diesem Thema schlägt eigentlich sein Herz und er hat mehrfach gesagt, daß er sie für sein bestes Buch halte. – Wie mag es Dir körperlich gehen? Schreib mal ein Wort darüber. Mir geht es erstaunlicherweise eigentlich immer gut. Das Bewußtsein, unter keinen Umständen hier krank werden zu dürfen, macht wohl auch etwas aus. Zum Lesen habe ich immer Kraft und Konzentration genug, zum Schreiben und Produzieren nicht immer, aber doch hin und wieder ganz gut. Wie ich mich wieder an die Menschen gewöhnen werde, weiß ich noch nicht . . .

Carpe diem – d. h. in diesem Falle, ich nutze jede Gelegenheit, Dir einen Gruß zu schreiben. Erstens könnte ich wochenlang schreiben, ohne ans Ende zu kommen mit allem, was ich Dir zu erzählen hätte, zweitens weiß man nie, wie lange es noch geht...

Du wirst wissen, daß die letzten Nächte schlimm waren, besonders die vom 30. I. Unsere Ausgebombten kamen morgens zu mir, um sich ein bißchen trösten zu lassen. Aber ich glaube, ich bin ein schlechter Tröster. Zuhören kann ich, aber sagen kann ich fast nie etwas. Aber vielleicht ist schon die Art, in der man nach bestimmten Dingen fragt und nach anderen nicht, ein gewisser Hinweis auf das Wesentliche. Auch scheint es mir wichtiger, daß eine bestimmte Not wirklich erlebt wird, als daß man irgend etwas vertuscht oder retuschiert. Nur gegen gewisse falsche Interpretationen der Not bin ich unnachsichtig, weil sie auch ein Trost sein wollen und doch ein ganz falscher sind. So lasse ich die Not uninterpretiert und glaube, daß das ein verantwortlicher Anfang ist, allerdings nur ein Anfang, über den ich sehr selten hinauskomme. Manchmal denke ich, der wirkliche Trost muß ebenso unvermutet hereinbrechen wie die Not. Aber ich gebe zu, daß das eine Ausflucht sein kann.

Etwas, was mir bei mir selber und bei anderen immer wieder rätselhaft ist, ist die Vergeßlichkeit in bezug auf die Eindrücke während einer Bombennacht. Schon wenige Minuten danach ist fast alles von dem, was man vorher gedacht hat, wie weggeblasen. Bei Luther genügte ein Blitzschlag, um seinem ganzen Leben auf Jahre hinaus eine Wendung zu geben. Wo ist dieses »Gedächtnis« heute? Ist nicht der Verlust dieses »moralischen Gedächtnisses« – scheußliches Wort! – der Grund für den Ruin aller Bindungen, der Liebe, der Ehe, der Freundschaft, der Treue? Nichts haftet, nichts sitzt fest. Alles ist kurzfristig, kurzatmig. Aber die Güter der Gerechtigkeit, der Wahrheit, der Schönheit, alle großen Leistungen überhaupt brauchen Zeit, Beständigkeit, »Gedächtnis«, oder sie degenerieren. Wer nicht eine Vergangenheit zu verantworten und eine Zukunft zu gestalten gesonnen ist, der ist »vergeßlich«, und ich weiß nicht, wo man einen solchen packen, stellen, zur Besinnung bringen kann. Denn jedes Wort, wenn es auch im Augenblick beeindruckt, verfällt der Vergeßlichkeit. Was ist da zu tun?, ein großes Problem der christlichen Seelsorge. – Sehr gut fand ich neulich Deinen Ausdruck: die Menschen sind so schnell und so »schamlos zu Haus«. Ich werde ihn Dir stehlen und verwenden und auswerten...

Machst Du übrigens auch die Beobachtung, daß ungebildete Leute sehr schwer *sachlich* entscheiden können, daß immer mehr oder weniger zufällige Nebenumstände den Ausschlag geben? Ich finde es auffallend. Die Trennung von sachlichem und persönlichem Denken muß wohl doch erst sehr *gelernt* werden. Allerdings, viele lernen es nie...

2. 2. 44

Ist es richtig, daß Du nördlich Rom bist...? Hoffentlich kriegst Du doch die Stadt noch einmal zu sehen; das muß ja eine Tantalusqual sein, vor den Toren zu liegen und nicht hinein zu dürfen. Ein schwacher Trost ist nur, daß Du sie ja einmal gesehen hast...

Wie lange ich mich noch an meinem gegenwärtigen Aufenthaltsort amüsieren muß, steht noch ebensowenig fest wie vor 8 Wochen. Ich nutze jeden Tag nach Kräften, um mit meinem Lese- und Arbeitspensum noch möglichst weit zu kommen; denn was später kommt, ist doch ganz ungewiß. Leider ist die Bücherbeschaffung das einzige, was nicht recht klappt. So geraten die Pläne etwas durcheinander. Eigentlich wollte ich das 19. Jahrhundert in Deutschland möglichst gründlich kennen lernen. Dazu fehlt mir jetzt vor allem noch eine gute Kenntnis von Dilthey. Seine Sachen sind aber offenbar nicht zu beschaffen. Daß die naturwissenschaftliche Seite bei mir so ganz ausfällt, empfinde ich als eine peinliche, aber nicht mehr aufzuholende Lücke.

Mein derzeitiger Partner, von dem ich Dir nun schon mehrfach schrieb, wird immer jämmerlicher. Er hat noch zwei Kollegen hier, von denen der eine den ganzen Tag heult, der andere sich – buchstäblich – während der Alarme, selbst gestern nacht beim Voralarm! – die Hosen vollmacht. Als er mir das gestern, selbst am Heulen, mitteilte und ich loslachte und schimpfte, wollte er mich darüber belehren, daß man keinen Menschen im Leiden verlachen oder verurteilen dürfe. Das ging mir nun wirklich zu weit und ich habe ihm mit allem Nachdruck meine Verachtung über Leute ausgesprochen, die anderen gegenüber hart sein konnten und große Reden über ein gefährliches Leben etc. halten und selbst bei der geringsten Belastungsprobe zusammenklappen, das sei rundweg eine Blamage und ich sei demgegenüber völlig mitleidlos; im übrigen würde ich solche Vertreter aus der Innung herausschmeißen, weil sie sie lächerlich machen etc. Er hat sich sehr gewundert und hält mich wahrscheinlich für einen sehr zweifelhaften Christen. Im übrigen wird das Benehmen dieser Herren hier bereits sprichwörtlich und tut seine Wirkung, die ihnen nicht gerade angenehm sein kann. Mir ist diese Erfahrung ungemein lehrreich, wenn sie auch zum ekelhaftesten gehört, was ich bisher hier gesehen habe. Ich verachte, glaube ich, wirklich nicht leicht einen Menschen, der in Not gerät, und habe das auch sehr unmißverständlich ausgesprochen, so daß ihm wohl die Haare zu Berge standen, aber dies ist mir wirklich nur verächtlich. Hier stehen 17–18-jährige an viel gefährdeteren Stellen während der Alarme und benehmen sich tadellos und diese... (ich hätte fast einen militärischen Ausdruck gebraucht, über den Du Dich gewundert hättest!) winseln herum. Wirklich ein Brechmittel! Na, jeder blamiert sich so gut, wie er kann. –

Ich hoffe, Du wirst nicht glauben, daß ich unter die Kraftmeier gegangen bin. Dazu gibt es hier sonst wenig genug Anlaß! Aber es gibt eine Schwäche, für die das Christentum nicht zuständig ist und gerade für sie will man es in Anspruch nehmen und beschmutzen. Da müssen wir dafür sorgen, daß die Konturen klar bleiben. – S. brachte mir gestern den großen Band über den Magdeburger Dom mit. Ich bin ganz begeistert von den Skulpturen, besonders einigen der klugen Jungfrauen. Die Seligkeit, die auf diesen ganz irdischen, fast bäuerlichen Gesichtern liegt, ist wirklich beglückend und ergreifend. Du wirst sie ja gut kennen!

Brief vom 4. 2. 44 siehe Anhang Seite 207

Ich lag ein paar Tage wegen einer kleinen Grippe im Bett, bin aber wieder auf, was auch gut ist; denn ich werde voraussichtlich in etwa einer Woche meine fünf Sinne ganz beieinander haben müssen. Bis dahin will ich noch möglichst viel lesen und schreiben; denn wer weiß, wann das wieder so möglich ist . . .

Wird es nun bei Euch schon etwas Frühling? Hier fängt gerade der Winter an. In meinen Phantasien lebe ich viel in der Natur, d. h. in den Waldwiesen bei Friedrichsbrunn oder auf den Hängen, von denen aus man über Treseburg auf den Brocken sieht. Ich liege dann auf dem Rücken im Grase, sehe bei leichtem Wind die Wolken über den blauen Himmel ziehen und höre die Geräusche des Waldes. Es ist merkwürdig, wie stark Kindheitseindrücke dieser Art gestaltend auf den ganzen Menschen einwirken, so daß es mir geradezu unmöglich und meinem Wesen widersprechend erschiene, daß wir etwa ein Haus im Hochgebirge oder auch am Meer gehabt haben könnten! Das Mittelgebirge ist für mich die Natur, die zu mir gehört – Harz, Thüringer Wald, Weserberge – bzw. die mich mit gebildet hat. Es gibt gewiß auch einen spießbürgerlichen Harz und ein wandervogelhaftes Wesergebirge – ebenso wie es ein mondänes und ein Nietzsche'sches Engadin, ein romantisches Rheinland, eine Berliner Ostsee und eine kokette Fischerhütten-Armut und -Schwermut gibt – und so ist vielleicht »mein« Mittelgebirge das »bürgerliche« (im Sinne des Natürlichen, nicht Exaltierten, der Selbstbescheidung und Selbstgenügsamkeit (?), des Nichtweltanschaulichen, der Zufriedenheit mit dem Konkreten und vor allem des »Nach-außen-hin-sich-nicht-zu-erkennen-Gebens«). Es wäre ganz verlockend, die soziologische Betrachtung der Natur einmal weiterzuführen. Übrigens ist mir an Stifter der Unterschied zwischen Einfalt und Einfachheit deutlich geworden. Stifter ist nicht einfältig, sondern einfach (ebenso wie das »Bürgerliche« »einfach« ist). »Einfalt« ist (auch im Theologischen) eher ein ästhetischer Begriff, – (hatte Winckelmann eigentlich recht für die antike Kunst mit der Definition der »edlen Einfalt«? doch bestimmt nicht in bezug z. B. auf den Laokoon, »stille Größe«

finde ich sehr gut) – »Einfachheit« ist ein ethischer Begriff. »Einfach« kann man *werden*, »einfältig« kann man nur *sein*. Zur »Einfachheit« kann man erziehen und bilden – ja, es ist eins der wesentlichen Ziele der Erziehung und Bildung –, Einfalt ist ein Geschenk. Ein analoges Verhältnis sehe ich in den Begriffen des »Reinen« und des »Maßvollen«. »Rein« kann man nur *sein*, vom Ursprung oder vom Ziel her, d. h. von der Taufe oder von der Vergebung im Abendmahl her, es ist wie »Einfalt« ein Ganzheitsbegriff; die verlorene Reinheit – und unser aller Reinheit ist verloren! – kann im Glauben wiedergeschenkt werden, im Werden und im Leben aber können wir nicht mehr »rein«, sondern nur noch »maßvoll« sein; und das ist ein mögliches und notwendiges Ziel der Erziehung und Bildung. – Wie beeindruckt Dich die italienische Landschaft? Gibt es eigentlich eine italienische Landschaftsmalerei?, also irgend etwas Analoges zu Thoma oder auch zu Claude Lorrain oder Ruysdael oder Turner? Oder ist dort die Natur ganz in die Kunst aufgesogen, so daß man sie für sich gar nicht mehr sehen kann? Ich kann mich gegenwärtig nur an gute Städtebilder erinnern, aber gar nicht an rein Landschaftliches.

13. 2. 44

Ich beobachte hier oft an mir selbst und an anderen den Unterschied zwischen Mitteilungsbedürfnis, Wunsch nach Aussprache und Verlangen nach Beichte. Das Mitteilungsbedürfnis kann bei Frauen vielleicht gelegentlich ganz reizvoll sein, bei Männern finde ich es widerwärtig. Völlig unterschiedslos wird vor jedem Beliebigen über eigene Angelegenheiten geschwatzt, gleichgültig, ob sie den anderen interessieren, ob er überhaupt etwas damit zu tun hat, einfach, weil man eben schwatzen muß; hat man diesen fast physischen Drang ein paar Stunden bezwungen, dann ist man nachher froh darüber, daß man sich nicht hat gehen lassen. Es ist mir hier manchmal beschämend, zu sehen, wie sich Menschen in ihrem Mitteilungsbedürfnis erniedrigen, wie sie zu solchen, die es keineswegs wert sind und die auch kaum noch zuhören, unaufhörlich von ihren Angelegenheiten reden; und das Eigentümliche dabei ist, daß sie dabei nicht einmal das Bedürfnis haben, die Wahrheit zu sagen, sondern eben einfach nur über sich reden wollen, Wahres und Erlogenes. Etwas ganz anderes ist der Wunsch nach einem guten Gespräch, also nach einer geistigen Begegnung. Die wenigsten aber sind hier imstande, Gespräche zu führen, die über das Persönliche hinausgehen. Wieder etwas anderes ist das Verlangen nach einer Beichte. Ich glaube, das ist aus dem Grunde hier nicht häufig, weil es weder subjektiv noch objektiv in erster Linie um »Sünde« geht. Es wird Dir vielleicht in den Gebeten, die ich Dir schickte, aufgefallen sein, daß die Bitte um Vergebung der Sünden nicht im Mittelpunkt steht; ich würde es für seelsorgerlich und sachlich ganz verfehlt halten, hier »methodistisch« vorzugehen. Darüber müssen wir mal sprechen. –

14. 2. 44

... Es sieht so aus, als würde sich in 8 Tagen für mich etwas entscheiden. Hoffentlich. Sollte es sich zeigen, daß man mich in Martins * Gegend schickt, was ich nicht glaube, so sei bitte auch darüber ganz beruhigt. Ich bin wirklich ganz ohne Sorge, was mich selbst angeht. Seid Ihr es bitte auch.

21. 2. 44

... Von mir muß ich Dir leider berichten, daß ich voraussichtlich erst nach Ostern von hier wegkomme.

... Ob die übergroße Bedenklichkeit, – über die Du Dich bei mir ja auch oft kopfschüttelnd amüsiert hast, ich denke an unsere Reisen! – doch eine negative Kehrseite der bürgerlichen Existenz ist, d. h. eben jenes Stück Glaubenslosigkeit, das in gesicherten Zeiten verborgen bleibt, aber in ungesicherten zum Vorschein kommt, und zwar in der Gestalt der »Angst« – ich meine nicht »Feigheit«, das ist zweierlei (»Angst« kann sich ebenso in Tollkühnheit wie in Feigheit äußern) – vor dem selbstverständlichen schlichten Tun und vor

* Gemeint ist KZ Dachau, Martin Niemöllers Aufenthalt

dem Aufsichnehmen notwendiger Entscheidungen. Ich habe mir hier oft Gedanken darüber gemacht, wo die Grenzen zwischen dem notwendigen Widerstand gegen das »Schicksal« und der ebenso notwendigen Ergebung liegen. Der Don Quijote ist das Symbol für die Fortsetzung des Widerstandes bis zum Widersinn, ja zum Wahnsinn – ähnlich Michael Kohlhaas, der über der Forderung nach seinem Recht zum Schuldigen wird... der Widerstand verliert bei beiden letztlich seinen realen Sinn und verflüchtigt sich ins Theoretisch-Phantastische; der Sancho Pansa ist der Repräsentant des satten und schlauen Sichabfindens mit dem Gegebenen. Ich glaube, wir müssen das Große und Eigene wirklich unternehmen und doch zugleich das Selbstverständlich- und Allgemein-Notwendige tun, wir müssen dem »Schicksal« – ich finde das »Neutrum« dieses Begriffes wichtig – ebenso entschlossen entgegentreten wie uns ihm zu gegebener Zeit unterwerfen. Von »Führung« kann man erst jenseits dieses zwiefachen Vorgangs sprechen, Gott begegnet uns nicht mehr als Du, sondern auch »vermummt« im »Es« und in meiner Frage geht es also im Grunde darum, wie wir in diesem »Es« (»Schicksal«) das »Du« finden, oder, mit anderen Worten: wie aus dem »Schicksal« wirklich »Führung« wird. Die Grenzen zwischen Widerstand und Ergebung sind also prinzipiell nicht zu bestimmen; aber es muß beides da sein und beides mit Entschlossenheit ergriffen werden. Der Glaube fordert dieses bewegliche, lebendige Handeln. Nur so können wir die jeweilige gegenwärtige Situation durchhalten und fruchtbar machen.

23. 2. 44

Wenn Du Gelegenheit hast, in der Karwoche nach Rom zu kommen, so würde ich Dir raten, am Gründonnerstag den Nachmittagsgottesdienst (etwa von 2–6) in St. Peter mitzumachen; das ist, da die römische Kirche die Feste mit dem Vortag um 12 Uhr mittag beginnen läßt, der eigentliche Karfreitaggottesdienst; soviel ich mich erinnere (ich weiß es aber nicht genau), ist auch am Mittwoch schon ein großer Gottesdienst. Am Gründonnerstag findet das Auslöschen der 12 Kerzen am Altar – als Symbol der Flucht der Jünger – statt, bis in dem riesigen Raum nur noch die eine Kerze in der Mitte — Christus — brennt; außerdem die Reinigung des Altars; am Sonnabend früh gegen 7 Uhr findet die Wasserweihe (soviel ich mich erinnere, verbunden mit der Ordination der jungen Geistlichen) statt, bis um 12 Uhr mittags das große Osterhalleluja gesungen wird, die Orgel spielt wieder, die Meßglöckchen läuten, die verhüllten Bilder werden enthüllt. Es ist die eigentliche Osterfeier. Irgendwo sah ich in Rom auch einen griechischorthodoxen Ostergottesdienst, der mich damals — es sind jetzt 20 Jahre her! — sehr beeindruckt hat. Der Sonnabendgottesdienst ist übrigens im Lateran (zuerst im Baptisterium) sehr berühmt; ich war auch damals dort. Wenn Du gegen Sonnenuntergang mal auf dem Pincio bei der Kirche Trinità del Monte vorbeikommst, sieh doch, ob die Nonnen dort noch um diese Zeit singen; ich habe es einmal gehört und war sehr beeindruckt; ich glaube, es steht sogar im Baedeker.

Wie weit magst Du wohl mit den kriegerischen Ereignissen dort unten in Berührung kommen? Ich nehme an, hauptsächlich mit Luftangriffen, so wie wir hier. Die Intensivierung des Luftkrieges in den letzten ca. 10 Tagen, besonders die starken Tagesangriffe, geben einem zu denken. Ob die Engländer jetzt bewußt die Luftschlacht herausfordern als Vorbereitung zur Invasion und um unsere Abwehr stärker an den innerdeutschen Raum zu binden?

Je länger wir aus unserem eigentlichen beruflichen und persönlichen Lebensbereich herausgerissen sind, desto mehr empfinden wir, daß unser Leben — im Unterschied zu dem unserer Eltern — fragmentarischen Charakter hat. Die Darstellung der großen Gelehrtengestalten in Harnack's »Geschichte der Akademie« macht mir das besonders deutlich und stimmt einen fast etwas wehmütig. Wo gibt es heute noch ein geistiges »Lebenswerk«? Wo gibt es das Sammeln, Verarbeiten und Entfalten, aus dem ein solches entsteht? Wo gibt es noch die schöne Zwecklosigkeit und doch die große Planung, die zu einem solchen Leben gehört? Ich glaube, auch bei Technikern und Naturwissenschaftlern, die als einzige noch frei arbeiten können, existiert so etwas nicht mehr. Wenn mit dem Ende des 18. Jahrhunderts der »Universalgelehrte« zu Ende geht und im 19. Jahrhundert an die Stelle der extensiven Bildung die intensive tritt, wenn schließlich aus ihr sich gegen Ende des vorigen Jahrhunderts der »Spezialist« entwickelt, so ist heute eigentlich jeder nur noch »Techniker« – selbst in der Kunst (in der Musik von gutem Format, in Malerei und Dichtung nur von höchst mäßigem!). Unsere geistige Existenz aber bleibt dabei ein Torso. Es kommt wohl nur darauf an, ob man dem Fragment unseres Lebens noch ansieht, wie das Ganze eigentlich angelegt und gedacht war und aus welchem Material es besteht. Es gibt schließlich Fragmente, die nur noch auf den Kehrichthaufen gehören (selbst eine anständige »Hülle« ist noch zu gut für sie), und solche, die bedeutsam sind auf Jahrhunderte hinaus, weil ihre Vollendung nur eine göttliche Sache sein kann, also Fragmente, die Fragmente sein müssen – ich denke z. B. an die Kunst der Fuge. Wenn unser Leben auch nur ein entferntester Abglanz eines solchen Fragmentes ist, in dem wenigstens eine kurze Zeit lang die sich immer stärker häufenden verschiedenen Themata zusammenstimmen und in dem der große Kontrapunkt von Anfang bis zum Ende durchgehalten wird, so daß schließlich nach dem Abbrechen höchstens noch der Choral: »Vor Deinen Thron tret' ich allhier« intoniert werden kann, dann wollen wir uns auch über unser fragmentarisches Leben nicht beklagen, sondern daran sogar froh werden. Jeremia 45 läßt mich nicht mehr los. Erinnerst Du Dich vielleicht noch an den Finkenwalder Sonnabend abend, als ich es auslegte? Auch hier ein – notwendiges – Lebensfragment – »aber deine Seele will ich dir zur Beute geben«.

... Daß Du außer den üblichen auch einen etwas brauchbareren Genossen für Unterhaltungen und Unternehmungen gefunden hast, freut mich sehr. Aber wieviel lieber wäre ich an seiner Stelle. Ob es noch einmal dazu kommt, oder ob wir doch vielleicht schon Ostern hier wieder wie in allen Zeiten feiern? Du siehst, ich lasse die Hoffnung nicht sinken. Tu Du es auch nicht!

... Was wird das für ein Tag werden,... die Erfahrungen und Erkenntnisse eines langen Jahres auszutauschen; für mich jedenfalls gehört diese Erwartung zu den großen Hoffnungen, die ich für die nächste Zeit habe. Auch Dir wird es vermutlich manchmal so gehen, daß Du Dir kaum mehr vorstellen kannst, daß das alles eines Tages eintreten wird, man glaubt es kaum, daß man die Mauer von Hindernissen, die einen von dieser Erfüllung der Wünsche trennt, einmal durchstoßen kann – aber »was verzieht, ist desto süßer...«, und ich muß sagen, ich gehe in diesen neuen Monat mit großen Hoffnungen, und ich denke, Du tust das ebenso. Ich nehme noch einmal einen Anlauf, um die letzte Zeit so intensiv wie möglich auszunutzen. Vielleicht kannst Du dort auch Eindrücke gewinnen, die für Dein ganzes Leben wichtig werden. Die tägliche Bedrohung des Lebens, wie wir sie im Augenblick fast alle irgendwie erfahren, spornt in einzigartiger Weise zur Wahrnehmung des Augenblicks, zum »Auskaufen der Zeit« an. Manchmal denke ich, ich lebe so lange, wie ich noch ein wirklich großes Ziel vor mir habe...

Heute habe ich... wieder von Dir gehört, jedenfalls, daß es Dir erträglich geht; und obgleich das nicht viel ist, da wir vom Leben mehr wollen, als daß es »erträglich« ist, ist das doch eine gewisse Beruhigung, sofern man unseren gegenwärtigen Zustand sowieso nur als »status intermedius« betrachtet; wenn man nur wüßte, wie lange dieser »Fegfeuerzustand« dauert! Mir persönlich ist nunmehr der Mai in Aussicht gestellt worden! Ist das nicht eine schandbare Bummelei?... Sepp * ist wieder ganz zu Hause und hat seine Sache in alter Frische und mit trotzigem Gesicht durchgepaukt.

Ich habe noch nicht auf Deine Gedanken über Michelangelo –

---

* Dr. Josef Müller-München, den B. irrtümlicherweise nach Freispruch entlassen glaubte

Burckhardt – »hilaritas« geantwortet. Es leuchtet mir einerseits ein, jedenfalls was Burckhardt's Thesen angeht. Andererseits darf man die »hilaritas« nicht nur als die klassische Heiterkeit (Raffael, Mozart) verstehen; auch – um ein paar Namen zu nennen – Walther v. d. Vogelweide, der Bamberger Reiter, Luther, Lessing, Rubens, Hugo Wolf, Karl Barth haben etwas von der hilaritas, die ich auch als Zuversicht zum eigenen Werk, als Kühnheit und Herausforderung der Welt und des vulgären Urteils, als feste Gewißheit, der Welt mit dem eigenen Werk, auch wenn es ihr nicht gefällt, etwas *Gutes* zu erweisen, als hochgemute Selbstgewißheit beschreiben möchte. Ich gebe zu, daß Michelangelo, oder auch Rembrandt, – und mit Abstand – Kierkegaard, Nietzsche auf ganz anderer Linie liegen als die vorher Genannten. Es liegt etwas weniger Thetisches, Evidentes, Abgeschlossenes in ihren Werken, etwas weniger Überwundenes, weniger Abstand von sich selbst und Humor. Trotzdem würde ich auf einige von ihnen den Begriff der hilaritas in dem beschriebenen Sinne anwenden, als notwendiges Attribut der Größe. Hier liegt die – vermutlich bewußte – Schranke Burckhardt's.

Ich habe mich in letzter Zeit mit der nicht durch die Renaissance bedingten, sondern aus dem Mittelalter, vermutlich aus der *Kaiseridee* im Kampf gegen das Papsttum, erwachsenen »Weltlichkeit« des 13. Jahrhunderts (Walther, Nibelungen, Parzival, erstaunlich die Toleranz gegen die Mohammedaner in der Gestalt des Halbbruders Parzivals Feirefiz!, Naumburger und Magdeburger Dom) beschäftigt. Es ist nicht eine »emanzipierte«, sondern eine »christliche«, aber antiklerikale Weltlichkeit. Wo ist diese, von der Renaissance ganz wesensverschiedene »Weltlichkeit« eigentlich abgebrochen? Ich glaube, bei Lessing – im Unterschied zur westlichen Aufklärung – noch etwas davon zu entdecken, in anderer Weise auch noch bei Goethe und später bei Stifter und Mörike (von Claudius und Gotthelf ganz zu schweigen), gar nicht aber bei Schiller und den Idealisten. Es wäre sehr wichtig, hier zu einer guten Ahnenreihe zu kommen. Dabei stellt sich auch die Frage, welche Bedeutung der Antike noch zukommt. Ist sie noch ein echtes Problem und eine Kraftquelle für uns oder nicht? Die moderne Betrachtung unter dem Gesichtspunkt des »πόλις-Menschen« haben wir doch eigentlich auch schon hinter uns. Die klassizistische Betrachtung unter dem ästhetischen Gesichtspunkt ist doch nur noch für wenige von Bedeutung und etwas museal. Die humanistischen Grundbegriffe – Menschlichkeit, Toleranz, Milde, Maß – sind schon bei Wolfram v. Eschenbach und im Bamberger Reiter etc. in schönster Weise da und uns hier zugänglicher und verbindlicher als in der Antike selbst. Wieweit also hängt »Bildung« noch mit der Antike zusammen? Ist die Ranke'- bis Delbrück'sche Konzeption der Geschichte als eines Kontinuums, das aus »Altertum«, »Mittelalter« und »Neuzeit« besteht, wirklich gültig?, oder hat nicht Spengler mit der These von den in sich geschlossenen Kulturkreisen mindestens auch recht – wenn er auch die geschichtlichen Vorgänge zu biologisch versteht? Die Auffassung vom geschichtlichen Kontinuum beruht im Grunde auf Hegel, der den Gesamtverlust der Geschichte in der »Neuzeit«, d. h. in seinem System der Philosophie, kulminieren sieht; sie ist also *idealistisch* (trotz des Ranke'schen Satzes, daß jeder geschichtliche Augenblick »unmittelbar zu Gott« ist; aus diesem Satz hätte sich eine Korrektur der Gesamtkonzeption des Entwicklungskontinuums ergeben können; das geschah aber nicht); die Spengler'sche »Morphologie« ist *biologisch* und hat darin ihre Grenzen (was heißt »Altern«, »Untergang« einer Kultur?). Für den Bildungsbegriff bedeutet das, daß man weder idealistisch die Antike schlechthin als *das* Fundament bezeichnen kann, noch aber auch »biologisch-morphologisch« sie aus unserem Bildungskreis einfach eliminieren kann. Bis man darin weiter sieht, wird es gut sein, nicht aus einem allgemeinen Geschichtsbegriff, sondern ganz von den *Inhalten* und *Gegenständen* her das Verhältnis zur Vergangenheit und speziell zur Antike zu bestimmen ... Persönlich ist mein Verhältnis zur Renaissance und zum Klassizismus leider immer ein kühles geblieben und ich empfinde beides irgendwie als mir fremd; ich kann es mir nicht wirklich aneignen ... Ob nicht die Kenntnis anderer Länder und die innere Berührung mit ihnen für uns heute ein viel bedeutenderes Element der Bildung ist als die Antike? Natürlich gibt es in beiden Fällen ein Banausentum; aber vielleicht gehört es zu unseren Aufgaben, die Begegnung mit ande-

ren Völkern und Ländern über das Politische, Geschäftliche oder Sno-
bistische hinaus zu einem wirklichen Bildungserlebnis zu gestalten.
Damit würde ein bisher ungenutzt gelassener Strom für unsere Bildung fruchtbar gemacht und zugleich an eine alte europäische Überlieferung angeknüpft.

Eben werden wieder durch den Drahtfunk Einflüge starker Ver-
bände gemeldet. Die beiden letzten Tagesangriffe auf Berlin waren
von hier aus z. T. ganz gut zu beobachten. Man sah über den wolken-
losen Himmel größere Formationen mit ihren Kondensstreifen fliegen bei z. T. recht erheblichem Flakbeschuß. Der Alarm dauerte gestern 2$^{1}/_{2}$ Stunden, also länger als in der Nacht. Heute ist der Himmel bedeckt... Eben geht die Sirene; so muß ich unterbrechen und
nachher weiterschreiben. – Es waren wieder zwei Stunden, »Bomben-
abwürfe in allen Stadtteilen«, laut Drahtfunk. – Ich habe in den
Monaten hier versucht, zu beobachten, wie weit die Menschen noch
an irgend etwas »Übersinnliches« glauben. Ich finde noch ganz allgemein verbreitet folgende drei Gedanken, die sich teils in abergläu-
bischen Bräuchen ausdrücken: 1. »Drücke mir den Daumen« hört
man hier unzählige Male am Tag; es wird dem teilnehmenden Gedenken also irgendeine Kraft zugesprochen und man will sich in entscheidenden Stunden nicht allein, sondern von anderen unsichtbar
begleitet wissen. 2. »Unberufen« und »Holz anrühren« ist der all-
abendliche Ausruf bei der Erörterung der Frage, »ob sie heute noch
kommen oder nicht«; eine Erinnerung an den Zorn Gottes über
menschliche Hybris, ein metaphysischer, nicht nur moralischer Grund
zur Demut. 3. »Keiner entgeht seinem Schicksal« und als Folge daraus, daß jeder dort bleiben soll, wo er hingestellt ist. Christlich interpretiert, könnte man in diesen drei Punkten die Erinnerung an Fürbitte und Gemeinde, an Zorn und Gnade Gottes und an die göttliche Führung finden. Zu diesem Letzten gehört noch der hier sehr
oft gebrauchte Satz: »Wer weiß, wozu es gut ist!?«. Völlig zu fehlen scheint mir jede eschatologische Reminiszenz. Oder hast Du da
anderes beobachtet?...

Zum zweiten Male erlebe ich die Passionszeit hier. Ich wehre mich
innerlich dagegen, wenn ich in Briefen... Wendungen lese, die von

meinem »Leiden« sprechen. Mir kommt das wie eine Profanierung vor. Man darf diese Dinge nicht dramatisieren. Ob ich mehr »leide« als Du oder als die meisten Menschen heute überhaupt, ist mir mehr als fraglich. Natürlich ist vieles scheußlich, aber wo ist es das nicht? Vielleicht haben wir an diesem Punkt überhaupt manches zu wichtig und feierlich genommen. Ich habe mich früher manchmal darüber gewundert, wie lautlos die Katholiken über diese Fälle hinweggehen. Sollte das aber doch vielleicht die größere Kraft sein? Vielleicht wissen sie aus ihrer Geschichte besser, was wirklich Leiden und Martyrium ist, und schweigen zu geringfügigen Belästigungen und Hemmungen. Ich glaube z. B., daß zum.»Leiden« entscheidend auch das körperliche Leiden hinzugehört, wirkliche Schmerzen usw. Wir betonen so gern das seelische Leiden; gerade dieses aber sollte uns Christus abgenommen haben und ich finde im Neuen Testament oder auch in den altchristlichen Märtyrerakten nichts davon. Es ist doch wohl ein großer Unterschied, ob die »Kirche leidet« oder ob einem ihrer Diener dieses oder jenes widerfährt. Ich glaube, hier müßte manches korrigiert werden; ja, offen gestanden, ich schäme mich manchmal fast, wie viel wir von unseren eigenen Leiden gesprochen haben. Nein, Leiden muß etwas ganz anderes sein, eine ganz andere Dimension haben, als was ich bisher erlebt habe.

Nun genug für heute! Wann werden wir uns wieder sprechen können? Bleib gesund, freue Dich an dem schönen Land, verbreite hilaritas um Dich und erhalte sie Dir selbst!...

19. 3. 44

Die Nachrichten von den schweren Kämpfen in Eurer Nähe lassen mich fast unablässig zu Dir hin denken und jedes Wort, das ich in der Bibel lese, und jeden Liedervers mit auf Dich beziehen. Deine Sehnsucht... wird in diesen gefahrvollen Tagen besonders stark sein, und jeder Brief wird sie nur vergrößern. Aber gehört es nicht zum Wesen des Mannes im Unterschied zum Unfertigen, daß das Schwergewicht seines Lebens immer dort ist, wo er sich gerade befindet und daß die Sehnsucht nach der Erfüllung seiner Wünsche ihn doch nicht davon abzubringen vermag, dort, wo er nun einmal steht, ganz das zu sein, was er ist? Der Heranwachsende ist nie ganz dort, wo er ist: das gehört geradezu zu seinem Wesen, sonst wäre er vermutlich ein Stumpfbold; der Mann ist immer ein Ganzer und entzieht der Gegenwart nichts. Seine Sehnsucht, die den anderen Menschen verborgen bleibt, ist immer schon eine irgendwie überwundene Sehnsucht; und je mehr er zu überwinden hat, um immer ganz gegenwärtig zu sein, desto geheimnisvoller und vertrauenswürdiger wird er im Grunde seines Wesens für die Mitmenschen, insbesondere für Jüngere, die noch auf dem Wege sind, den er schon durchschritten hat. Wünsche, an die wir uns zu sehr klammern, rauben uns leicht etwas von dem, was wir sein sollen und können. Wünsche, die wir um der gegenwärtigen Aufgabe willen immer wieder überwinden, machen uns – umgekehrt – reicher. Wunschlosigkeit ist Armut. In meiner jetzigen Umgebung finde ich fast nur Menschen, die sich an ihre Wünsche klammern und dadurch für andere Menschen nichts sind; sie hören nicht mehr und sind unfähig zur Nächstenliebe. Ich denke, auch hier muß man leben, als gäbe es keine Wünsche und keine Zukunft, und ganz der sein, der man ist. Es ist merkwürdig, wie sich andere Menschen dann an uns halten, ausrichten und sich etwas sagen lassen. Ich schreibe Dir das alles, weil ich denke, daß Du in dieser Zeit auch eine sehr große Aufgabe hast und weil Du später froh sein wirst im Gedanken daran, daß Du sie erfüllt hast, soweit es ging. Wenn man einen Menschen in Gefahr weiß, möchte man ihn ganz als den wissen, der er ist. Es gibt erfülltes Leben trotz vieler unerfüllter Wünsche; das ist es wohl, was ich eigentlich sagen wollte. Verzeih, daß ich Dir immer wieder mit solchen »Betrachtungen« komme, aber ich lebe eben hier vorwiegend in der Betrachtung und Du verstehst das schon richtig. Im übrigen muß ich in notwendiger Ergänzung zu dem Vorigen sagen, daß ich mehr denn je daran glaube, daß wir auch der Erfüllung unserer Wünsche entgegengehen und wir uns keineswegs der Resignation hinzugeben haben.

... Ich gehe wieder einmal durch Wochen, in denen ich wenig in der Bibel lese; ich weiß immer nicht recht, was ich davon halten soll; ich habe nicht das Gefühl einer Verschuldung dabei und ich weiß auch, daß ich mich nach einiger Zeit wieder mit Heißhunger darauf stürzen werde. Darf man das als einen ganz »natürlichen« geistigen Vorgang nehmen? Ich neige fast dazu. Weißt Du, in der Zeit unserer vita communis gab es das doch auch; gewiß ist die Gefahr einer Verschluderung immer da, aber man soll doch auch nicht ängstlich an diesem Punkt werden, sondern sich darauf verlassen, daß der Magnet nach einigen Ausschlägen wieder in die richtige Richtung zeigt. Meinst Du nicht auch? – . . . Es wird jetzt ein Jahr, daß wir die letzten Tage und Unternehmungen gemeinsam verbrachten . . . Ich bin begierig, wie die Zukunft unseren Weg weiterführt. Ob es noch einmal irgendwie ein gemeinsamer wird, – etwa in beruflicher Tätigkeit, was ich mir sehr wünschen würde – oder ob wir uns mit dem Vergangenen zufrieden geben müssen? . . .

24. 3. 44

. . . Dir wird jetzt vermutlich oft die Tauffrage Eures Kindes im Kopfe herumgehen und darum hauptsächlich schreibe ich Dir, weil ich mir denken könnte, daß Dich eine gewisse »Inkonsequenz« bedrückt. Wir haben früher manchmal ermahnt, man solle die Kinder um des Sakramentes willen möglichst bald taufen, auch wenn die Väter nicht dabei sein könnten. Die Gründe dafür sind klar. Und doch kann auch ich nicht anders als Dir und Deinem Warten zustimmen. Warum? Ich halte es nach wie vor für gut und wünschenswert, und besonders als Beispiel für die Gemeinde für richtig – speziell für einen Gemeindepfarrer – wenn er sein Kind bald taufen läßt, vorausgesetzt, daß er es wirklich im Glauben an die Wirksamkeit des Sakraments tut. Trotzdem, der Wunsch des Vaters, an dieser Handlung fürbittend selbst teilzunehmen, hat sein relatives Recht; und ich muß, wenn ich mich selbst prüfe, bekennen, daß vor allem der Gedanke, daß Gott auch das noch ungetaufte Kind, dem die Taufe zugedacht ist, liebt, mich bestimmt. Ein Gesetz der Kindertaufe gibt es im Neuen Testament nicht. Sie ist eine der Kirche geschenkte Gnadengabe, die in starkem Glauben empfangen und genutzt werden darf, und sie kann daher auch ein sehr starkes Glaubenszeugnis für die Gemeinde sein; aber daß man sie sich innerlich abzwingt, ohne daß der Glaube selbst dazu zwingt, ist nicht biblisch. Nur als Demonstration verliert die Kindertaufe ihr Recht. Auch die Gebete für ein Kind und die Bitte zu Gott, uns bald den Tag zu schenken, an dem wir es zusammen zur Taufe bringen können, bleiben nicht unerhört. Solange man die berechtigte Hoffnung haben kann, daß dieser Tag nicht mehr fern ist, kann ich nicht glauben, daß es bei Gott auf den Tag ankommt. So darf man im Vertrauen auf Gottes freundliche Fügung getrost etwas warten, um später mit stärkerem Glauben tun zu können, was man im Augenblick nur als ein lastendes Gesetz empfinden würde ... So würde ich also – ohne Skrupel! – eine Weile warten; später wird man wieder weiter sehen. Ich glaube, die Auswirkung auf die Taufe und wie sie möglichst stark im Glauben begangen werden könne, kann wichtiger sein als ihr rein gesetzlicher Vollzug.

... Du lernst jetzt das Stück Erde, das ich so sehr liebe, viel besser kennen als ich. Wie gerne säße ich neben Dir im Auto und sähe die Cecilia Metella oder die Villa Hadriani. Die Pietà * ist mir immer schwer zugänglich gewesen. Du mußt mal erklären, warum sie Dich so beeindruckt.

25. 3. 44

Gestern nacht war es wieder sehr lebhaft. Der Blick vom Dach auf die Stadt war erschütternd. Noch bin ich ohne Nachricht von den Geschwistern – die Eltern fuhren Gott sei Dank gestern nach P. – aber im Westen war nicht sehr viel los. Toll finde ich es, wie man bei der Meldung der Anflüge immer wieder ganz unwillkürlich dazu verführt wird, anderen Städten – nach dem Motto: »Heiliger St. Florian, verschon' mein Haus, zünd' andere an« – das auf den Hals zu wünschen, wovor einem selbst graut; »vielleicht bleiben sie in Magdeburg, in Stettin etc.« – Wie oft hört man das als Stoßseufzer. In solchen Augenblicken wird man sich der natura corrupta und

* Von Michelangelo in der Peterskirche

des peccatum originale sehr bewußt; insofern sind sie vielleicht ganz heilsam. Im übrigen ist die Luftaktivität der letzten Tage ja wieder ganz außerordentlich und ich frage mich, ob es nicht wieder mal die Abfindung für die nicht stattfindende Invasion ist.

Ich werde nun erst im Mai weitere Zukunftspläne machen können; allmählich zweifele ich an allen derartigen zeitlichen Prognosen und werde gleichgültig dagegen; wer weiß, ob es dann nicht heißt »im Juli«? Die persönliche Zukunft ist mir gegenüber dem Allgemeinen ganz nebensächlich geworden; und beides hängt ja doch sehr eng miteinander zusammen. So hoffe ich, daß wir unsere Zukunftspläne wieder miteinander beraten können...

Mir geht es hier weiter gut; allmählich gehört man sozusagen zum Inventar und hat manchmal sogar weniger Ruhe, als man wünscht.

Du hast wohl recht, daß der Süden überhaupt die Landschaftsmalerei kaum kennt – mit der Ausnahme von Südfrankreich? und Gauguin? oder waren das vielleicht auch keine Südländer? Ich weiß es nicht, wie ist es mit Claude Lorrain? Hingegen lebt sie in Deutschland und England. Der Südländer hat die schöne Natur, wir sehnen uns nach ihr und lieben sie wehmütig, wie etwas Seltenes. Übrigens, ohne Zusammenhang damit, die Mörikesche Formulierung: »Was aber schön ist, selig scheint es in ihm selbst« trifft wohl etwas mit J. Burckhardt zusammen? Wir denken leicht in zu primitiven Nietzscheschen Alternativen, als gäbe es diesem – »apollinischen« – Schönheitsbegriff gegenüber nur noch den dionysischen, oder, wie wir heute sagen, dämonischen. Das ist aber durchaus nicht so. Nimm z. B. Brueghel oder Velasquez oder auch H. Thoma, Leop. von Kalckreuth oder die französischen Impressionisten. Das ist eine Schönheit, die weder klassisch noch dämonisch, sondern einfach irdisch ist und die ihr ganz eigenes Recht hat; persönlich muß ich sagen, daß für diese Schönheit eigentlich allein mein Herz schlägt. Hierher gehören auch die neulich erwähnten Magdeburger Jungfrauen und die Naumburger Figuren. Ob nicht die »faustische« Deutung der Gotik überhaupt verfehlt ist? Woher käme sonst so ein Widerspruch zwischen Plastik und Architektur?...

Schluß für heute! Sonst wirst Du mit dem Lesen gar nicht fertig. Ich bin in der Erinnerung so froh, daß Du damals noch die Kantate »Lobe den Herrn...« eingeübt hast. Es war sehr gut für alle!...

27. 3. 44

Ob ich Dir doch heute schon meine besonderen Grüße und Wünsche für die Ostertage sagen muß? Ich weiß nicht, wie lange die Briefe unterwegs sind... Wenn ich in diesen Tagen das Neue Lied immer wieder durchblättere, so wird mir klar, daß ich die gesungene Osterfreude im wesentlichen Dir zu verdanken habe. Seit einem Jahr habe ich kein Lied mehr singen hören. Aber es ist merkwürdig, wie die nur mit dem inneren Ohr gehörte Musik, wenn man sich ihr gesammelt hingibt, fast schöner sein kann als die physisch gehörte; sie hat eine größere Reinheit, die Schlacken fallen ab; sie gewinnt gewissermaßen einen »neuen Leib«! Es sind nur einige wenige Stücke, die ich so kenne, daß ich sie von innen her hören kann; aber gerade bei den Osterliedern gelingt es besonders gut. Die Musik des tauben Beethoven wird mir existenziell verständlicher, besonders gehört für mich dahin der große Variationssatz aus Opus III:

Übrigens höre ich in letzter Zeit doch auch manchmal das Sonntagskonzert von 18–19 Uhr, wenn auch durch scheußliches Radio. –...

Ostern? Unser Blick fällt mehr auf das Sterben als auf den Tod. Wie wir mit dem Sterben fertigwerden, ist uns wichtiger, als wie wir den Tod besiegen. Sokrates überwand das Sterben. Christus überwand den Tod als ἔσχατος ἐχϑρός (1. Kor 15, 26). Mit dem Sterben fertigwerden bedeutet noch nicht mit dem Tod fertigwerden. Die Überwindung des Sterbens ist im Bereich menschlicher Möglichkeiten, die Überwindung des Todes heißt Auferstehung. Nicht von der ars moriendi, sondern von der Auferstehung Christi her kann ein neuer, reinigender Wind in die gegenwärtige Welt wehen. *Hier* ist die Antwort auf das: δὸς μοὶ ποῦ στῶ κινήσω τὴν γῆν. Wenn ein paar Menschen dies wirklich glaubten und sich in ihrem irdischen Handeln davon bewegen ließen, würde vieles anders werden. Von der Auferstehung her leben – das heißt doch Ostern. Findest Du auch, daß die meisten Menschen nicht wissen, woher sie eigentlich leben? Die perturbatio animorum greift außerordentlich um sich. Es ist ein unbewußtes Warten auf das lösende und befreiende Wort. Aber noch ist wohl nicht die Zeit, daß es gehört werden kann. Aber sie wird kommen, und dieses Ostern ist vielleicht eine der letzten großen Gelegenheiten, uns auf unsere künftige große Aufgabe vorzubereiten. Ich wünsche Dir, daß Du Dich trotz der Dir auferlegten Entbehrung daran freuen kannst. Lebewohl, ich muß schließen ...

Palmsonntag, 2. 4. 44

Wenn nun wohl auch Ostern vorübergehen wird, ohne daß wir zu Hause sind und uns wiedersehen, so verschiebe ich diese Hoffnung doch nicht weiter als bis auf Pfingsten. Was meinst Du dazu? Bei Euch wird jetzt ein herrlicher Frühling sein ...

Denke Dir, ich habe aus einem zufälligen Anlaß heraus plötzlich wieder mit der Graphologie begonnen und es macht mir viel Spaß; ich arbeite gerade den Klages durch. An den Handschriften Angehöriger aber vergreife ich mich nicht. Es gibt hier genug andere Interessenten. Ich bin von der Zuverlässigkeit der Sache doch überzeugt. Du weißt doch, daß ich als junger Student so erfolgreich darin war, daß es mir selbst unangenehm wurde und ich es – seit nun fast 20 Jahren – aufsteckte. Aber nun, nachdem ich die Gefahren der Psychologie hinter mir zu haben glaube, interessiert es mich doch wieder sehr und ich spräche gern mit Dir darüber. Sollte es mir wieder unheimlich werden, so lasse ich es gleich wieder. Ich könnte mir denken, daß Du auch sehr gute Erfolge haben könntest; denn es gehören zwei Dinge dazu, von denen Du das zweite in höherem Maße hast als ich: Einfühlung und genauestes Beobachtungsvermögen. Wenn Du Lust hast, schreibe ich Dir mal einiges mehr darüber.

In der 800 Seiten dicken Klopstockbiographie von Karl Kindt, 1941, fand ich sehr eindrucksvolle Auszüge aus Klopstocks Drama: »Der

Tod Adams«, in dem er das Sterben des ersten Menschen darstellt; schon die Ode ist interessant, die Ausführung sehr wuchtig. Ich hatte früher schon manchmal daran gedacht, Klopstock zu rehabilitieren. So interessiert mich das Buch sehr ...

Ich habe eine ganz genaue Karte der Umgebung von Rom und sehe sie oft an, wenn ich an Dich denke und stelle mir vor, wie Du auf den dortigen Straßen schon längst mit gewohnter Orientierung herumfährst und aus der nicht sehr weiten Ferne die Laute des Krieges hörst und von den Bergen auf das Meer siehst ...

11. 4. 44

Eigentlich wollte ich Dir in den Feiertagen schreiben; aber ich hatte infolge vieler sehr gut gemeinter Besuche weniger Ruhe, als mir lieb gewesen wäre ... Ich habe mich aber eben doch schon so an die Stille des Alleinseins gewöhnt, daß ich nach kurzer Zeit immer schon wieder danach Verlangen habe. Ich kann mir gar nicht vorstellen, den Tag wieder einmal wie früher oder gar so wie Du jetzt verbringen zu müssen ... Nach einem guten Gespräch habe ich zwar großes Verlangen; aber Gerede ohne rechten Sinn geht mir schrecklich auf die Nerven ...

Wie magst Du Ostern verbracht haben? Ob Du in Rom warst? Wie bist Du der Sehnsucht nach Hause Herr geworden? Ich könnte mir denken, daß das noch schwerer ist in Deiner Lage als in meiner; denn nur mit Ablenkung und Zerstreuung ist es doch nicht gemacht. Es ist doch das ganze Aufgebot letzter Wahrheiten nötig, um mit sich ins Reine zu kommen, und dazu braucht man doch auch viel Zeit für sich selbst. Ich finde, daß die ersten warmen Frühlingstage etwas an mir reißen; das wird Dir ähnlich gehen. Wenn die Natur wieder zu sich zurückfindet, aber das eigene Leben und die geschichtlichen Gemeinschaften, in denen wir leben, noch in ungelöster Spannung verharren, dann empfinden wir den Zwiespalt besonders stark; oder eigentlich ist es wohl gar nichts anderes als Sehnsucht, und es ist vielleicht ganz gut, daß wir diese wieder einmal stark empfinden; von mir persönlich muß ich jedenfalls sagen, daß ich viele, viele Jahre lang zwar nicht ohne Ziele und Aufgaben und Hoffnungen, in denen man ganz aufging, aber doch ohne persönliche Sehnsucht gelebt habe; und man ist vielleicht dadurch vorzeitig alt geworden. Alles ist dadurch zu »sachlich« geworden; Ziele und Aufgaben haben heute fast alle Menschen, alles ist ungeheuer versachlicht, verdinglicht, aber wer leistet sich heute noch ein starkes persönliches Gefühl, eine wirkliche Sehnsucht, wer macht sich die Mühe und wer verschwendet seine Kraft darauf, die Sehnsucht in sich auszutragen, zu verarbeiten und ihre Früchte tragen zu lassen? Die paar sentimentalen Radioschlager mit ihrer gesuchten Naivität und leeren Primitivität sind der klägliche Rest und das Maximum dessen, was man sich an inneren Strapazen auferlegen läßt – eine schauerliche Verödung und Verarmung. Demgegenüber wollen wir ganz froh sein, wenn es uns noch etwas kräftiger packt und die Schmerzen, die damit verbunden sind, als Reichtum ansehen. Hohe Spannungen geben starke Funken (oder stimmt das physikalisch nicht? dann übersetze es Du in die richtige Sprache!) – Die Zeit zwischen Ostern und Himmelfahrt habe ich seit langem besonders geliebt. Auch hier geht es ja um eine große Spannung. Wie sollen Menschen wohl irdische Spannungen aushalten, wenn sie von der Spannung zwischen Himmel und Erde nichts wissen? Hast Du eigentlich das Neue Lied mit? Ich erinnere mich genau daran, wie wir mit Dir Himmelfahrtslieder kennenlernten, darunter das, was mir bis heute das liebste ist: »Auf diesen Tag bedenken wir...« Übrigens beginnt in diesen Tagen das zehnte Jahr, seit wir uns kennen. Das ist doch ein ziemlicher Abschnitt; und wir haben das vergangene Jahr doch wohl kaum weniger intensiv miteinander erlebt als die vorigen unserer vita communis.

... Ich habe den Eindruck, daß wir beide – ich meine Du und ich – erst zur gleichen Zeit wieder nach Hause kommen. Man hat mir gesagt, ich solle mich vorläufig nicht auf eine Veränderung meines derzeitigen Status einstellen, und das, nachdem man mir bisher alle 14 Tage neue Versprechungen gegeben hat. Ich kann das zwar weder für richtig noch für klug halten und mache mir meine eigenen Gedanken darüber, über die ich sehr, sehr gern mit Dir spräche – aber ich muß mich eben praktisch danach richten, da ich mich mit meiner

Auffassung nicht durchsetzen kann. Im übrigen hoffe ich auf Pfingsten!

Gestern hörte ich hier irgend jemand sagen, die letzten Jahre seien für ihn alle verlorene Jahre. Ich bin sehr froh, daß ich dieses Gefühl noch nie einen Augenblick gehabt habe; ich habe auch noch nie meine Entscheidung im Sommer 1939 bereut, sondern stehe ganz unter dem Eindruck, daß mein Leben – so merkwürdig das klingt – völlig geradlinig und ungebrochen verlaufen ist, jedenfalls was die äußere Führung des Lebens angeht. Es ist eine ununterbrochene Bereicherung der Erfahrung gewesen, für die ich wirklich nur dankbar sein kann. Wenn mein gegenwärtiger Status der Abschluß meines Lebens wäre, so hätte das einen Sinn, den ich zu verstehen glauben würde; andererseits könnte alles auch eine gründliche Vorbereitung für einen neuen Anfang sein, der ... durch den Frieden und durch eine neue Aufgabe bezeichnet wäre ... Nun will ich für heute schließen; ich muß noch eine graphologische Analyse machen; damit verbringe ich jetzt die Stunden, in denen ich nicht recht arbeiten kann. Der Brief ist etwas zerrissen, weil er mit dauernden Unterbrechungen geschrieben wurde ...

22. 4. 44

... Wenn Du schreibst, daß diese Zeit für meine sachliche Arbeit viel bedeuten würde und daß Du gespannt bist auf das, was ich später zu erzählen habe und was ich geschrieben habe, so darfst Du Dich nur keinen Illusionen über mich hingeben. Ich habe gewiß vieles zugelernt, aber sehr verändert habe ich mich, glaube ich, nicht. Es gibt Menschen, die sich ändern und manche, die sich kaum ändern können. Ich habe mich, glaube ich, nie sehr geändert, höchstens in der Zeit meiner ersten Auslandseindrücke und unter dem ersten bewußten Eindruck von Papas Persönlichkeit. Damals ist eine Abkehr vom Phraseologischen zum Wirklichen erfolgt. Übrigens glaube ich, daß Du Dich auch nicht veränderst. Sich-entwickeln ist ja etwas anderes. Einen Bruch in unserem Leben haben wir eigentlich beide nicht erfahren. Gewiß haben wir mit manchem von uns aus und bewußt gebrochen, aber auch das ist wieder etwas ganz anderes. Einen Bruch im passiven Sinne wird wohl auch die Zeit, die wir beide jetzt erleben, nicht bedeuten. Früher habe ich mich manchmal nach einem solchen Bruch gesehnt. Heute denke ich darüber anders. Die Kontinuität mit der eigenen Vergangenheit ist doch auch ein großes Geschenk. Bei Paulus steht 1. Tim. 1, 13 neben 2. Tim. 1, 3 a. Oft wundere ich mich, wie wenig ich, im Unterschied zu fast allen anderen hier, in vergangenen Fehlern etc. wühle, also etwa auch in dem Gedanken, wenn ich dies oder jenes anders gemacht hätte, wäre heute vieles ganz anders. Das quält mich überhaupt nicht. Alles erscheint mir zwangsläufig, notwendig, gradlinig, von höherer Führung bestimmt. Geht Dir das auch so?

In der letzten Zeit hat mich auch oft die Frage beschäftigt, wie sich das, was man gewöhnlich Abstumpfen gegen schwere Eindrücke im Laufe einer längeren Zeit nennt, eigentlich erklärt. Wenn ich an die Wochen vor einem Jahr denke, ist mir das ganz auffallend. Ich sehe dieselben Dinge ganz anders. Die Antwort, daß das ein Selbstschutz der Natur sei, reicht mir nicht aus; ich glaube vielmehr, daß es sich doch auch um ein klareres, nüchterneres Erfassen der eigenen begrenzten Aufgaben und Möglichkeiten und dadurch um die Ermöglichung wirklicher Liebe zum Nächsten handeln kann. Solange die Phantasie erregt und aufgepeitscht ist, bleibt die Liebe zum Nächsten etwas sehr Vages und Allgemeines. Heute kann ich die Menschen, ihre Not und ihre Hilfsbedürftigkeit ruhiger ansehen und ihnen damit besser dienen. Statt von Abstumpfung würde ich lieber von Abklärung sprechen; aber natürlich bleibt es immer wieder eine Aufgabe, das eine in das andere zu verwandeln. Aber Selbstvorwürfe darüber, daß die Empfindungen im Laufe der Zeit nicht mehr so erhitzt und angespannt sind, braucht man sich in solchen Situationen, glaube ich, nicht zu machen. Allerdings muß man sich der Gefahr immer bewußt bleiben, daß man das Ganze nicht aus den Augen verliert und auch unter der Abklärung müssen starke Empfindungen lebendig bleiben. Kannst Du mit diesen Erfahrungen auch für Dich etwas anfangen?

Woran liegt es eigentlich, daß einem ganz ohne ersichtlichen Grund manche Tage soviel schwerer werden als andere? Sind das Wachsschmerzen? Sind es Anfechtungen? Wenn sie vorüber sind, sieht die Welt auf einmal ganz anders aus.

Kürzlich hörte ich die Engelszene aus »Palestrina« im Radio und dachte an München. Sie war schon damals das einzige, was mir besonders gefiel. Hier ist ein besonderer »Palestrina-Verehrer«, der es nicht verstehen kann, daß ich mit dem Stück nichts anfangen konnte, und ganz begeistert war, als mir die Engelszene doch gefiel.

Nach längerer Unproduktivität fühle ich mich mit dem kommenden Frühjahr wieder schaffensfreudiger. Ich erzähle Dir das nächstemal darüber. Inzwischen bleib gesund und guten Mutes. Ich hoffe trotz allem auf ein baldiges frohes Wiedersehen!

30. 4. 44

Wieder ist ein Monat herum – geht Dir die Zeit auch so rasend schnell vorbei wie mir hier? Ich wundere mich oft selbst darüber – und wann wird der Monat kommen, in dem ... wir beide wieder zu einander kommen? Das Gefühl, daß jeden Tag große Ereignisse die Welt in Bewegung setzen und alle unsere persönlichen Verhältnisse verändern können, ist so stark in mir, daß ich Dir gern viel öfter schriebe, schon weil man ja nicht weiß, wie lange man es noch kann, und vor allem, weil man so oft und so lange wie möglich alles miteinander teilt. Ich bin eigentlich fest überzeugt davon, daß, bis Du diesen Brief hast, die großen Entscheidungen an allen Fronten bereits im Gange sind. In diesen Wochen wird man dann innerlich sehr fest sein müssen und ich wünsche Dir, daß Du es sein kannst. Man muß alles an Gedanken zusammennehmen, um über nichts zu erschrecken. Ich bin im Blick auf das Kommende fast geneigt, das biblische δεῖ ... zu zitieren, und ich empfinde etwas von der 1. Petr. 1, 12 erwähnten »Neugierde« der Engel, wie Gott das scheinbar Unlösbare sich nun zu lösen anschickt. Ich glaube, daß es nun soweit ist, daß Gott sich aufmacht, etwas zu vollbringen, was wir bei aller äußeren und inneren Beteiligung nur mit ganz großem Staunen und mit Ehrfurcht in uns aufnehmen können. Irgendwie wird es sichtbar werden – für den, der es überhaupt zu sehen vermag –, daß Ps.

58, 12 b und Ps. 9, 20 f wahr sind; und Jerem. 45, 5 werden wir uns täglich zu wiederholen haben. Es ist für Dich noch schwerer als für mich, das getrennt... durchzumachen; darum werde ich auch ganz besonders an Dich denken und tue es schon jetzt.

Wie gut schiene es mir für uns beide, wenn wir diese Zeit zusammen durchleben und uns gegenseitig beistehen könnten. Aber es ist eben wohl »besser«, daß es nicht so ist, sondern daß jeder allein da hindurch muß. Es fällt mir schwer, Dir jetzt in gar nichts helfen zu können – als darin, daß ich wirklich jeden Morgen und Abend und beim Lesen der Bibel und auch sonst noch oft am Tage an Dich denke. Um mich brauchst Du Dir wirklich gar keine Sorgen zu machen; es geht mir unverhältnismäßig gut, und Du würdest Dich wundern, wenn Du mich besuchen kämest. Die Leute hier sagen mir immer wieder – was mir, wie Du siehst, stark schmeichelt –, daß von mir »eine solche Ruhe ausstrahle« und daß ich »immer so heiter« sei –, so daß meine gelegentlichen persönlichen gegenteiligen Erfahrungen mit mir selbst wohl auf einer Täuschung beruhen müssen (was ich allerdings durchaus nicht wirklich glaube!). Dich wundern oder vielleicht sogar Sorgen machen würden Dir höchstens meine theologischen Gedanken mit ihren Konsequenzen, und hier hin fehlst Du mir nun wirklich sehr; denn ich wüßte nicht, mit wem ich sonst überhaupt so darüber sprechen könnte, daß es für mich eine Klärung bedeutet. Was mich unablässig bewegt, ist die Frage, was das Christentum oder auch wer Christus heute für uns eigentlich ist. Die Zeit, in der man alles den Menschen durch Worte – seien es theologische oder fromme Worte – sagen könnte, ist vorüber; ebenso die Zeit der Innerlichkeit und des Gewissens, und das heißt eben die Zeit der Religion überhaupt. Wir gehen einer völlig religionslosen Zeit entgegen; die Menschen können einfach, so wie sie nun einmal sind, nicht mehr religiös sein. Auch diejenigen, die sich ehrlich als »religiös« bezeichnen, praktizieren das in keiner Weise; sie meinen also vermutlich mit »religiös« etwas ganz anderes. Unsere gesamte 1900-jährige christliche Verkündigung und Theologie baut auf dem »religiösen Apriori« der Menschen auf. »Christentum« ist immer eine Form (vielleicht die wahre Form) der »Religion« gewesen. Wenn nun aber eines Tages deutlich wird, daß dieses »Apriori« gar nicht existiert, sondern daß es eine geschichtlich bedingte und vergängliche Ausdrucksform des Menschen gewesen ist, wenn also die Menschen wirklich radikal religionslos werden – und ich glaube, daß das mehr oder weniger bereits der Fall ist (woran liegt es z. B., daß dieser Krieg im Unterschied zu allen bisherigen eine »religiöse« Reaktion nicht hervorruft?) –, was bedeutet das denn für das »Christentum«? Unserem ganzen bisherigen »Christentum« wird das Fundament entzogen und es sind nur noch einige »letzte Ritter« oder ein paar intellektuell Unredliche, bei denen wir »religiös« landen können. Sollten das etwa die wenigen Auserwählten sein? Sollen wir uns eifernd, piquiert oder entrüstet ausgerechnet auf diese zweifelhafte Gruppe von Menschen stürzen, um unsere Ware bei ihnen abzusetzen? Sollen wir ein paar Unglückliche in ihrer schwachen Stunde überfallen und sie sozusagen religiös vergewaltigen? Wenn wir das alles nicht wollen, wenn wir schließlich auch die westliche Gestalt des Christentums nur als Vorstufe einer völligen Religionslosigkeit beurteilen müßten, was für eine Situation entsteht dann für uns, für die Kirche? Wie kann Christus der Herr auch der Religionslosen werden? Gibt es religionslose Christen? Wenn die Religion nur ein Gewand des Christentums ist – und auch dieses Gewand hat zu verschiedenen Zeiten sehr verschieden ausgesehen –, was ist dann ein religionsloses Christentum? Barth, der als einziger in dieser Richtung zu denken angefangen hat, hat diese Gedanken dann doch nicht durchgeführt und durchdacht, sondern ist zu einem Offenbarungspositivismus gekommen, der letzten Endes doch im wesentlichen Restauration geblieben ist. Für den religionslosen Arbeiter oder Menschen überhaupt ist hier nichts Entscheidendes gewonnen. Die zu beantwortenden Fragen wären doch: was bedeutet eine Kirche, eine Gemeinde, eine Predigt, eine Liturgie, ein christliches Leben in einer religionslosen Welt? Wie sprechen wir von Gott – ohne Religion, d. h. eben ohne die zeitbedingten Voraussetzungen der Metaphysik, der Innerlichkeit etc. etc.? Wie sprechen (oder vielleicht kann man aber nicht einmal mehr davon »sprechen« wie bisher) wir »weltlich« von »Gott«, wie sind wir »religionslos-weltlich«

Christen, wie sind wir ἐκ-κλησία, Herausgerufene, ohne uns religiös als Bevorzugte zu verstehen, sondern vielmehr als ganz zur Welt Gehörige? Christus ist dann nicht mehr Gegenstand der Religion, sondern etwas ganz anderes, wirklich Herr der Welt. Aber was heißt das? Was bedeutet in der Religionslosigkeit der Kultus und das Gebet? Bekommt hier die Arkandiszisplin bzw. die Unterscheidung (die Du ja bei mir schon kennst) von Vorletztem und Letztem neue Wichtigkeit?

Ich muß heute abbrechen, da der Brief gerade mit weg kann. In zwei Tagen schreibe ich Dir mehr darüber. Hoffentlich verstehst Du ungefähr, was ich meine, und langweilt es Dich nicht. Leb einstweilen wohl! Es ist nicht leicht, immer echolos zu schreiben; Du mußt entschuldigen, wenn es dadurch etwas monologisch wird!

Ich kann doch noch etwas weiterschreiben. – Die paulinische Frage, ob die περιτομή* Bedingung der Rechtfertigung sei, heißt m. E. heute, ob Religion Bedingung des Heils sei. Die Freiheit von der περιτομή ist auch die Freiheit der Religion. Oft frage ich mich, warum mich ein »christlicher Instinkt« häufig mehr zu den Religionslosen als zu den Religiösen zieht, und zwar durchaus nicht in der Absicht der Missionierung, sondern ich möchte fast sagen »brüderlich«. Während ich mich den Religiösen gegenüber oft scheue, den Namen Gottes zu nennen — weil er mir hier irgendwie falsch zu klingen scheint und ich mir selbst etwas unehrlich vorkomme (besonders schlimm ist es, wenn die anderen in religiöser Terminologie zu reden anfangen, dann verstumme ich fast völlig und es wird mir irgendwie schwül und unbehaglich) –, kann ich den Religionslosen gegenüber gelegentlich ganz ruhig und wie selbstverständlich Gott nennen. Die Religiösen sprechen von Gott, wenn menschliche Erkenntnis (manchmal schon aus Denkfaulheit) zu Ende ist oder wenn menschliche Kräfte versagen — es ist eigentlich immer der deus ex machina, den sie aufmarschieren lassen, entweder zur Scheinlösung unlösbarer Probleme oder als Kraft bei menschlichem Versagen, immer also in Ausnutzung menschlicher Schwäche bzw. an den

* Beschneidung

menschlichen Grenzen; das hält zwangsläufig immer nur solange vor, bis die Menschen aus eigener Kraft die Grenzen etwas weiter hinausschieben und Gott als deus ex machina überflüssig wird; das Reden von den menschlichen Grenzen ist mir überhaupt fragwürdig geworden (ist selbst der Tod heute, da die Menschen ihn kaum noch fürchten, und die Sünde, die die Menschen kaum noch begreifen, noch eine echte Grenze?), es scheint mir immer, wir wollten dadurch nur ängstlich Raum aussparen für Gott; – und ich möchte von Gott nicht an den Grenzen, sondern in der Mitte, nicht in den Schwächen, sondern in der Kraft, nicht also bei Tod und Schuld, sondern im Leben und im Guten des Menschen sprechen. An den Grenzen scheint es mir besser, zu schweigen und das Unlösbare ungelöst zu lassen. Der Auferstehungsglaube *ist* nicht die »Lösung« des Todesproblems. Das »Jenseits« Gottes ist nicht das Jenseits unseres Erkenntnisvermögens! Die erkenntnistheoretische Transzendenz hat mit der Transzendenz Gottes nichts zu tun. Gott ist mitten in unserem Leben jenseitig. Die Kirche steht nicht dort, wo das menschliche Vermögen versagt, an den Grenzen, sondern mitten im Dorf. So ist es alttestamentlich und in diesem Sinne lesen wir das Neue Testament noch viel zu wenig vom Alten her. Wie dieses religionslose Christentum aussieht, welche Gestalt es annimmt, darüber denke ich nun viel nach und ich schreibe Dir bald darüber mehr. Vielleicht wird hier gerade uns in der Mitte zwischen Osten und Westen eine wichtige Aufgabe zufallen. Jetzt muß ich wirklich schließen. Wie schön wäre es, einmal ein Wort von Dir zu alledem zu hören. Es würde für mich wirklich sehr viel bedeuten, mehr, als Du vermutlich ermessen kannst. – Lies übrigens gelegentlich Sprüche 22, 11. 12. Hier ist der Riegel gegen jede fromm getarnte Flucht.

Wenn ich auch hoffe, daß mein Brief Dir bereits in den Urlaub, der ja nun allmählich fällig wäre,... nachgeschickt und dadurch überholt wird, so ist doch heute alles so unsicher – und es ist nach langen Erfahrungen immer eher wahrscheinlich, daß alles so bleibt, wie es ist, als daß es sich bald verändert –, daß ich Dir doch noch schreiben will... Es geht mir zwar persönlich und sachlich sehr gut, aber die Zeitfrage ist eben noch ganz offen. Aber alles Gute kommt über Nacht und darauf warte und hoffe ich zuversichtlich...

Noch ein paar Worte zu den Gedanken über die »Religionslosigkeit«. Du erinnerst Dich wohl des Bultmannschen Aufsatzes über die »Entmythologisierung« des Neuen Testaments? Meine Meinung dazu würde heute die sein, daß er nicht »zu weit«, wie die meisten meinten, sondern zu wenig weit gegangen ist. Nicht nur »mythologische« Begriffe wie Wunder, Himmelfahrt etc. (die sich ja doch nicht prinzipiell von den Begriffen Gott, Glauben etc. trennen lassen!), sondern die »religiösen« Begriffe schlechthin sind problematisch. Man kann nicht Gott und Wunder voneinander trennen (wie Bultmann meint), aber man muß *beide* »nicht-religiös« interpretieren und verkündigen können. Bultmanns Ansatz ist eben im Grunde doch liberal (d. h. das Evangelium verkürzend), während ich theologisch denken will. Was heißt nun »religiös interpretieren«?

Es heißt m. E. einerseits metaphysisch, andererseits individualistisch reden. Beides trifft weder die biblische Botschaft noch den heutigen Menschen. Ist nicht die individualistische Frage nach dem persönlichen Seelenheil uns allen fast völlig entschwunden? Stehen wir nicht wirklich unter dem Eindruck, daß es wichtigere Dinge gibt als diese Frage (– vielleicht nicht als diese *Sache*, aber doch als diese *Frage*!?)? Ich weiß, daß es ziemlich ungeheuerlich klingt, dies zu sagen. Aber ist es nicht im Grunde sogar biblisch? Gibt es im Alten Testament die Frage nach dem Seelenheil überhaupt? Ist nicht die Gerechtigkeit und das Reich Gottes auf Erden der Mittelpunkt von allem? Und ist nicht auch Römer 3, 24 ff das Ziel des Gedankens, daß Gott allein gerecht sei, und nicht eine individualistische Heilslehre? Nicht um das Jenseits, sondern um diese Welt, wie sie geschaffen, erhalten, in Gesetze gefaßt, versöhnt und erneuert wird, geht es doch. Was über diese Welt hinaus ist, will im Evangelium *für* diese Welt da sein; ich meine das nicht in dem anthropozentrischen Sinne der liberalen, mystischen, pietistischen, ethischen Theologie, sondern in dem biblischen Sinne der Schöpfung und der Inkarnation, Kreuzigung und Auferstehung Jesu Christi.

Barth hat als erster Theologe – und das bleibt sein ganz großes Verdienst – die Kritik der Religion begonnen, aber er hat dann an ihre Stelle eine positivistische Offenbarungslehre gesetzt, wo es dann heißt: »friß, Vogel, oder stirb«; ob es nun Jungfrauengeburt, Trinität oder was immer ist, jedes ist ein gleichbedeutsames und -notwendiges Stück des Ganzen, das eben als Ganzes geschluckt werden muß oder gar nicht. Das ist nicht biblisch. Es gibt Stufen der Erkenntnis und Stufen der Bedeutsamkeit; d. h. es muß eine Arkandisziplin wiederhergestellt werden, durch die die *Geheimnisse* des christlichen Glaubens vor Profanierung geschützt werden. Der Offenbarungspositivismus macht es sich zu leicht, indem er letztlich ein Gesetz des Glaubens aufrichtet und indem er das, was eine Gabe für uns ist – durch die Fleischwerdung Christi! –, zerreißt. An der Stelle der Religion steht nun die Kirche – das ist an sich biblisch –, aber die Welt ist gewissermaßen auf sich selbst gestellt und sich selbst überlassen, das ist der Fehler.

Ich denke augenblicklich darüber nach, wie die Begriffe Buße, Glaube, Rechtfertigung, Wiedergeburt, Heiligung »weltlich« – im alttestamentlichen Sinne und im Sinne von Joh. 1, 14 – umzuinterpretieren sind. Ich werde Dir weiter darüber schreiben.

Verzeih, ich schrieb bisher in deutscher Schrift, wie ich sonst nur tue, wenn ich für mich selbst schreibe; und vielleicht war das Geschriebene auch mehr für mich selbst zur Klärung als für Dich zur Belehrung abgefaßt. Ich will Dich eigentlich nicht mit Problemen beunruhigen, da Du vermutlich doch nicht die Zeit hast, Dich mit ihnen auseinanderzusetzen und sie Dich vielleicht nur quälen; aber ich kann nicht anders, als Dich an meinen Gedanken teilnehmen lassen, einfach weil sie mir dadurch selbst erst klar werden. Wenn das jetzt für Dich nicht das Richtige ist, sage es bitte. – Morgen ist Cantate, da werde ich mit besonders vielen schönen Erinnerungen an Dich denken...

Leb wohl! Habe Geduld wie wir auch und bleib gesund!

6. 5. 44

... Über »Egoismus« der Christen (»selbstlose Selbstliebe«) etc. demnächst. Ich glaube, wir sind darin einer Meinung. Zuviel Altruismus ist bedrückend und anspruchsvoll! »Egoismus« kann selbstloser, anspruchsloser sein!

Cantate

Eben hörte ich schöne Morgenmusik, Reger, Hugo Distler, das war ein guter Sonntagsanfang. Merkwürdig nur, wenn mitten in die Musik hinein: »Kampfverbände im Anflug auf...« gemeldet wird. Der Zusammenhang von beiden ist doch nicht ohne weiteres ersichtlich.

Ich habe nachts über die Funktionen der Schwiegermütter nachgedacht... Sicher ist mir, daß Schwiegermütter keinerlei erzieherische Funktionen haben – woher sollten sie auch das Recht dazu haben? Ihr Vorrecht ist es, eine *erwachsene* Tochter bzw. Sohn zu bekommen und darin eine Bereicherung ihrer Familie zu erkennen, nicht aber zu kritisieren. Sie darf sich an ihren Kindern freuen, darf ihnen mit Hilfe und Rat, wo sie gesucht werden, zur Verfügung stehen, und ist doch der Verantwortung und Erziehungsaufgabe in der Ehe ganz enthoben; das ist wirklich ein Vorrecht. Ich glaube, wenn eine Schwiegermutter sieht, daß ihr Kind wirklich geliebt wird... dann sollte sie sich nur freuen und alles andere zurückstellen, schon ganz und gar die Versuche, den Charakter zu ändern!

Es gibt wenige Menschen, die Verschlossenheit recht zu würdigen verstehen...

Eben geht die Sirene; nachher weiter. – – So, es war wieder ziemlich dick...

Bei Verschlossenheit kommt es doch allein darauf an, *was* einer in sich verschlossen hält und andererseits, daß es einen Menschen gibt, demgegenüber man sich ganz aufschließen kann... Ich glaube, es ist zuviel, von der Eifersucht der Schwiegermütter zu sprechen; es ist vielmehr zweierlei Liebe, die der Mutter und die der Frau, und daraus entsteht viel Mißverstehen. Übrigens ist es doch für Schwiegersöhne viel leichter als für Schwiegertöchter, mit ihren Schwiegermüttern in Frieden auszukommen. Und doch ist Naemi-Ruth ein einzigartiges biblisches Vorbild...

In den letzten Tagen war ich wieder ein paarmal in der Stadt*, mit sehr befriedigendem Ergebnis. Da aber die Zeitfrage ungelöst bleibt, so verliere ich eigentlich das Interesse an meiner Angelegenheit; ich vergesse sie oft völlig wochenlang. — Schluß! Gott behüte Dich und uns alle.

9. 5. 44

Die Hoffnung auf den nahen Urlaub ist auch für mich eine ganz große Freudennachricht. Wenn es nun wirklich dazu kommt, daß Ihr in wenigen Tagen... auch Euer Kind taufen laßt, dann möchte ich gern, daß der Gedanke an meine Abwesenheit nicht den geringsten Schatten auf Eure Freude wirft und besonders Dich... in keiner Weise bedrückt. Ich werde versuchen, Euch für die Taufe etwas zu schreiben, und Ihr wißt, daß ich mit allen meinen Gedanken bei Euch sein werde. Daß das Unwahrscheinliche eingetreten ist, daß ich auch diesen Tag noch nicht mit Euch feiern kann, ist wahrlich für mich schmerzlich, aber ich habe mich wirklich ganz damit abgefunden. Ich glaube, daß mir nichts Sinnloses widerfährt und daß es für uns alle gut so ist, wenn es auch unseren Wünschen zuwiderläuft. Ich sehe in meinem gegenwärtigen Dasein eine Aufgabe und hoffe nur, daß ich sie erfülle. Von dem großen Ziel her gesehen, sind alle Entbehrungen und versagten Wünsche geringfügig. Nichts wäre unwürdiger und verkehrter, als wenn man gerade in einem solchen seltenen großen Augenblick der Freude, wie Ihr sie in diesen Tagen erlebt, aus meinem gegenwärtigen Geschick eine Kalamität machen wollte. Es wür-

* Zu Verhören

139

de mir ganz widerstreben und mir die Zuversicht, mit der ich meine Lage ansehe, nehmen. Wir dürfen eben, so dankbar wir für alle persönlichen Freuden sind, keinen Augenblick die großen Dinge, um derentwillen wir leben, aus dem Auge verlieren und von ihnen her muß auf Eure Freude eher ein besonderes Licht als irgendeine Verdüsterung fallen. Es wäre mir ein geradezu unerträglicher Gedanke, wenn von meinem gegenwärtigen Erleben her die schwer genug erkämpften paar Wochen Eurer Freude auch nur im allergeringsten getrübt würden. Das erst wäre eine wirkliche Kalamität, das andere ist es nicht. Soviel an mir ist, so möchte ich Euch wirklich nur dazu verhelfen, den Glanz dieser Frühlingstage ... so strahlend wie nur irgend möglich zu erhalten. Bitte denkt keinen Augenblick, daß Ihr damit irgend etwas an mir versäumt, ganz im Gegenteil! Und denkt bitte vor allem nicht, daß ich mir diese Worte nur mühsam um Euretwillen abringe, sie sind vielmehr meine herzlichste Bitte an Euch, deren Erfüllung mich wirklich froh und glücklich machen würde. Wenn es gelänge, daß wir uns in diesen Tagen wiedersehen, wäre das ganz wunderbar; aber bitte macht Euch deswegen nicht unnötige Sorgen und Gedanken – der 23. Dezember ist mir noch ganz gegenwärtig – und verliert bitte keinen Tag, nur um hier etwas für mich abzugeben. Ich weiß, daß Ihr es gern tätet, aber es würde mich bedrücken. Wenn Euer Vater allerdings auf demselben Wege wie im Dezember einen Besuch für Euch bei mir erwirken könnte, wäre ich ihm natürlich sehr sehr dankbar. Im übrigen weiß ich, daß Ihr morgens beim Lesen der Losungen an mich denken werdet wie ich an Euch, und ich freue mich sehr darüber, daß Ihr nun wieder morgens und abends ein Stück aus der Bibel gemeinsam lesen könnt. Es wird für diese Tage wie auch für die Zukunft für Euch wichtig sein. Laßt Euch doch auch die kommenden Tage nicht durch den Gedanken an die Kürze und den bevorstehenden Abschied vergällen, nehmt Euch nicht zuviel vor, laßt Euch lieber besuchen, als daß Ihr überall herumkutscht, und genießt in aller Ruhe jede Stunde des Tages als ein großes Geschenk. Meine persönliche Meinung ist, daß die nächsten Wochen so große und überraschende Ereignisse bringen werden, daß man am Anfang Eures Urlaubs wirklich noch nicht weiß, was am Ende sein wird. So sehr diese Ereignisse unsere persönlichen Geschicke mitbestimmen werden, so wünsche ich Euch doch, daß Ihr durch sie nicht um die wesentliche Ruhe Eurer gemeinsamen Tage gebracht werdet. Wie gut, daß Ihr jetzt gerade zusammensein und alle Entscheidungen zusammen treffen könnt.

Wie gerne hätte ich Euren Jungen getauft. Aber das ist ja nebensächlich. Vor allem wünsche ich Euch, daß Euch der Tauftag dazu verhilft, das Leben Eures Kindes und Euer eigenes geborgen zu wissen und zuversichtlich in die Zukunft zu sehen. Werdet Ihr selbst den Tauftext wählen? Falls Ihr noch auf der Suche danach seid, wie wäre es mit 2. Tim. 2, 1 oder Sprüche 23, 26 oder 4, 18 (den letzten fand ich erst kürzlich und finde ihn sehr schön)?

Nun will ich Euch nicht gleich zu Beginn Eures Wiedersehens mit einem zu langen Brief behelligen. Ich wollte Euch eigentlich nur begrüßen und Euch sagen, daß ich mich sehr mit Euch freue! Macht recht viel schöne Musik!

16. 5. 44

Wie ich eben hörte, hast Du Deine Ankunft für heute früh angemeldet. Du glaubst gar nicht, wie froh und erleichtert ich darüber bin, daß Du gerade jetzt hier sein kannst. Hier wäre selbst ich fast bereit, einmal wirklich von »Fügung« und »Gebetserhörung« zu sprechen und Du vielleicht doch auch... Zur Taufe schreibe ich noch. Wie wäre Psalm 90, 14 als Text? Auch an Jes. 8, 12 hatte ich schon gedacht. Er war mir nur etwas zu allgemein.

18. 5. 44

Ich wollte Euch zum Tauftag gern etwas schreiben... Ich schicke es Euch nur, um Euch zu zeigen, daß ich sehr an Euch denke... Ich wünsche Euch, daß Ihr an diesen Tauftag immer besonders gern zurückdenkt und daß er Euch dazu hilft, Eurem kurzen Zusammensein — bald wird es hoffentlich ein ununterbrochenes sein! — den wesentlichen Inhalt zu geben, der auch über Zeiten der Trennung hinweg Bestand hat. Es gibt quälende und stärkende Erinnerungen.

Zu den stärkenden wird dieser Tag gehören... Denkt bitte ohne jeden Kummer an mich. Bei Martin* jährt es sich bald zum 7. mal! Das ist doch etwas ganz anderes... Eben höre ich von der – von mir selbst nicht mehr für möglich gehaltenen – herrlichen Aussicht, Dich morgen hier zu sehen. So bringe ich den heutigen Tag damit zu, mich auf diese Stunde vorzubereiten. Wer hat das nur erreicht? Demjenigen bin ich wirklich sehr dankbar!

19. 5. 44

Ich kann Euch gar nicht beschreiben, wie sehr mich Euer Besuch gefreut hat und auch der kühne Entschluß, einfach zu zweit hereinzukommen, war großartig... Was Du mir von Deinen Erlebnissen der letzten Wochen und Tage berichtet hast, bewegt mich sehr. Heute bin ich zu eilig, um darauf eingehen zu können. Ich wünsche Dir vor allem, daß Du nun hier die äußere und innere Ruhe findest, die Du nach diesen erregenden Zeiten brauchst. Es tut mir schrecklich leid, daß Ihr hier in den Alarm kamt, und ich habe sehr dankbar und erleichtert aufgeatmet, als Euer Anruf kam (durch den Kommandanten). Die Frage nach dem »Sinn« ist allerdings oft belastend; aber findest Du es nicht schon sehr wichtig, daß man wenigstens weiß, *warum* das alles nötig ist und man es ertragen muß, wenn auch das »Wofür« problematisch ist; das ist für mich hier klarer.

20. 5. 44

... Es ist nun aber die Gefahr in aller starken... Liebe, daß man über ihr – ich möchte sagen: die Polyphonie des Lebens verliert. Ich meine dies: Gott und seine Ewigkeit will von ganzem Herzen geliebt sein, nicht so, daß darunter irdische Liebe beeinträchtigt oder geschwächt würde, aber gewissermaßen als cantus firmus, zu dem die anderen Stimmen des Lebens als Kontrapunkte erklingen; eines dieser kontrapunktischen Themen, die ihre volle Selbständigkeit haben, aber doch auf den cantus firmus bezogen sind, ist die irdische Liebe

* Niemöller

und auch in der Bibel steht ja das Hohe Lied und es ist wirklich keine heißere, sinnlichere, glühendere Liebe denkbar als die, von der dort gesprochen wird (cf. 7, 6!); es ist wirklich gut, daß es in der Bibel steht, all denen gegenüber, die das Christliche in der Temperierung der Leidenschaften sehen (wo gibt es solche Temperierung überhaupt im Alten Testament?). Wo der cantus firmus klar und deutlich ist, kann sich der Kontrapunkt so gewaltig entfalten wie nur möglich. Beide sind »ungetrennt und doch geschieden«, um mit dem Chalcedonense zu reden, wie in Christus seine göttliche und seine menschliche Natur. Ist nicht vielleicht die Polyphonie in der Musik uns darum so nah und wichtig, weil sie das musikalische Abbild dieser christologischen Tatsache und daher auch unserer vita christiana ist? Ich kam erst gestern nach Deinem Besuch auf diesen Gedanken. Verstehst Du, was ich meine? Ich wollte Dich bitten, laßt den cantus firmus recht deutlich erklingen, erst dann gibt es den vollen und ganzen Klang und der Kontrapunkt weiß sich immer getragen, er kann nicht abgleiten, er kann sich nicht lösen und bleibt doch ein Eigenes, Ganzes, ganz für sich. Wenn man in dieser Polyphonie steht, dann wird das Leben erst ganz und zugleich weiß man, daß nichts Unheilvolles geschehen kann, solange der cantus firmus durchgehalten wird. Vielleicht wird in diesen gemeinsamen Tagen, aber auch in möglicherweise kommenden Tagen der Trennung vieles leichter zu tragen sein. Bitte... fürchte und hasse nicht die Trennung, wenn sie wieder kommen sollte und alle ihre Gefahren, sondern verlaß Dich auf den cantus firmus. – Ich weiß nicht, ob ich es jetzt richtig gesagt habe, man sagt so etwas selten...

21. 5. 44

Eben habe ich das Datum des Briefes geschrieben, um die Stunden der Vorbereitung zur Taufe und der Taufe selbst in Gedanken mit Euch zu erleben. In demselben Augenblick ging die Sirene. Nun sitze ich im Revier und hoffe, daß Euch heute wenigstens ein Luftangriff erspart bleibt. Was für Zeiten? Was für eine Taufe! und was für Erinnerungen in kommenden Jahren! Es kommt nur darauf an, daß man alle diese Eindrücke gewissermaßen in die richtigen seelischen Kanäle leitet; dann machen sie nur trotziger, härter, klarer, und das ist gut. Weiche Stimmungen können an einem solchen Tauftag nicht aufkommen. Wenn Gott mitten in den Bedrohungen eines Fliegeralarms den Ruf des Evangeliums zu seinem Reich in der Taufe ergehen läßt, dann wird es merkwürdig klar, was dieses Reich ist und will. Ein Reich, stärker als Krieg und Gefahr, ein Reich der Macht und Gewalt, ein Reich, das für die einen ewiger Schrecken und Gericht, für die anderen ewige Freude und Gerechtigkeit ist, nicht ein Reich des Herzens, sondern über die Erde und alle Welt, nicht vergänglich, sondern ewig, ein Reich, das sich selbst seinen Weg schafft und sich Menschen ruft, die ihm den Weg bereiten, ein Reich, für das sich der Einsatz des Lebens lohnt. –

Eben fängt es an zu schießen, es scheint aber heute nicht sehr schlimm zu werden. Wie gern hörte ich Dich in ein paar Stunden predigen... Heute früh um 8 Uhr hörte ich als schönen Anfang des Tages ein Choralvorspiel über »Was Gott tut, das ist wohlgetan«; ich habe es im Gedanken an Euch... angehört. Ich hatte lange keine Orgel gehört und empfand ihren Klang wie eine Burg, in der man sich bergen kann...

Du wirst ja heute auch eine Tischrede halten müssen und dabei an mich denken. Ich möchte es gern erfahren, was Du gesagt hast. Gerade weil man solche Worte einander nur selten sagt, hungert einen von Zeit zu Zeit danach. Verstehst Du das? Vielleicht ist das hier in der Abgeschiedenheit stärker als sonst; früher verstand sich alles so von selbst. Das tut es allerdings auch jetzt noch – trotzdem!...

Das Bild der Polyphonie verfolgt mich immer noch. Als ich heute etwas Schmerz darüber empfand, nicht bei Euch zu sein, mußte ich denken, daß auch Schmerz und Freude zur Polyphonie des ganzen Lebens gehören und selbständig nebeneinander bestehen können...

Entwarnung. Ich bin froh für Euch. – Auf meinem Schreibtisch stehen zwei ganz wunderbare Fliederbüsche, die mir ein rührender Mann mitgebracht hat. Ich habe mir die Photos, die Du mir brachtest, vorgenommen und betrachte den Täufling... Er gefällt mir ausgezeichnet, und wenn er schon an körperlichen Vorzügen etwas von mir mitbekommen sollte, so kann ich ihm eigentlich nur meine Zahn- und Kopfwehlosigkeit, meine Wadenmuskeln und meinen empfindlichen Gaumen (der allerdings schon eine zweischneidige Mitgift ist) wünschen. Das andere holt er sich besser anderswoher ... Im übrigen hat er sich mit meinem Namen das beste Teil von mir genommen. Ich war mit ihm immer zufrieden und als Junge sogar stolz auf ihn. Aber ein guter Patenonkel, das könnt Ihr mir glauben, will ich ihm immer sein und immer tun, was in meinen Kräften liegt, um ihm zu helfen. Ich glaube, einen besseren Patenonkel konnte er sich nicht aussuchen! ...

Wenn Du in Gedanken an den Krieg manchmal nur den Tod siehst, so unterschätzt Du wohl die Mannigfaltigkeit der Wege Gottes. Die Stunde des Todes ist dem Menschen bestimmt und sie wird ihn überall finden, wo sich der Mensch auch hinwendet. Und wir müssen dafür bereit sein. Aber »er weiß viel tausend Weisen, zu retten aus dem Tod, er nährt und gibet Speisen zur Zeit der Hungersnot«. Das wollen wir doch nicht vergessen. – Wieder Alarm ... Einen Brief an Niebuhr* schreibe ich noch für Dich für alle Fälle. Auch einen Treffpunkt müßte man für alle Fälle ausmachen: ich denke, daß wir über N. und Onkel George** später immer in Verbindung bleiben können.

GEDANKEN ZUM TAUFTAG VON D. W. R.
Mai 1944

Mit Dir beginnt eine neue Generation in unserer Familie. Du wirst als Ältester der Reihe einer neuen Generation vorangehen, und es wird der unvergleichliche Gewinn Deines Lebens sein, daß Du noch ein gutes Stück Deines Lebens mit der dritten und vierten Generation, die Dir voranging, zusammenleben darfst. Dein Urgroßvater wird Dir noch aus persönlicher Begegnung von Menschen erzählen können, die im 18. Jahrhundert geboren sind, und Du wirst einst-

* Für den Fall einer Gefangennahme
** Bischof von Cicester

mals weit nach dem Jahre 2000 Deinen Nachkommen die lebendige Brücke mündlicher Überlieferung von mehr als 250 Jahren sein – dies alles sub conditione Jacobea, d. h. »so Gott will und wir leben«. So gibt uns Deine Geburt besonderen Anlaß, über den Wechsel der Zeiten nachzudenken und den Versuch zu unternehmen, die Umrisse des Zukünftigen zu erkennen.

*

Die drei Namen, die Du trägst, weisen auf die drei Häuser, mit denen Dein Leben unlösbar verbunden ist und bleiben soll. Das Haus Deines Großvaters väterlicherseits war ein Dorfpfarrhaus. Einfachheit und Gesundheit, gesammeltes und vielseitiges geistiges Leben, Freude an den unscheinbarsten Gütern des Lebens, natürliche und unbefangene Lebensgemeinschaft mit dem Volk und seiner Arbeit, die Fähigkeit, sich in den praktischen Dingen des Lebens selbst zu helfen, und die Bescheidenheit, die in innerer Zufriedenheit ihre Grundlage hat, sind die bleibenden irdischen Werte, die im Dorfpfarrhaus beheimatet waren und die Dir in Deinem Vater begegnen werden. Sie werden Dir in allen Lebenslagen ein festes Fundament für das Zusammenleben mit den Menschen, für echte Leistung und für inneres Glück sein.

Die im Elternhaus Deiner Mutter verkörperte städtische Kultur der bürgerlichen Tradition, die in ihren Trägern das stolze Bewußtsein der Berufung zu höherer allgemeiner Verantwortung, zu geistiger Höchstleistung und Führerschaft und die tiefverwurzelte Verpflichtung, Hüter eines großen geschichtlichen Erbes und geistiger Überlieferung zu sein, geschaffen hat, wird Dir, noch bevor Du es begreifst, eine Art zu denken und zu handeln geben, die Du nie mehr verlieren kannst, ohne Dir untreu zu werden.

Du sollst – nach einem freundlichen Gedanken Deiner Eltern – bei dem Namen eines Großonkels gerufen werden, der Pfarrer und ein guter Freund Deines Vaters ist und der zur Zeit das Geschick vieler anderer guter Deutscher und evangelischer Christen teilt und darum nur aus der Ferne die Hochzeit Deiner Eltern, Deine Geburt und Taufe miterleben kann, der aber mit großer Zuversicht und frohen

Hoffnungen in Deine Zukunft blickt. Er ist bemüht, sich überall in dem Geist zu bewahren – so wie er ihn versteht –, den er im Hause seiner Eltern, Deiner Urgroßeltern, verkörpert sieht. Er nimmt es für ein gutes Zeichen Deiner Zukunft, daß Deine Eltern sich in diesem Hause kennenlernten und er wünscht Dir, daß Du einmal später mit Bewußtheit und Dankbarkeit die Kraft, die im Geiste dieses Hauses liegt, in Dich aufnimmst.

Bis Du groß bist, wird das alte Dorfpfarrhaus ebenso wie das alte Bürgerhaus eine versunkene Welt sein. Aber der alte Geist wird sich nach den Zeiten seiner Verkennung und seiner tatsächlichen Schwäche und nach einer Zeit der Zurückgezogenheit und inneren Neubesinnung, der Bewährung und Gesundung, neue Formen schaffen. Die tiefe Verwurzelung in dem Boden der Vergangenheit macht das Leben schwerer, aber auch reicher und kraftvoller. Es gibt menschliche Grundwahrheiten, zu denen das Leben früher oder später immer wieder zurückkehrt. Darum dürfen wir keine Eile haben, wir müssen warten können. »Gott sucht wieder auf, was vergangen ist«, heißt es in der Bibel (Prediger Sal. 3, 15).

*

Es wird in den kommenden Jahren der Umwälzungen das größte Geschenk sein, sich in einem guten Elternhaus geborgen zu wissen. Es wird der feste Schutzwall sein gegen alle äußeren und inneren Gefahren. Die Zeiten, in denen sich Kinder im Übermut von ihren Eltern lösten, werden vorüber sein. Es wird die Kinder in die Obhut ihrer Eltern ziehen, in ihrem Elternhaus werden sie Zuflucht, Rat, Stille und Klärung suchen. Du bist glücklich, Eltern zu haben, die aus eigener Erfahrung wissen, was ein Elternhaus in stürmischen Zeiten bedeutet. In der allgemeinen Verarmung des geistigen Lebens wirst Du in Deinem Elternhaus einen Hort geistiger Werte und eine Quelle geistiger Anregungen finden; die Musik, wie Deine Eltern sie auffassen und pflegen, wird Dir in der Verwirrung zur Klarheit und Reinheit Deines Wesens und der Empfindungen verhelfen und in Sorgen und Traurigkeit den Grundton der Freude in Dir wachhalten; Deine Eltern werden Dich früh dazu anleiten, Dir mit eigenen Händen selbst zu helfen und keinen Handgriff gering zu achten; die Frömmigkeit Deines Elternhauses wird keine laute und wortreiche sein, aber sie werden Dich lehren, zu beten und Gott über alles zu fürchten und zu lieben und den Willen Jesu Christi zu tun. »Mein Kind, bewahre die Gebote Deines Vaters und laß nicht fahren das Wort Deiner Mutter. Binde sie zusammen auf Deinem Herzen allewege, wenn Du gehst, daß sie Dich geleiten, wenn Du Dich legst, daß sie Dich bewahren, wenn Du wachst, daß sie zu Dir sprechen« (Sprüche 6, 20 f). »Heute ist diesem Hause Heil widerfahren« (Luk. 19, 9).

*

Ich würde Dir wünschen, auf dem Lande aufwachsen zu können; aber es wird nicht mehr das Land sein, auf dem Dein Vater großgeworden ist. Die Großstädte, von denen die Menschen sich alle Fülle des Lebens und des Genusses erwarteten und in denen sie wie zu einem Fest zusammenströmten, haben den Tod und das Sterben mit allen erdenklichen Schrecken auf sich gezogen und wie auf der Flucht haben Frauen und Kinder diese Orte des Grauens verlassen. Die Zeit der Großstädte auf unserem Kontinent scheint nun abgelaufen zu sein. Nach biblischer Aussage ist Kain der Gründer der Großstädte gewesen. Es mag sein, daß es noch einige Weltmetropolen geben wird, aber ihr Glanz, so verführerisch er sein mag, wird jedenfalls für den europäischen Menschen etwas Unheimliches behalten. Der große Auszug aus den Städten bedeutet andererseits eine völlige Veränderung für das Land. Die Stille und Abgeschiedenheit des ländlichen Lebens war schon durch Radio, Auto und Telephon und durch die Organisierung fast aller Lebensbereiche stark beeinträchtigt. Wenn nun Millionen von Menschen, die von der Rastlosigkeit und den Ansprüchen des großstädtischen Lebens nicht mehr lassen können, auf das Land ziehen, wenn ganze Industrien in ländliche Bezirke verlegt werden, dann wird die Verstädterung des Landes rasch fortschreiten und die Struktur des ländlichen Lebens grundlegend verändern. Das Dorf, das es noch vor 30 Jahren gab, gibt es ebensowenig mehr wie die idyllische Südsee-Insel. Trotz des Verlangens der Menschen nach Einsamkeit und Ruhe wird es schwer sein, diese zu finden. Dennoch wird es ein Gewinn sein, in diesem Zeitenwandel ein Stück Erdboden unter den Füßen zu haben und aus ihm die Kräfte zu einem neuen, natürlichen, anspruchslosen und zufriedenen Tageswerk und Feierabend zu ziehen. »Es ist ein großer Gewinn, wer fromm ist und lässet sich genügen; wenn wir aber Kleidung und Nahrung haben, so lasset uns genügen« (1. Tim. 6, 6 f). »Armut und Reichtum gib mir nicht, laß mich aber mein beschieden Teil Speise dahinnehmen. Ich möchte sonst, so ich zu satt würde, verleugnen und sagen: wo ist der Herr? oder wo ich zu arm würde, möchte ich stehlen und mich an dem Namen meines Gottes vergreifen« (Sprüche 30, 8). »Fliehet aus Babel, sie will nicht heil werden, laßt sie fahren und laßt uns ein jeglicher in sein Land ziehen« (Jeremia 51, 6 ff).

*

Wir sind aufgewachsen in der Erfahrung unserer Eltern und Großeltern, der Mensch könne und müsse sein Leben selbst planen, aufbauen und gestalten, es gebe ein Lebensziel, zu dem der Mensch sich zu entschließen und das er dann mit ganzer Kraft auszuführen habe und auch vermöge. Es ist aber unsere Erfahrung geworden, daß wir nicht einmal für den kommenden Tag zu planen vermögen, daß das Aufgebaute über Nacht zerstört wird und unser Leben im Unterschied zu dem unserer Eltern gestaltlos oder doch fragmentarisch geworden ist. Ich kann trotzdem nur sagen, daß ich nicht in einer anderen Zeit leben wollte als in der unseren, auch wenn sie über unser äußeres Glück hinwegschreitet. Deutlicher als in anderen Zeiten erkennen wir, daß die Welt in den zornigen und gnädigen Händen Gottes ist. Bei Jeremia heißt es: »So spricht der Herr: siehe, was ich gebaut habe, das breche ich ab, und was ich gepflanzt habe, das reute ich aus – und du begehrst dir große Dinge? Begehre es nicht! denn siehe, ich will Unglück kommen lassen über alles Fleisch. Aber deine Seele will ich dir zur Beute geben, wohin du ziehst« (c. 45). Wenn wir aus dem Zusammenbruch der Lebensgüter unsere lebendige Seele unversehrt davontragen, dann wollen wir uns damit zufriedengeben. Wenn der Schöpfer selbst sein Werk zerstört, dürfen wir dann über die Zerstörung unserer Werke jammern? Es wird nicht die Aufgabe unserer Generation sein, noch einmal »große Dinge zu begehren«, sondern unsere Seele aus dem Chaos zu retten und zu bewahren und in ihr das Einzige zu erkennen, das wir wie eine »Beute« aus dem brennenden Hause tragen. »Behüte dein Herz mit allem Fleiß, denn daraus geht das Leben« (Sprüche 4, 23). Wir werden unser Leben mehr zu tragen als zu gestalten haben, wir werden mehr hoffen als planen, mehr ausharren als Vorausschreiten. Aber wir wollen Euch Jüngeren, der neugeborenen Generation, die Seele bewahren, aus deren Kraft Ihr ein neues und besseres Leben planen, aufbauen und gestalten sollt.

*

Wir haben zu stark in Gedanken gelebt und gemeint, es sei möglich, jede Tat vorher durch das Bedenken der Möglichkeiten so zu sichern, daß sie dann ganz von selbst geschieht. Etwas zu spät haben wir gelernt, daß nicht der Gedanke, sondern die Verantwortungsbereitschaft der Ursprung der Tat sei. Denken und Handeln wird für Euch in ein neues Verhältnis treten. Ihr werdet nur denken, was ihr handelnd zu verantworten habt. Bei uns war das Denken vielfach der Luxus des Zuschauers, bei Euch wird es ganz im Dienste des Tuns stehen. »Es werden nicht die, die zu mir sagen: Herr, Herr! in das Himmelreich kommen, sondern die den Willen *tun* meines Vaters im Himmel«, sagte Jesus (Matth. 7, 21).

*

Der Schmerz ist dem größten Teil unseres Lebens fremd gewesen. Möglichste Schmerzlosigkeit war einer der unbewußten Leitsätze unseres Lebens. Differenziertes Empfinden, intensives Erleben des eigenen und des fremden Schmerzes sind die Stärke und zugleich die Schwäche unserer Lebensform. Eure Generation wird von früh auf durch das Ertragen von Entbehrungen und Schmerzen und schwerer Geduldsproben härter und lebensnäher sein! »Es ist ein köstlich Ding einem Manne, daß er das Joch in seiner Jugend trage« (Klagelieder Jerem. 3, 27).

Wir glaubten, daß wir uns durch Vernunft und Recht im Leben durchsetzen, und wo beides versagte, sahen wir uns am Ende unserer Möglichkeiten. Wir haben die Bedeutung des Vernünftigen und Gerechten auch im Geschichtsablauf immer wieder überschätzt. Ihr, die Ihr in einem Weltkrieg aufwachst, den 90 Prozent aller Menschen nicht wollten und für den sie doch Gut und Leben lassen, erfahrt von Kind auf, daß Mächte die Welt bestimmen, gegen die die Vernunft nichts ausrichtet. Ihr werdet Euch daher mit diesen Mächten nüchterner und erfolgreicher auseinandersetzen. In unserem Leben war der »Feind« eigentlich keine Realität. Ihr wißt, daß Ihr Feinde und Freunde habt, und was ein Feind und was ein Freund im Leben bedeutet. Ihr lernt von klein auf die uns fremden Formen des Kampfes gegen den Feind ebenso wie das bedingungslose Vertrauen zum Freund. »Muß nicht der Mensch immer im Streit sein auf Erden?« (Hiob 7, 1). »Gelobt sei der Herr, mein Herr, der meine Hände lehrt streiten und meine Fäuste kriegen, meine Güte und meine Burg, mein Schutz und mein Erretter, mein Schild, auf den ich traue« (Ps. 144, 1). »Ein treuer Freund liebt mehr und steht fester bei als ein Bruder« (Sprüche 18, 24).

*

Gehen wir einer Zeit der kolossalen Organisationen und Kollektivgebilde entgegen oder wird das Verlangen unzähliger Menschen nach kleinen, übersehbaren, persönlichen Verhältnissen erfüllt? Muß sich beides ausschließen? Wäre es nicht denkbar, daß gerade die Weltorganisationen in ihrer Weitmaschigkeit mehr Raum für das persönliche Leben hergeben? Ähnlich steht es mit der Frage, ob wir einer Zeit der Auslese der Besten, also einer aristokratischen Ordnung entgegengehen oder einer Gleichförmigkeit aller äußeren und inneren Lebensbedingungen der Menschen? Mitten in einer sehr weitgehenden Angleichung der materiellen und ideellen Lebensbedingungen unter den Menschen könnte das heute quer durch alle sozialen Schichten hindurchgehende Qualitätsgefühl für die menschlichen Werte der Gerechtigkeit, der Leistung und der Tapferkeit eine neue Auslese von solchen schaffen, denen auch das Recht auf starke Führung zugebilligt wird. Auf unsere Privilegien werden wir gelassen und in der Erkenntnis einer geschichtlichen Gerechtigkeit verzichten können. Es mögen Ereignisse und Verhältnisse eintreten, die über unsere Wünsche und Rechte hinweggehen. Dann werden wir uns nicht in verbittertem und unfruchtbarem Stolz, sondern in bewußter Beugung unter ein göttliches Gericht und in weitherziger und selbstloser Teilnahme am Ganzen und an den Leiden unserer Mitmenschen als lebensstark erweisen. »Denn welches Volk seinen Hals ergibt unter das Joch des Königs zu Babel, das will ich in seinem Lande lassen, daß es dasselbe baue und bewohne, spricht der Herr« (Jeremia 27, 11). »Suchet der Stadt Bestes und betet für sie zum Herrn« (Jerem. 29, 7). »Gehe hin, mein Volk, in deine Kammer und schließe die Tür nach dir zu; verbirg dich einen kleinen Augenblick, bis der Zorn vorübergeht« (Jesaja 26, 20). »Denn sein Zorn währt einen Augenblick und lebenslang seine Gnade; den Abend lang währt das Weinen, aber des Morgens die Freude« (Ps. 30, 6).

*

Du wirst heute zum Christen getauft. Alle die alten großen Worte der christlichen Verkündigung werden über Dir ausgesprochen und der Taufbefehl Jesu Christi wird an Dir vollzogen, ohne daß Du etwas davon begreifst. Aber auch wir selbst sind wieder ganz auf die Anfänge des Verstehens zurückgeworfen. Was Versöhnung und Erlösung, was Wiedergeburt und heiliger Geist, was Feindesliebe, Kreuz und Auferstehung, was Leben in Christus und Nachfolge Christi heißt, das alles ist so schwer und so fern, daß wir es kaum mehr wagen, davon zu sprechen. In den überlieferten Worten und Handlungen ahnen wir etwas ganz Neues und Umwälzendes, ohne es noch fassen und aussprechen zu können. Das ist unsere eigene Schuld. Unsere Kirche, die in diesen Jahren nur um ihre Selbsterhaltung gekämpft hat, als wäre sie ein Selbstzweck, ist unfähig, Träger des versöhnenden und erlösenden Wortes für die Menschen und für die Welt zu sein. Darum müssen die früheren Worte kraftlos werden und verstummen, und unser Christsein wird heute nur in zweierlei bestehen: im Beten und im Tun des Gerechten unter den Menschen. Alles Denken, Reden und Organisieren in den Dingen des Christentums muß neugeboren werden aus diesem Beten und aus diesem Tun. Bis Du groß bist, wird sich die Gestalt der Kirche sehr verändert haben. Die Umschmelzung ist noch nicht zu Ende, und jeder Versuch, ihr vorzeitig zu neuer organisatorischer Machtentfaltung zu verhelfen, wird nur eine Verzögerung ihrer Umkehr und Läuterung sein. Es ist nicht unsere Sache, den Tag vorauszusagen – aber der Tag wird kommen –, an dem wieder Menschen berufen werden, das Wort Gottes so auszusprechen, daß sich die Welt darunter verändert und erneuert. Es wird eine neue Sprache sein, vielleicht ganz unreligiös, aber befreiend und erlösend, wie die Sprache Jesu, daß sich die Menschen über sie entsetzen und doch von ihrer Gewalt überwunden werden, die Sprache einer neuen Gerechtigkeit und Wahrheit, die Sprache, die den Frieden Gottes mit den Menschen und das Nahen seines Reiches verkündigt. »Und sie werden sich verwundern und entsetzen über all dem Guten und über all den Frieden, den ich ihnen geben will« (Jerem. 33, 9). Bis dahin wird die Sache der Christen eine stille und verborgene sein; aber es wird Menschen geben, die beten und das Gerechte tun und auf Gottes Zeit warten. Möchtest Du zu ihnen gehören und möchte es einmal von Dir heißen: »Des Gerechten Pfad glänzt wie das Licht, das immer heller leuchtet bis auf den vollen Tag« (Sprüche 4, 18).

———

24. 5. 44

... Zum Patenamt: in alten Büchern spielt vielfach der Pate im Leben eines Kindes eine besondere Rolle. Heranwachsende Kinder haben doch oft das Verlangen, bei anderen Erwachsenen – außer den Eltern – Verständnis, Freundlichkeit und Rat zu finden. Die Paten sind diejenigen, an die die Eltern ihr Kind für solche Lagen gewiesen haben. Der Pate hat das Recht des guten Rates, während die Eltern befehlen ...

... Ihr braucht Tage, an die zurückzudenken Euch nicht ein Schmerz über etwas Entbehrtes, sondern eine Stärkung durch etwas Beständiges ist. Ich habe für Euch ein paar Worte zu den Losungen zu schreiben versucht, z. T. noch heute während der Alarmstunden, sie sind daher etwas dürftig und nicht so durchmeditiert, wie es nötig wäre ...

Ich lese jetzt mit größtem Interesse das Weizsäckersche Buch über das »physikalische Weltbild« und hoffe, auch für meine Arbeit viel daraus zu lernen. Wenn nur ein geistiger Austausch möglich wäre ...

Ich hoffe, daß Ihr trotz der Alarme die Ruhe und Schönheit dieser sommerlich warmen Pfingsttage voll auskostet. Man lernt es ja allmählich von den Bedrohungen des Lebens innerlich Abstand zu gewinnen, d. h. »Abstand gewinnen« klingt eigentlich zu negativ, zu formal, zu künstlich, zu stoisch, richtiger ist es wohl, zu sagen: man nimmt diese täglichen Bedrohungen in das Ganze seines Lebens mit hinein. Ich beobachte hier immer wieder, daß es so wenige Menschen gibt, die viele Dinge gleichzeitig in sich beherbergen können; wenn Flieger kommen, sind sie nur Angst; wenn es etwas Gutes zu essen gibt, sind sie nur Gier; wenn ihnen ein Wunsch fehlschlägt, sind sie nur verzweifelt; wenn etwas gelingt, sehen sie nichts anderes mehr. Sie gehen an der Fülle des Lebens und an der Ganzheit einer eigenen Existenz vorbei; alles Objektive und Subjektive löst sich für sie in Bruchstücke auf. Demgegenüber stellt uns das Christentum in viele verschiedene Dimensionen des Lebens zu gleicher Zeit; wir beherbergen gewissermaßen Gott und die ganze Welt in uns. Wir weinen mit den Weinenden und freuen uns zugleich mit den Fröhlichen; wir bangen (– und ich wurde gerade wieder vom Alarm unterbrochen und sitze jetzt im Freien und genieße die Sonne –) um unser Leben, aber wir müssen doch zugleich Gedanken denken, die uns viel wichtiger sind als unser Leben. Sobald wir z. B. bei einem Alarm in eine andere

Richtung geworfen werden als in die der Sorge um die eigene Sicherheit, also z. B. in die Aufgabe, Ruhe um uns zu verbreiten, wird die Situation eine völlig andere; das Leben wird nicht in eine einzige Dimension zurückgedrängt, sondern es bleibt mehrdimensional-polyphon. Welch eine Befreiung ist es, *denken* zu können und im Gedanken die Mehrdimensionalität aufrechtzuerhalten. Ich habe es mir hier fast zur Regel gemacht, wenn die Leute hier vor dem Angriff zittern, immer nur davon zu reden, daß für die kleinen Städte ein solcher Angriff noch viel schlimmer wäre. Man muß die Menschen aus dem einlinigen Denken herausreißen – gewissermaßen als »Vorbereitung« bzw. »Ermöglichung« des Glaubens, obwohl es in Wahrheit erst der Glaube selbst ist, der das Leben in der Mehrdimensionalität ermöglicht und uns also auch diese Pfingsten trotz Alarmen feiern läßt.

Anfangs war ich etwas verblüfft und vielleicht sogar betrübt, diesmal zu Pfingsten von niemandem einen Brief zu haben. Dann habe ich mir gesagt, daß das vielleicht ein gutes Zeichen dafür ist, daß man sich um mich keine Sorgen macht – aber es ist eben doch ein wunderlicher Trieb im Menschen, der es irgendwie gern hat, daß andere sich – wenigstens etwas – Sorgen um einen machen.

Das Weizsäckersche Buch über das »Weltbild der Physik« beschäftigt mich noch sehr. Es ist mir wieder ganz deutlich geworden, daß man Gott nicht als Lückenbüßer unserer unvollkommenen Erkenntnis figurieren lassen darf; wenn nämlich dann – was sachlich zwangsläufig ist – sich die Grenzen der Erkenntnis immer weiter herausschieben, wird mit ihnen auch Gott immer wieder weggeschoben und befindet sich demgemäß auf einem fortgesetzten Rückzug. In dem, was wir erkennen, sollen wir Gott finden, nicht aber in dem, was wir nicht erkennen; nicht in den ungelösten, sondern in den gelösten Fragen will Gott von uns begriffen sein. Das gilt für das Verhältnis von Gott und wissenschaftlicher Erkenntnis. Aber es gilt auch für die allgemein menschlichen Fragen von Tod, Leiden und Schuld. Es ist heute so, daß es auch für diese Fragen menschliche Antworten gibt, die von Gott ganz absehen können. Menschen werden faktisch – und so war es zu allen Zeiten – auch ohne Gott mit diesen Fragen fertig und es ist einfach nicht wahr, daß nur das Christentum eine Lösung für sie hätte. Was den Begriff der »Lösung« angeht, so sind vielmehr die christlichen Antworten ebensowenig – oder ebensogut – zwingend wie andere mögliche Lösungen. Gott ist auch hier kein Lückenbüßer; nicht erst an den Grenzen unserer Möglichkeiten, sondern mitten im Leben muß Gott erkannt werden; im Leben und nicht erst im Sterben, in Gesundheit und Kraft und nicht erst im Leiden, im Handeln und nicht erst in der Sünde will Gott erkannt werden. Der Grund dafür liegt in der Offenbarung Gottes in Jesus Christus. Er ist die Mitte des Lebens und ist keineswegs »dazu gekommen«, uns ungelöste Fragen zu beantworten. Von der Mitte des Lebens aus fallen gewisse Fragen überhaupt aus und ebenso die Antworten auf solche Fragen (ich denke an das Urteil über Hiobs Freunde!). In Christus gibt es keine »christlichen Probleme«. Genug davon; ich wurde gerade wieder einmal gestört.

30. 5. 44, abends

Ich sitze bei mir oben, im Haus ist es still, draußen singen noch ein paar Vögel und sogar der Kuckuck ruft aus der Ferne. Diese langen, warmen Abende, die ich nun zum zweitenmal hier erlebe, setzen mir etwas zu. Es zieht einen hinaus und man könnte Dummheiten machen, wenn man nicht so »vernünftig« wäre. Ob man vielleicht schon zu vernünftig geworden ist? Wenn man so lange jedes Begehren ganz bewußt in sich niedergeknüppelt hat, dann kann das wohl zwei schlimme Folgen haben: entweder man ist innerlich ausgebrannt oder alles staut sich so an, daß es eines Tages eine furchtbare Explosion gibt; die andere denkbare Folge wäre, daß man wirklich selbstlos wird; daß das bei mir nicht der Fall ist, weiß ich selbst am besten. Vielleicht sagst Du, man sollte das Begehren nicht niederknüppeln, und Du hättest wohl recht damit ... Also flüchte ich mich ins Denken, ins Briefeschreiben ... und verbiete mir – als Selbstschutz – das eigene Begehren. Es wäre – so paradox es klingt – selbstloser, wenn ich vor meinem Begehren nicht solche Angst zu haben brauchte, sondern ihm freien Lauf lassen könnte – aber das ist sehr schwer. – Vorhin hörte ich zufällig im Revier Solveigs Lied im Radio. Es hat mich richtig ergriffen. Treues Warten durch ein ganzes Leben hindurch, das ist der Triumph über die Feindseligkeit des Raumes, d. h. über die Trennung, und der Zeit, d. h. über die Vergänglichkeit. Glaubst Du nicht, daß solche Treue allein glücklich macht und Untreue unglücklich? – So, jetzt will ich schlafen gehen, da wohl die Nacht doch wieder gestört wird. – Lebe wohl!

2. 6. 44

... Über das Hohe Lied schreibe ich Dir nach Italien. Ich möchte es tatsächlich als irdisches Liebeslied lesen. Das ist wahrscheinlich die beste »christologische« Auslegung. Über Eph. 5 muß ich wieder nachdenken. Über Bultmann wirst Du hoffentlich schon etwas vorfinden, wenn es nicht verlorenging.

5. 6. 44

Ich komme mir vor wie ein dummer Junge, wenn ich Dir verberge, daß es mich hier gelegentlich zu dichterischen Versuchen treibt. Bisher habe ich es jedem ... verheimlicht ... So schicke ich Dir heute eine Probe *, erstens, weil es mir albern vorkommt, vor Dir ein Geheimnis zu haben, zweitens, damit Du auf der Reise etwas Unerwartetes zu lesen hast, drittens, weil der Gegenstand Dir im Augenblick naheliegt und etwas ausgesprochen wird, was Dir ... vielleicht ähnlich durch den Kopf geht. Für mich ist diese Auseinandersetzung mit der Vergangenheit, der Versuch, sie festzuhalten und wiederzugewinnen, vor allem die Furcht, sie zu verlieren, fast die tägliche Begleitmusik meines hiesigen Lebens, die zeitweise – besonders nach den kurzen Besuchen, denen immer wieder ein langer Abschied folgte – zum Thema mit Variationen wird. Das Abschiednehmen, das Erlebnis der Vergangenheit, ob es nun die gestrige Stunde oder vergangene Jahre sind – beides fließt rasch ineinander – ist für mich eine immer wiederkehrende Aufgabe und Du selbst schriebst einmal: das Abschiednehmen übt sich merkwürdig schlecht! In dem vorliegenden Versuch

---

* Siehe Gedicht »Vergangenheit« im Anhang Seite 210

kommt alles auf die letzten paar Verse an. Ich glaube, sie gerieten zu kurz – was meinst Du? Seltsamerweise wurden sie von selbst zu Reimen. Das Ganze entstand einmal in ein paar Stunden und blieb ungefeilt... Eventuell werde ich derartige Regungen in mir in Zukunft unterdrücken und meine Zeit nützlicher zubringen. Ich möchte das eigentlich von Deiner Meinung abhängig machen. Wenn Du willst, schicke ich Dir auch noch etwas Weiteres zur Prüfung.

6. Juni 44
(Landung Normandie)

Nur um den heutigen Tag mit Dir und mit Euch allen irgendwie gemeinsam zu erleben, schreibe ich Dir in Eile einen Gruß. Es kam mir nicht überraschend, und doch sind Tatsachen etwas völlig anderes als Erwartungen. Losung und Lehrtext rufen uns alle in die Mitte des Evangeliums – »Erlösung« ist das Wort, um das alles kreist. Im Glauben wollen wir in den nächsten Wochen und mit großer Gewißheit der allgemeinen Zukunft entgegengehen, zuversichtlich wollen wir Deinen Weg und unser aller Wege Gott befehlen. Χάρις καὶ εἰρήνη!

8. 6. 44

... Im übrigen wirst Du doch in mancherlei Hinsicht mit leichterem Herzen abgefahren sein, als Du es zunächst befürchtetest. Wir hatten unser Wiedersehen von Weihnachten über Ostern auf Pfingsten verschoben und ein Fest nach dem anderen ging vorüber. Das nächste Fest aber gehört nun sicher uns, daran zweifle ich nicht mehr...

Du stellst nun in bezug auf die Gedanken, die mich in letzter Zeit beschäftigen, so viele wichtige Fragen, daß ich froh wäre, wenn ich sie selbst beantworten könnte. Es ist eben doch alles sehr im Anfang und es leitet mich, wie meist, mehr der Instinkt für kommende Fragen, als daß ich über sie schon Klarheit hätte. Ich will versuchen, einmal am Geschichtlichen meinen Standort zu bezeichnen.

Die etwa im 13. Jahrhundert (ich will mich auf den Streit über den Zeitpunkt nicht einlassen) – beginnende Bewegung in der Richtung auf die menschliche Autonomie (ich verstehe darunter die Entdeckung der Gesetze, nach denen die Welt in Wissenschaft, Gesellschafts- und Staatsleben, Kunst, Ethik, Religion lebt und mit sich selbst fertig wird) ist in unserer Zeit zu einer gewissen Vollständigkeit gekommen. Der Mensch hat gelernt, in allen wichtigen Fragen mit sich selbst fertig zu werden ohne Zuhilfenahme der »Arbeitshypothese: Gott«. In wissenschaftlichen, künstlerischen, auch ethischen Fragen ist das eine Selbstverständlichkeit geworden, an der man kaum mehr zu rütteln wagt; seit etwa 100 Jahren gilt das aber in zunehmendem Maße auch für die religiösen Fragen; es zeigt sich, daß alles auch ohne »Gott« geht, und zwar ebensogut wie vorher. Ebenso wie auf wissenschaftlichem Gebiet wird im allgemein menschlichen Bereich »Gott« immer weiter aus dem Leben zurückgedrängt, er verliert an Boden.

Katholische und protestantische Geschichtsschreibung sind sich nun darüber einig, daß in dieser Entwicklung der große Abfall von Gott, von Christus, zu sehen sei, und je mehr sie Gott und Christus gegen diese Entwicklung in Anspruch nimmt und ausspielt, desto mehr versteht sich diese Entwicklung selbst als antichristlich. Die zum Bewußtsein ihrer selbst und ihrer Lebensgesetze gekommene Welt ist ihrer selbst in einer Weise sicher, daß uns das unheimlich wird; Fehlentwicklungen und Mißerfolge vermögen die Welt an der Notwendigkeit ihres Weges und ihrer Entwicklung doch nicht irre zu machen; sie werden mit männlicher Nüchternheit in Kauf genommen, und selbst ein Ereignis wie dieser Krieg macht darin keine Ausnahme. Gegen diese Selbstsicherheit ist nun die christliche Apologetik in verschiedensten Formen auf den Plan getreten. Man versucht, der mündig gewordenen Welt zu beweisen, daß sie ohne den Vormund »Gott« nicht leben könne. Wenn man auch in allen weltlichen Fragen schon kapituliert hat, so bleiben doch immer die sogenannten »letzten Fragen« – Tod, Schuld – auf die nur »Gott« eine Antwort geben kann und um derentwillen man Gott und die Kirche und den Pfarrer braucht. Wir leben also gewissermaßen von diesen sogenannten letzten Fragen der Menschen. Wie aber, wenn sie eines Tages nicht mehr als solche da sind, bzw. wenn auch sie »ohne Gott« beantwortet werden? Nun kommen zwar die säkularisierten Ableger der christlichen Theologie, nämlich die Existenzphilosophie und die Psychotherapeuten, und weisen dem sicheren, zufriedenen, glücklichen Menschen nach, daß er in Wirklichkeit unglücklich und verzweifelt sei und das nur nicht wahrhaben wolle, daß er sich in einer Not befinde, von der er gar nichts wisse und aus der nur sie ihn retten könnten. Wo Gesundheit, Kraft, Sicherheit, Einfachheit ist, dort wittern sie eine süße Frucht, an der sie nagen oder in die sie ihre verderblichen Eier legen. Sie legen es darauf an, den Menschen erst einmal in innere Verzweiflung zu treiben und dann haben sie gewonnenes Spiel. Das ist säkularisierter Methodismus. Und wen erreicht er? Eine kleine Zahl von Intellektuellen, von Degenerierten, von solchen, die sich selbst für das Wichtigste auf der Welt halten und sich daher gern mit sich selbst beschäftigen. Der einfache Mann, der sein tägliches Leben in Arbeit und Familie und gewiß auch mit allerlei Seitensprüngen zubringt, wird nicht getroffen. Er hat weder Zeit noch Lust, sich mit seiner existenziellen Verzweiflung zu befassen und sein vielleicht bescheidenes Glück unter dem Aspekt der »Not«, der »Sorge«, des »Unheils« zu betrachten.

Die Attacke der christlichen Apologetik auf die Mündigkeit der Welt halte ich erstens für sinnlos, zweitens für unvornehm, drittens für unchristlich. Sinnlos – weil sie mir wie der Versuch erscheint, einen zum Mann gewordenen Menschen in seine Pubertätszeit zurückzuversetzen, d. h. ihn von lauter Dingen abhängig zu machen, von denen er faktisch nicht mehr abhängig ist, ihn in Probleme hineinzustoßen, die für ihn faktisch nicht mehr Probleme sind. Unvornehm – weil hier ein Ausnutzen der Schwäche eines Menschen zu ihm fremden, von ihm nicht frei bejahten Zwecken versucht wird. Unchristlich – weil Christus mit einer bestimmten Stufe der Religiosität des Menschen, d. h. mit einem menschlichen Gesetz verwechselt wird. Darüber nachher noch ausführlicher.

Vorher noch ein paar Worte über die geschichtliche Situation. Die Frage heißt: Christus und die mündig gewordene Welt. Es war die Schwäche der liberalen Theologie, daß sie der Welt das Recht einräumte, Christus seinen Platz in ihr zuzuweisen; sie akzeptierte im

Streit von Kirche und Welt den von der Welt diktierten – relativ milden – Frieden. Es war ihre Stärke, daß sie nicht versuchte, die Geschichte zurückzudrehen, und die Auseinandersetzung wirklich aufnahm (Troeltsch!), wenn diese auch mit ihrer Niederlage endete.

Der Niederlage folgte die Kapitulation und der Versuch eines völligen Neuanfangs auf Grund der Besinnung auf die eigenen Grundlagen in Bibel und Reformation. Heim machte den pietistisch-methodistischen Versuch, den einzelnen Menschen davon zu überzeugen, daß er vor der Alternative »Verzweiflung oder Jesus« stehe. Er gewann »Herzen«. Althaus (in Fortsetzung der modern-positiven Linie mit starker konfessioneller Ausrichtung) versuchte, der Welt einen Raum lutherischer Lehre (Amtes) und lutherischen Kults abzugewinnen und überließ im übrigen die Welt sich selbst. Tillich unternahm es, die Entwicklung der Welt selbst – gegen ihren Willen – religiös zu deuten, ihr durch die Religion ihre Gestalt zu geben. Das war sehr tapfer, aber die Welt warf ihn vom Sattel und lief allein weiter; auch er wollte die Welt besser verstehen, als sie sich selbst verstand; sie aber fühlte sich völlig mißverstanden und wies ein solches Ansinnen ab. (Zwar *muß* die Welt besser verstanden werden, als sie sich selbst versteht!, aber eben nicht »religiös«, wie es die religiösen Sozialisten wollten!) Barth erkannte als erster den Fehler aller dieser Versuche (die im Grunde alle noch im Fahrwasser der liberalen Theologie segelten, ohne es zu wollen) darin, daß sie alle darauf ausgehen, einen Raum für Religion in der Welt oder gegen die Welt auszusparen.

Er führte den Gott Jesu Christi gegen die Religion ins Feld, »Pneuma gegen Sarx«. Das bleibt sein größtes Verdienst (Römerbrief 2. Aufl. trotz aller neukantianischen Eierschalen!). Durch seine spätere Dogmatik hat er die Kirche instandgesetzt, diese Unterscheidung prinzipiell auf der ganzen Linie durchzuführen. Nicht in der Ethik, wie man häufig sagt, hat er dann versagt – seine ethischen Ausführungen, soweit sie existieren, sind ebenso bedeutsam wie seine dogmatischen –, aber in der nichtreligiösen Interpretation der theologischen Begriffe hat er keine konkrete Wegweisung gegeben, weder in der Dogmatik noch in der Ethik. Hier liegt seine Grenze und darum wird seine Offenbarungstheologie positivistisch, »Offenbarungspositivismus«, wie ich mich ausdrückte.

Die Bekennende Kirche hat nun weithin den Barthschen Ansatz überhaupt vergessen und ist vom Positivismus in die konservative Restauration geraten. Es ist ihre Bedeutung, daß sie die großen Begriffe der christlichen Theologie durchhält, aber darin scheint sie sich allmählich auch fast zu erschöpfen. Gewiß sind in diesen Begriffen die Elemente der echten Prophetie (hierunter fällt sowohl der Wahrheitsanspruch wie die Barmherzigkeit, von denen Du sprichst) wie des echten Kultes enthalten und insofern findet das Wort der B. K. überhaupt nur Aufmerksamkeit, Gehör und Ablehnung. Aber beides bleibt unentfaltet, fern, weil ihnen die Interpretation fehlt.

Diejenigen, die hier wie z. B. P. Schütz oder die Oxforder oder die Berneuchener die »Bewegung« und das »Leben« vermissen, sind gefährliche Reaktionäre, rückschrittlich, weil sie hinter den Ansatz der Offenbarungstheologie überhaupt zurückgehen und nach »religiöser« Erneuerung suchen. Sie haben überhaupt das Problem noch gar nicht verstanden und reden gänzlich an der Sache vorbei. Sie haben gar keine Zukunft (– am ehesten noch die Oxforder, wenn sie biblisch nicht so substanzlos wären).

Bultmann scheint nun Barths Grenze irgendwie gespürt zu haben, aber er mißversteht sie im Sinne der liberalen Theologie und verfällt daher in das typisch liberale Reduktionsverfahren (die »mythologischen« Elemente des Christentums werden abgezogen und das Christentum auf sein »Wesen« reduziert). Ich bin nun der Auffassung, daß die vollen Inhalte einschließlich der »mythologischen« Begriffe bestehen bleiben müssen – das Neue Testament ist nicht eine mythologische Einkleidung einer allgemeinen Wahrheit!, sondern diese Mythologie (Auferstehung etc.) ist die Sache selbst! – aber daß diese Begriffe nun in einer Weise interpretiert werden müssen, die nicht die Religion als Bedingung des Glaubens (vgl. die »Peritome« bei Paulus!) voraussetzt. Erst damit ist m. E. die liberale Theologie (durch welche auch Barth, wenn auch negativ, noch bestimmt ist) überwunden, zugleich aber ist ihre Frage wirklich aufgenommen und beantwortet (was im Offenbarungspositivismus der B. K. *nicht* der

Fall ist!). – Die Mündigkeit der Welt ist nun kein Anlaß mehr zu Polemik und Apologetik, sondern sie wird nun wirklich besser verstanden, als sie sich selbst versteht, nämlich vom Evangelium, von Christus her.

Nun Deine Frage, wo der »Raum« der Kirche bleibt, ob er nicht gänzlich verlorengeht, und die andere Frage, ob nicht Jesus selbst an die »Not« der Menschen angeknüpft hat, mithin der vorhin kritisierte »Methodismus« im Recht ist. 9. 6. Ich breche hier ab und schreibe morgen weiter...

21. 6. 44

... Nun bist Du irgendwo auf der Suche nach Deiner Einheit und ich hoffe, daß, wenn Du dort anlangst, auch schon Grüße für Dich da sind, d. h. vorausgesetzt, daß die alte Feldpostnummer noch stimmt. Heute will ich Dir eigentlich nur einen Gruß schicken. Die Fortsetzung der theologischen Ausführungen oder Gedichte wage ich nicht einzulegen, weil ich nicht weiß, ob Dich die Fpn. noch erreicht. Sobald ich das erfahre, folgt weiteres. Für Deine Beurteilung und Kritik des Gedichtes bin ich Dir sehr dankbar. Ich stehe diesen neugeborenen Kindern von mir selbst ziemlich ratlos und maßstablos gegenüber.

... Heute morgen hatten wir den häßlichsten aller bisherigen Luftangriffe. In meinem Zimmer war es ein paar Stunden lang von der Rauchwolke, die über der Stadt lag, so dunkel, daß ich fast Licht eingeschaltet hätte. Zu Hause ist alles in Ordnung, wie ich bereits hörte...

Zum zweitenmal die schönen langen Sommertage hier zu erleben, fällt mir manchmal etwas schwer; aber man kann es sich eben nicht aussuchen, wo man hingestellt wird. Und so muß man sich durch die kleinen Gedanken, die einen ärgern, immer wieder hindurchfinden zu den großen Gedanken, die einen stärken. – Ich lese z. Z. das ganz ausgezeichnete Buch des Altphilologen W. F. Otto (Königsberg) über »Die Götter Griechenlands«, über diese »Glaubenswelt, die dem Reichtum und der Tiefe des Daseins, nicht seinen Sorgen und Sehnsüchten entstiegen ist«, wie es am Schluß heißt. Verstehst Du, daß diese Formulierung und die entsprechende Darstellung für mich etwas sehr Reizvolles hat und daß ich – horribile dictu! – an den so dargestellten Göttern weniger Anstoß nehme als an bestimmten Formen des Christentums?, ja, daß ich fast glaube, diese Götter für Christus in Anspruch nehmen zu können? Für meine gegenwärtigen theologischen Überlegungen ist mir dieses Buch sehr wertvoll.

GLÜCK UND UNGLÜCK

Glück und Unglück,
die rasch uns und überwältigend treffen,
sind sich im Anfang,
wie Hitze und Frost bei jäher Berührung,
kaum unterscheidbar nah.

Wie Meteore
aus überirdischer Ferne geschleudert,
ziehen sie leuchtend und drohend die Bahn
über unseren Häuptern.
Heimgesuchte stehen betroffen
vor den Trümmern
ihres alltäglichen, glanzlosen Daseins.

Groß und erhaben,
zerstörend, bezwingend,
hält Glück und Unglück,
erbeten und unerbeten,
festlichen Einzug
bei den erschütterten Menschen,
schmückt und umkleidet
die Heimgesuchten
mit Ernst und mit Weihe.

Glück ist voll Schauer,
Unglück voll Süße.
Ungeschieden scheint aus dem Ewigen
eins und das andre zu kommen.
Groß und schrecklich ist beides.

Menschen, ferne und nahe,
laufen herbei und schauen
und gaffen
halb neidisch, halb schaudernd,
ins Ungeheure,
wo das Überirdische,
segnend zugleich und vernichtend,
zum verwirrenden, unentwirrbaren,
irdischen Schauspiel sich stellt.
Was ist Glück, was Unglück?

Erst die Zeit teilt beide.
Wenn das unfaßbar erregende,
jähe Ereignis
sich zu ermüdend quälender Dauer wandelt,
wenn die langsam schleichende Stunde des Tages
erst des Unglücks wahre Gestalt uns enthüllt,
dann wenden die Meisten,
überdrüssig der Eintönigkeit
des altgewordenen Unglücks,
enttäuscht und gelangweilt sich ab.

Das ist die Stunde der Treue,
die Stunde der Mutter und der Geliebten,
die Stunde des Freundes und Bruders.
Treue verklärt alles Unglück
und hüllt es leise
in milden,
überirdischen Glanz.

Obwohl ich also gar nicht weiß, ob und wann Dich Post erreicht, schreibe ich Dir unter der bisherigen Feldpostnummer. Aber um das theologische Thema fortzusetzen, möchte ich lieber noch abwarten, bis von Dir Nachricht da ist. Auch für die Verse gilt das, die sich – besonders ein letztes, ziemlich langes Gedicht über hiesige Eindrükke * – eigentlich mehr für einen gemeinsamen Abend als für eine lange Postreise eignen . . .

Ich schreibe gegenwärtig die Auslegung der ersten drei Gebote. Dabei fällt mir das erste besonders schwer. Die übliche Auslegung des Götzendienstes auf »Reichtum, Wollust und Ehre« scheint mir gar nicht biblisch. Das ist eine Moralisierung. Götzen werden angebetet und Götzendienst setzt voraus, daß Menschen überhaupt noch etwas anbeten. Wir beten aber gar nichts mehr an, nicht einmal Götzen. Darin sind wir wirklich Nihilisten.

Noch etwas zu unseren Gedanken über das Alte Testament. Im Unterschied zu den anderen orientalischen Religionen ist der Glaube des Alten Testaments keine Erlösungsreligion. Nun wird doch aber das Christentum immer als Erlösungsreligion bezeichnet. Liegt darin nicht ein kardinaler Fehler, durch den Christus vom Alten Testament getrennt und von den Erlösungsmythen her interpretiert wird? Auf den Einwand, daß auch im A. T. die Erlösung (aus Ägypten und später aus Babylon, vgl. Deuterojes.) eine entscheidende Bedeutung habe, ist zu erwidern, daß es sich hier um *geschichtliche* Erlösungen handelt, d. h. *diesseits* der Todesgrenze, während überall sonst die Erlösungsmythen gerade die Überwindung der Todesgrenze zum Ziel haben. Israel wird aus Ägypten erlöst, damit es als Volk Gottes auf Erden vor Gott leben kann. Die Erlösungsmythen suchen ungeschichtlich eine Ewigkeit nach dem Tod. Die »Scheol«, der Hades, sind keine Gebilde einer Metaphysik, sondern die Bilder, unter denen irdisch

* In Tegel »Nächtliche Stimmen« erschienen im Lettner-Verlag Berlin

das »Gewesene« als zwar existent, aber doch nur schattenhaft in die Gegenwart hineinreichend, vorgestellt wird.

Nun sagt man, das Entscheidende sei, daß im Christentum die Auferstehungshoffnung verkündigt würde, und daß also damit eine echte Erlösungsreligion entstanden sei. Das Schwergewicht fällt nun auf das Jenseits der Todesgrenze. Und eben hierin sehe ich den Fehler und die Gefahr. Erlösung heißt nun Erlösung aus Sorgen, Nöten, Ängsten und Sehnsüchten, aus Sünde und Tod in einem besseren Jenseits. Sollte dieses aber wirklich das Wesentliche der Christusverkündigung der Evangelien und des Paulus sein? Ich bestreite das. Die christliche Auferstehungshoffnung unterscheidet sich von der mythologischen darin, daß sie den Menschen in ganz neuer und gegenüber dem Alten Testament noch verschärfter Weise an sein Leben auf der Erde verweist.

Der Christ hat nicht wie die Gläubigen der Erlösungsmythen aus den irdischen Aufgaben und Schwierigkeiten immer noch eine letzte Ausflucht ins Ewige, sondern er muß das irdische Leben wie Christus (»Mein Gott, warum hast Du mich verlassen?«) ganz auskosten und nur indem er das tut, ist der Gekreuzigte und Auferstandene bei ihm und ist er mit Christus gekreuzigt und auferstanden. Das Diesseits darf nicht vorzeitig aufgehoben werden. Darin bleiben Neues und Altes Testament verbunden. Erlösungsmythen entstehen aus den menschlichen Grenzerfahrungen. Christus aber faßt den Menschen in der Mitte seines Lebens.

Du siehst, es sind immer wieder ähnliche Gedanken, die mich umtreiben. Nun muß ich sie im einzelnen neutestamentlich belegen. Das folgt etwas später.

Ich lese in der Zeitung von tropischer Hitze in Italien, Du Armer! Ich denke an den August 1936. Psalm 121,6!

Heute war hier ein heißer Sommertag, und ich habe die Sonne nur mit geteilten Gefühlen genießen können, weil ich mir denken kann, was für Qualen sie Dir jetzt bereiten mag. Vermutlich sitzt Du jetzt irgendwo verstaubt, verschwitzt, müde und vielleicht ohne die nötige Möglichkeit zum Waschen und Sicherfrischen. Ich kann mir vorstellen, daß Du die Sonne manchmal zu hassen anfängst. Und doch, weißt Du, ich möchte sie einmal wieder richtig spüren in ihrer ganzen Macht, wenn sie einem auf die Haut brennt und allmählich den ganzen Körper zum Glühen bringt, so daß man wieder weiß, daß man ein leibliches Wesen ist, ich möchte mich von ihr, statt von Büchern und Gedanken, müde machen lassen, ich möchte mir von ihr meine animalische Existenz erwecken lassen, nicht jenes Animalische, das das Menschsein erniedrigt, sondern das es aus der Muffigkeit und Unechtheit einer nur geistigen Existenz befreit und den Menschen reiner und glücklicher macht. Ich möchte die Sonne einmal nicht nur sehen und etwas an ihr nippen, sondern sie leibhaftig erfahren. Die romantische Sonnenschwärmerei, die sich nur an Sonnenaufgängen und -untergängen berauscht, kennt die Sonne als Macht, als Wirklichkeit gar nicht, sondern eigentlich nur als Bild. Sie kann es nie begreifen, warum man die Sonne als Gott verehrte; dazu gehört nicht nur die Erfahrung des Lichtes und der Farben, sondern auch der Hitze. Die heißen Länder sind vom Mittelmeer bis nach Indien und bis nach Mittelamerika die eigentlich geistig schöpferischen Länder gewesen. Die kälteren Länder haben von den geistigen Schöpfungen der anderen gelebt und gezehrt, und was sie original hervorbrachten, die Technik, dient im Grunde nicht dem Geist, sondern den materiellen Lebensbedürfnissen. Ob es uns nicht aus diesem Grunde auch immer wieder in die heißen Länder zieht? Und ob einen solche Gedanken vielleicht etwas mit den Qualen der Hitze auszusöhnen vermögen? Aber vermutlich ist Dir das jetzt alles ganz egal und Du sehnst Dich ganz einfach heraus aus dieser Hölle nach einer Berliner Weiße im Grunewald. Ich erinnere mich genau, wie ich mich im Juni 1923 aus Italien wegsehnte und wie ich erst wieder an einem völlig verregneten Wandertag im Schwarzwald aufatmete. Und ich mußte damals nicht Krieg führen und brauchte nur zu genießen. Ich erinnere mich auch, wie Du im August 1936 schon die Idee, noch nach Neapel weiterzufahren, entsetzt von Dir wiesest. Wie magst Du es jetzt einfach körperlich durchhalten? Früher kam man ohne den »Espresso« gar nicht aus und K. hat zu meinem jugendlichen Ärger damals eine Menge Geld dafür herausgeworfen. Außerdem nahm man sich für die kürzesten Entfernungen eine Kutsche und aß zwischendurch ungezählte granitos und cassatas. – Eben bekomme ich die hocherfreuliche Nachricht, daß Du geschrieben hast und die alte Feldpostnummer behalten hast, woraus ich schließe, daß Du Deine bisherige Einheit wiedergefunden hast. Du glaubst gar nicht, wie beruhigend – jedenfalls relativ beruhigend – das für mich ist...

Vor ein paar Stunden hat sich hier Onkel Paul* angemeldet, um sich mal persönlich um mich zu kümmern. Es ist maßlos komisch, wie alles flügelschlagend herumläuft und wie sich – bis auf wenige rühmliche Ausnahmen – alles an Würdelosigkeit überbietet. Es ist peinlich, aber für manche, so wie sie nun einmal sind, einfach nötig.

Und nun will ich versuchen, das neulich abgebrochene theologische Thema weiterzuführen. Ich ging davon aus, daß Gott immer weiter aus dem Bereich einer mündig gewordenen Welt, aus unseren Erkenntnis- und Lebensbereichen hinausgeschoben wird und seit Kant nur noch jenseits der Welt der Erfahrung Raum behalten hat.

Die Theologie hat sich einerseits apologetisch gegen diese Entwicklung gesträubt und ist gegen Darwinismus etc. – vergeblich – Sturm gelaufen; andererseits hat sie sich mit der Entwicklung abgefunden und Gott nur noch bei den sogenannten letzten Fragen als deus ex machina fungieren lassen, d. h. Gott wird zur Antwort auf Lebensfragen, zur Lösung von Lebensnöten und -konflikten. Wo also ein Mensch nichts Derartiges aufzuweisen hat bzw. wo er sich weigert, sich in diesen Dingen gehen und bemitleiden zu lassen, dort bleibt er eigentlich für Gott nicht ansprechbar oder es muß dem Mann ohne

* General Paul von Hase, Stadtkommandant von Berlin, einige Wochen später durch Volksgerichtshof zum Tode verurteilt

Lebensfragen etc. nachgewiesen werden, daß er in Wahrheit tief in solchen Fragen, Nöten, Konflikten steckt, ohne es sich einzugestehen oder es zu wissen. Gelingt das – und die Existenzphilosophie und Psychotherapie hat in dieser Richtung ganz raffinierte Methoden ausgearbeitet – dann wird dieser Mann nun ansprechbar für Gott und der Methodismus kann seine Triumphe feiern. Gelingt es aber nicht, den Menschen dazu zu bringen, daß er sein Glück als sein Unheil, seine Gesundheit als seine Krankheit, seine Lebenskraft als seine Verzweiflung ansieht und bezeichnet, dann ist das Latein der Theologen am Ende. Man hat es entweder mit einem verstockten Sünder besonders bösartiger Natur oder mit einer »bürgerlich-saturierten« Existenz zu tun, und einer ist dem Heil ebenso fern wie der andere.

Sieh mal, das ist die Einstellung, gegen die ich mich zur Wehr setze. Wenn Jesus Sünder selig machte, so waren das wirkliche Sünder, aber Jesus machte nicht aus jedem Menschen zuerst einmal einen Sünder. Er rief sie von ihrer Sünde fort, aber nicht in ihre Sünde hinein. Gewiß bedeutete die Begegnung mit Jesus, daß sich alle Bewertungen der Menschen umkehrten. So war es bei der Bekehrung des Paulus. Da ging aber die Begegnung mit Jesus der Erkenntnis der Sünde voran. Gewiß nahm sich Jesus der Existenzen am Rande der menschlichen Gesellschaft, Dirnen, Zöllner, an, aber doch durchaus nicht nur ihrer, sondern weil er sich der Menschen überhaupt annehmen wollte. Niemals hat Jesus die Gesundheit, die Kraft, das Glück eines Menschen an sich in Frage gestellt und wie eine faule Frucht angesehen; warum hätte er sonst Kranke gesund gemacht, Schwachen die Kraft wiedergegeben? Jesus nimmt das ganze menschliche Leben in allen seinen Erscheinungen für sich und das Reich Gottes in Anspruch.

Gerade jetzt muß ich natürlich unterbrochen werden! Laß mich nur schnell nochmals das Thema, um das es mir geht, formulieren: die Inanspruchnahme der mündig gewordenen Welt durch Jesus Christus.

Ich kann heute nicht weiterschreiben, sonst bleibt der Brief wieder eine Woche liegen und das möchte ich nicht. Also, Fortsetzung folgt!

Onkel Paul war da, ließ mich sofort herunterrufen und blieb...

über 5 Stunden! Dabei ließ er 4 Flaschen Sekt auffahren, was in den Annalen dieses Hauses wohl einmalig ist, und benahm sich so großzügig und nett, wie ich es ihm nie zugetraut hätte. Er wollte wohl ganz ostentativ deutlich machen, wie er mit mir steht und was er von dem ängstlichen und pedantischen M. erwartet. Mir hat diese Unabhängigkeit, die wohl im zivilen Bereich undenkbar wäre, imponiert. Im übrigen fiel eine hübsche Geschichte ab, die er erzählte: Bei St. Privat rief ein verwundeter Fähnrich laut: »Ich bin verwundet, es lebe der König!« Darauf der ebenfalls verwundete General v. Löwenfeld: »Ruhe, Fähnrich, hier wird still gestorben!« – Ich bin neugierig, wie sich der ganze Besuch hier auswirken wird, d. h. in der Beurteilung der Leute.

So, nun leb' wohl und verzeih den abgebrochenen Brief. Ich denke aber, er ist Dir lieber als gar keiner. Ich hoffe, daß wir im Frühherbst wieder zusammen sind!

1. 7. 44

Heute vor 7 Jahren waren wir zusammen bei Martin!*

8. 7. 44

... Vor kurzem schrieb ich Dir noch einen Brief mit einer sehr theoretischen Philosophie über die Hitze. In den letzten Tagen erlebe ich sie nun praktisch am eigenen Leibe. Ich sitze wie in einem Backofen, nur mit einem Hemd, das ich Dir einmal aus Schweden mitbrachte, und einer Turnhose bekleidet ... und wage nur aus dem einen Grunde nicht, darunter zu leiden, weil ich mir vorstelle, wie entsetzlich Du Dich jetzt mit der Hitze abquälen mußt und wie frivol Dir mein letzter Brief erschienen sein muß! So will ich also versuchen, meinem schwitzenden Gehirn einige Gedanken abzugewinnen und Dir zu schreiben. Wer weiß, vielleicht braucht es gar nicht mehr allzuoft zu sein und wir sehen uns früher wieder, als wir ahnen. Kürzlich las ich den merkwürdigen und schönen Satz des Euripi-

---

* Niemöllers Verhaftungstag

des bei einer Wiedersehensszene nach langer Trennung: »So ist doch auch das Wiedersehen ein Gott«.

Nun wieder ein paar Gedanken zu unserem Thema. Die biblische Seite der Sache darzustellen, erfordert mehr gedankliche Klarheit und Konzentration, als ich sie heute besitze. Warte noch ein paar Tage, bis es wieder kühler ist! Ich habe auch nicht vergessen, daß ich Dir etwas über die nicht-religiöse Interpretation biblischer Begriffe schuldig bin. Aber heute erst noch einige Vorbemerkungen:

Die Verdrängung Gottes aus der Welt, aus der Öffentlichkeit der menschlichen Existenz, führte zu dem Versuch, ihn wenigstens in dem Bereich des »Persönlichen«, »Innerlichen«, »Privaten« noch festzuhalten. Und da jeder Mensch irgendwo noch eine Sphäre des Privaten hat, hielt man ihn an dieser Stelle für am leichtesten angreifbar. Die Kammerdienergeheimnisse – um es grob zu sagen – d. h. also der Bereich des Intimen (vom Gebet bis zur Sexualität) – werden das Jagdgebiet der modernen Seelsorger. Darin gleichen sie (wenn auch ihre Absicht eine ganz andere war) den übelsten Asphaltjournalisten – erinnerst Du Dich an die »Wahrheit« und die »Glokke«?, die die Intimitäten prominenter Leute ans Licht zogen; hier, um die Menschen gesellschaftlich, finanziell, politisch – dort, um sie religiös zu erpressen. Verzeih, aber ich kann es nicht billiger geben.

Soziologisch gesehen, handelt es sich dabei um eine Revolution von unten, um einen Aufruhr der Minderwertigkeit. Wie die gemeine Gesinnung mit der Erscheinung eines Hochgestellten erst dadurch fertig wird, daß sie sich den Betreffenden »in der Badewanne« vorstellt oder in anderen verfänglichen Lagen, so auch hier. Es ist eine Art übler Genugtuung, zu wissen, daß jeder seine Schwächen und Blößen hat. Es ist mir im Umgang mit den gesellschaftlichen »outcasts« – »Parias« – immer wieder aufgefallen, daß für sie das Mißtrauen das bestimmende Motiv aller Beurteilung anderer Menschen ist. Jede, selbst die selbstloseste Tat eines in Ansehen stehenden Menschen wird von vornherein verdächtigt. Im übrigen finden sich diese »outcasts« in allen Schichten. Sie suchen auch im Blumengarten nur den Dung, auf dem die Blumen wachsen. Je bindungsloser ein Mensch lebt, desto eher verfällt er dieser Einstellung.

Es gibt auch eine Bindungslosigkeit unter den Geistlichen, die wir das »Pfäffische« nennen, jenes Hinter-den-Sünden-der-Menschheit-Herschnüffeln, um sie einzufangen. Es ist, als ob man ein schönes Haus erst kennte, wenn man die Spinnweben im letzten Keller gefunden hätte, als ob man ein gutes Theaterstück erst recht würdigen könne, wenn man gesehen hat, wie sich die Schauspieler hinter den Kulissen aufführen. Es liegt in derselben Richtung, wenn die Romane seit 50 Jahren ihre Menschen erst dann für richtig dargestellt halten, wenn sie sie im Ehebett geschildert haben und wenn Filme Entkleidungsszenen für nötig halten. Das Bekleidete, Verhüllte, Reine und Keusche hält man von vornherein für verlogen, verkleidet, unrein und man stellt damit nur die eigene Unreinheit unter Beweis. Das Mißtrauen und der Argwohn als Grundverhalten gegen die Menschen ist der Aufruhr der Minderwertigen.

Theologisch gesehen, ist der Fehler ein doppelter: erstens, man glaubt, einen Menschen erst als Sünder ansprechen zu können, wenn man seine Schwächen bzw. sein Gemeines ausspioniert hat; zweitens, man meint, das Wesen des Menschen bestehe in seinen innersten, intimsten Hintergründen, und das nennt man dann seine »Innerlichkeit«; und ausgerechnet in diesen menschlichen Heimlichkeiten soll nun Gott seine Domäne haben!

Zum ersten ist zu sagen, daß der Mensch zwar ein Sünder, aber deswegen noch lange nicht gemein ist. Sollten, um es banal zu sagen, Goethe oder Napoleon deswegen Sünder sein, weil sie nicht immer treue Ehemänner waren? Nicht die Sünden der Schwäche, sondern die starken Sünden sind es, um die es geht. Es ist gar nicht nötig, herumzuspionieren. Die Bibel tut es nirgends. (Starke Sünden: beim Genie die Hybris; beim Bauern die Durchbrechung der Ordnung – ist der Dekalog etwa bäuerliche Ethik? –; beim Bürger die Scheu vor der freien Verantwortung. Ist das richtig?)

Zum zweiten: Die Bibel kennt unsere Unterscheidung von Äußerem und Innerem nicht. Was soll sie eigentlich auch? Es geht ihr immer um den »Anthropos teleios«, den *ganzen* Menschen, auch dort, wo, wie in der Bergpredigt, der Dekalog ins »Innerliche« vorgetrieben wird. Daß eine gute »Gesinnung« an die Stelle des ganzen Guten treten könne, ist völlig unbiblisch. Die Entdeckung der sogenannten Innerlichkeit wird erst in der Renaissance (wohl bei Petrarca) gemacht. Das »Herz« im biblischen Sinne ist nicht das Innerliche, sondern der ganze Mensch, wie er vor Gott ist. Da der Mensch aber ebensosehr von »außen« nach »innen« wie von »innen« nach »außen« lebt, ist die Meinung, ihn in seinen intimen seelischen Hintergründen erst in seinem Wesen zu verstehen, ganz abwegig.

Ich will also darauf hinaus, daß man Gott nicht noch an irgendeiner allerletzten heimlichen Stelle hineinschmuggelt, sondern daß man die Mündigkeit der Welt und des Menschen einfach anerkennt, daß man den Menschen in seiner Weltlichkeit nicht »madig macht«, sondern ihn an seiner stärksten Stelle mit Gott konfrontiert, daß man auf alle pfäffischen Kniffe verzichtet und nicht in Psychotherapie oder Existenzphilosophie einen Wegbereiter Gottes sieht. Dem Wort Gottes ist die Zudringlichkeit aller dieser Menschen viel zu unaristokratisch, um sich mit ihnen zu verbünden. Es verbündet sich nicht mit dem Aufruhr des Mißtrauens, dem Aufruhr von unten. Sondern es regiert.

So, nun wäre es an der Zeit, konkret über die weltliche Interpretation der biblischen Begriffe zu sprechen. Aber es ist zu heiß!

Wenn Du ganz von Dir aus an... Auszüge aus meinen Briefen schicken willst, kannst Du es natürlich tun. *Ich* würde es von mir aus noch nicht tun, weil ich nur zu Dir so ins Unreine zu reden wage und davon Klärung erhoffe. Aber wie Du willst.

Wir werden jetzt bald viel an unsere gemeinsame Reise im Sommer 1940 denken müssen, meine letzten Predigten!* –

9. 7. Nun Schluß! Ich denke, wir sehen uns bald wieder!

* Gemeint ist Ostpreußen, wo sich damals Hitlers Hauptquartier befand, in Gedanken an den 20. 7. 1944

Gestern hörte ich, daß Du wieder umgezogen bist. Wie Du äußerlich untergekommen bist, hoffe ich bald zu hören. Die historische Atmosphäre* ist jedenfalls reizvoll. Noch vor 10 Jahren hätten wir es kaum verstanden, daß die Symbole des Bischofsstabes und Ringes, die sowohl der Kaiser wie der Papst für sich in Anspruch nahmen, zu weltpolitischen Auseinandersetzungen führen können. Waren es nicht wirklich Adiaphora? Daß sie es nicht waren, haben wir erst aus eigener Erfahrung wieder lernen müssen! Ob nun der Gang Heinrichs IV. aufrichtig oder diplomatisch zu verstehen ist, vor dem geistigen Auge der europäischen Völker steht das Bild Heinrichs im Januar 1077 unvergessen und unauslöschlich da. Es ist wirksamer als das Wormser Konkordat 1122, das die Sache im selben Sinne formell zum Abschluß brachte. Wir haben alle diese großen Auseinandersetzungen in der Schule als ein europäisches Unglück ansehen gelernt. In Wahrheit liegt in ihnen der Ursprung der geistigen Freiheit, die Europa großgemacht hat.

Von mir ist nicht viel zu berichten. Ich hörte kürzlich im Radio, wie schon ein paar Mal, Szenen aus Opern von Carl Orff (Carmina burana u. a.), die mir ausgezeichnet gefielen in ihrer Frische, Klarheit und Heiterkeit. Er hat auch Monteverdi für Orchester bearbeitet. Hast Du schon mal darauf geachtet? Dann hörte ich ein concerto grosso von Händel und war wieder ganz überrascht, wie er in dem langsamen Satz (ähnlich dem Largo) so breit und direkt zu trösten vermag, wie wir es nicht mehr wagen würden. Händel ist, glaube ich, viel mehr auf den Hörer und auf die Wirkung seiner Musik auf ihn eingestellt als Bach. Darum wirkt er wohl auch manchmal etwas fassadenhaft. Händel will etwas mit seiner Musik, Bach nicht. Stimmt das?

Ich lese mit großem Interesse das »Totenhaus«** und bin beeindruckt durch das völlig moralfreie Mitleid, mit dem die Menschen außerhalb desselben sich zu seinen Insassen verhalten. Sollte diese

---

* Nähe Canossas
** Von Dostojewski

Amoralität, die aus der Religiosität kommt, vielleicht ein wesentlicher Zug dieses Volkes sein und auch gegenwärtigere Ereignisse verständlich machen? Im übrigen schreibe und dichte ich, so weit die Kräfte reichen. Daß ich jetzt abends oft, so wie wir früher, zum Arbeiten* komme, habe ich Dir wohl schon erzählt. Das ist für mich natürlich sehr wichtig und angenehm. Aber damit ist das, was ich Dir über mein Leben berichten kann, auch schon erschöpft... Sehr froh bin ich, daß K. so guter Dinge sein soll! Er war längere Zeit so deprimiert.** Nun, ich denke, alles, was ihn so bedrückt, wird bald wieder ganz in Ordnung kommen; ich würde es ihm und der ganzen Familie sehr wünschen...

Sollte an Dich in absehbarer Zeit die Frage des Predigens herantreten, so würde ich Texte wie Ps. 62,2; 119,94a; 42,6; Jer. 31,3; Jes. 41,10; 43,1; Matth. 28,20b zunächst einmal nehmen und mich auf einige wenige wesentliche und einfache Gedanken beschränken. Man muß eine Zeitlang in einer Gemeinde leben, um zu verstehen, wie »Christus in ihr Gestalt gewinnt« (Gal. 4,19), und das gilt für eine solche Gemeinde, wie Du sie haben würdest, ganz besonders...

Nun wieder ein paar Gedanken zu unserem Thema. Ich arbeite mich erst allmählich an die nicht-religiöse Interpretation der biblischen Begriffe heran. Ich sehe mehr die Aufgabe, als daß ich sie schon zu lösen vermöchte.

Zum Historischen: es ist *eine* große Entwicklung, die zur Autonomie der Welt führt. In der Theologie zuerst Herbert von Cherbury, der die Suffizienz der Vernunft für die religiöse Erkenntnis behauptet. In der Moral: Montaigne, Bodin, die anstelle der Gebote Lebensregeln aufstellen. In der Politik: Macchiavelli, der die Politik von der allgemeinen Moral löst und die Lehre von der Staatsraison begründet. Später, inhaltlich sehr von ihm verschieden, aber in der Richtung auf die Autonomie der menschlichen Gesellschaft doch mit ihm konform, H. Grotius, der sein Naturrecht als Völkerrecht aufstellt, das Gültigkeit hat »etsi deus non daretur«, »auch wenn es keinen Gott gäbe«.

---

* Abhören der ausländischen Rundfunksender
** Gemeint ist der Fortgang der Widerstandsbewegung

Schließlich der philosophische Schlußstrich: einerseits der Deismus des Descartes: die Welt ist ein Mechanismus, der ohne Eingreifen Gottes von selbst abläuft; andererseits der Pantheismus Spinoza's: Gott ist die Natur. Kant im Grunde Deist, Fichte und Hegel Pantheisten. Überall ist die Autonomie des Menschen und der Welt das Ziel der Gedanken.

(In der Naturwissenschaft beginnt die Sache offenbar mit Nikolaus von Cues und Giordano Bruno und ihrer – »häretischen« – Lehre von der Unendlichkeit der Welt. Der antike Kosmos ist ebenso wie die mittelalterliche geschaffene Welt endlich. Eine unendliche Welt – wie immer sie auch gedacht sein mag – ruht in sich selbst »etsi deus non daretur«. Die moderne Physik bezweifelt allerdings wieder die Unendlichkeit der Welt, ohne jedoch in die früheren Vorstellungen ihrer Endlichkeit zurückzufallen.)

Gott als moralische, politische, naturwissenschaftliche Arbeitshypothese ist abgeschafft, überwunden; ebenso aber als philosophische und religiöse Arbeitshypothese (Feuerbach!). Es gehört zur intellektuellen Redlichkeit, diese Arbeitshypothese fallen zu lassen bzw. sie so weitgehend wie irgend möglich auszuschalten. Ein erbaulicher Naturwissenschaftler, Mediziner etc. ist ein Zwitter.

Wo behält nun Gott noch Raum?, fragen ängstliche Gemüter, und weil sie darauf keine Antwort wissen, verdammen sie die ganze Entwicklung, die sie in solche Notlage gebracht hat. Über die verschiedenen Notausgänge aus dem zu eng gewordenen Raum habe ich Dir schon geschrieben. Hinzuzufügen wäre noch der salto mortale zurück ins Mittelalter. Das Prinzip des Mittelalters aber ist die Heteronomie in der Form des Klerikalismus. Die Rückkehr dazu aber kann nur ein Verzweiflungsschritt sein, der nur mit dem Opfer der intellektuellen Redlichkeit erkauft werden kann. Er ist ein Traum nach der Melodie: »O wüßt ich doch den Weg zurück, den weiten Weg ins Kinderland.« Diesen Weg gibt es nicht – jedenfalls nicht durch den willkürlichen Verzicht auf innere Redlichkeit, sondern nur im Sinne von Matth. 18, 3, d. h. durch Buße, d. h. durch *letzte* Redlichkeit.

Und wir können nicht redlich sein, ohne zu erkennen, daß wir in der Welt leben müssen – »etsi deus non daretur«. Und eben dies erkennen wir – vor Gott! Gott selbst zwingt uns zu dieser Erkenntnis. So führt uns unser Mündigwerden zu einer wahrhaftigen Erkenntnis unserer Lage vor Gott. Gott gibt uns zu wissen, daß wir leben müssen, als solche, die mit dem Leben ohne Gott fertig werden. Der Gott, der mit uns ist, ist der Gott, der uns verläßt (Markus 15, 34)! Der Gott, der uns in der Welt leben läßt ohne die Arbeitshypothese Gott, ist der Gott, vor dem wir dauernd stehen. Vor und mit Gott leben wir ohne Gott. Gott läßt sich aus der Welt herausdrängen ans Kreuz, Gott ist ohnmächtig und schwach in der Welt und gerade und nur so ist er bei uns und hilft uns. Es ist Matth. 8, 17 ganz deutlich, daß Christus nicht hilft kraft seiner Allmacht, sondern kraft seiner Schwachheit, seines Leidens!

Hier liegt der entscheidende Unterschied zu allen Religionen. Die Religiosität des Menschen weist ihn in seiner Not an die Macht Gottes in der Welt, Gott ist der deus ex machina. Die Bibel weist den Menschen an die Ohnmacht und das Leiden Gottes; nur der leidende Gott kann helfen. Insofern kann man sagen, daß die beschriebene Entwicklung zur Mündigkeit der Welt, durch die mit einer falschen Gottesvorstellung aufgeräumt wird, den Blick freimacht für den Gott der Bibel, der durch seine Ohnmacht in der Welt Macht und Raum gewinnt. Hier wird wohl die »weltliche Interpretation« einzusetzen haben.

WER BIN ICH?

Wer bin ich? Sie sagen mir oft,
ich träte aus meiner Zelle
gelassen und heiter und fest
wie ein Gutsherr aus seinem Schloß.

Wer bin ich? Sie sagen mir oft,
ich spräche mit meinen Bewachern
frei und freundlich und klar,
als hätte ich zu gebieten.

Wer bin ich? Sie sagen mir auch,
ich trüge die Tage des Unglücks
gleichmütig, lächelnd und stolz,
wie einer, der Siegen gewohnt ist.

Bin ich das wirklich, was andere von mir sagen?
Oder bin ich nur das, was ich selbst von mir weiß?
Unruhig, sehnsüchtig, krank, wie ein Vogel im Käfig,
ringend nach Lebensatem, als würgte mir einer die Kehle,
hungernd nach Farben, nach Blumen, nach Vogelstimmen,
dürstend nach guten Worten, nach menschlicher Nähe,
zitternd vor Zorn über Willkür und kleinlichste Kränkung,
umgetrieben vom Warten auf große Dinge,
ohnmächtig bangend um Freunde in endloser Ferne,
müde und leer zum Beten, zum Denken, zum Schaffen,
matt und bereit, von allem Abschied zu nehmen?

Wer bin ich? Der oder jener?
Bin ich denn heute dieser und morgen ein andrer?
Bin ich beides zugleich? Vor Menschen ein Heuchler
und vor mir selbst ein verächtlich wehleidiger Schwächling?
Oder gleicht, was in mir noch ist, dem geschlagenen Heer,
das in Unordnung weicht vor schon gewonnenem Sieg?

Wer bin ich? Einsames Fragen treibt mit mir Spott.
Wer ich auch bin, Du kennst mich, Dein bin ich, o Gott!

Ob wohl durch die Münchener Angriffe manche Briefe verloren gegangen sind? Bekamst Du den mit den beiden Gedichten?* Er war gerade abends unterwegs und enthielt noch einiges Vorbereitende zum theologischen Thema. Das Gedicht über »Christen und Heiden« enthält einen Gedanken, den Du hier wiedererkennen wirst. »Christen stehen bei Gott in seinem Leiden«, das unterscheidet Christen von Heiden. »Könnt ihr nicht eine Stunde mit mir wachen?« fragt Jesus in Gethsemane. Das ist die Umkehrung von allem, was der religiöse Mensch von Gott erwartet. Der Mensch wird aufgerufen, das Leiden Gottes an der gottlosen Welt mitzuleiden.

Er muß also wirklich in der gottlosen Welt leben und darf nicht den Versuch machen, ihre Gottlosigkeit irgendwie religiös zu verdekken, zu verklären; er muß »weltlich« leben und nimmt eben darin an dem Leiden Gottes teil; er *darf* »weltlich« leben, d. h. er ist befreit von den falschen religiösen Bindungen und Hemmungen. Christsein heißt nicht in einer bestimmten Weise religiös sein, auf Grund irgendeiner Methodik etwas aus sich machen (einen Sünder, Büßer oder einen Heiligen), sondern es heißt Menschsein, nicht einen Menschentypus, sondern den Menschen schafft Christus in uns. Nicht der religiöse Akt macht den Christen, sondern das Teilnehmen am Leiden Gottes im weltlichen Leben.

Das ist die »Metanoia«, nicht zuerst an die eigenen Nöte, Fragen, Sünden, Ängste denken, sondern sich in den Weg Jesu Christi mithineinreißen lassen, in das messianische Ereignis, daß Jes. 53 nun erfüllt wird! Daher: »glaubet an das Evangelium« bzw. bei Joh. der Hinweis auf das »Lamm Gottes, das der Welt Sünden trägt« (Joh. 1, 29). (Nebenbei: A. Jeremias hat kürzlich behauptet, »Lamm« sei im Aramäischen auch durch »Knecht« zu übersetzen. Ganz schön im Hinblick auf Jes. 53!)

Dieses Hineingerissenwerden in das messianische Leiden Gottes in Jesus Christus geschieht im Neuen Testament in verschiedener Weise:

* »Wer bin ich?« und »Christen und Heiden«

durch den Ruf der Jünger in die Nachfolge, durch die Tischgemeinschaft mit den Sündern, durch »Bekehrungen« im engeren Sinne des Wortes (Zachäus), durch das (ohne jedes Sündenbekenntnis sich vollziehende) Tun der großen Sünderin (Luk. 7), durch die Heilung der Kranken (s. o. Matth. 8, 17), durch die Annahme der Kinder. Die Hirten wie die Weisen aus dem Osten stehen an der Krippe, nicht als »bekehrte Sünder«, sondern einfach, weil sie, so wie sie sind, von der Krippe her angezogen werden (Stern). Der Hauptmann von Kapernaum, der gar kein Sündenbekenntnis ablegt, wird als Beispiel des Glaubens hingestellt (vgl. Jairus). Den reichen Jüngling »liebt« Jesus. Der Kämmerer (Apg. 8), Cornelius (Apg. 10) sind alles andere als Existenzen am Abgrund. Nathanael ist ein »Israelit ohne Falsch« (Joh. 1, 47); schließlich Joseph von Arimathia, die Frauen am Grabe. Das einzige, ihnen allen Gemeinsame, ist das Teilhaben am Leiden Gottes in Christus. Das ist ihr »Glaube«.

Nichts von religiöser Methodik, der »religiöse Akt« ist immer etwas Partielles, der »Glaube« ist etwas Ganzes, ein Lebensakt. Jesus ruft nicht zu einer neuen Religion, sondern zum Leben. Wie sieht nun aber dieses Leben aus? Dieses Leben der Teilnahme an der Ohnmacht Gottes in der Welt? Davon schreibe ich das nächste Mal, hoffentlich.

Heute nur noch dies: Wenn man von Gott »nichtreligiös« sprechen will, dann muß man so von ihm sprechen, daß die Gottlosigkeit der Welt dadurch nicht irgendwie verdeckt, sondern vielmehr gerade aufgedeckt wird und gerade so ein überraschendes Licht auf die Welt fällt. Die mündige Welt ist gottloser und darum vielleicht gerade Gott-näher als die unmündige Welt.

Verzeih, es ist alles noch furchtbar schwerfällig und schlecht gesagt, ich spüre das deutlich ... Wir stehen hier fast allnächtlich um $1/2$ 2 Uhr auf. Das ist eine schlechte Zeit und beeinträchtigt die geistige Arbeit etwas.

1

Menschen gehen zu Gott in ihrer Not,
flehen um Hilfe, bitten um Glück und Brot,
um Errettung aus Krankheit, Schuld und Tod.
So tun sie alle, alle, Christen und Heiden.

2

Menschen gehen zu Gott in Seiner Not,
finden ihn arm, geschmäht, ohne Obdach und Brot,
sehn ihn verschlungen von Sünde, Schwachheit und Tod.
Christen stehen bei Gott in Seinen Leiden.

3

Gott geht zu allen Menschen in ihrer Not,
sättigt den Leib und die Seele mit Seinem Brot,
stirbt für Christen und Heiden den Kreuzestod,
und vergibt ihnen beiden.

21. 7. 44*

Heute will ich Dir nur einen kurzen Gruß schicken. Ich denke,
Du wirst in Gedanken so oft und viel hier bei uns sein, daß Du Dich
über jedes Lebenszeichen freust, auch wenn das theologische Gespräch einmal ruht. Zwar beschäftigen mich die theologischen Gedanken unablässig, aber es kommen dann doch auch Stunden, in denen
man sich mit den unreflektierten Lebens- und Glaubensvorgängen genügen läßt. Dann freut man sich ganz einfach an den Losungen des
Tages, wie ich mich z. B. an der gestrigen und heutigen besonders
freue**, und man kehrt zu den schönen Paul-Gerhardt-Liedern zurück
und ist froh über diesen Besitz.

* Nach der Nachricht vom Fehlschlagen des 20. Juli
** 20. Juli: Psalm 20, 8; Römer 8, 31. 21. Juli: Psalm 23, 1; Joh. 10, 24

Ich habe in den letzten Jahren mehr und mehr die tiefe Diesseitigkeit des Christentums kennen und verstehen gelernt. Nicht ein homo religiosus, sondern ein Mensch schlechthin ist der Christ, wie Jesus – im Unterschied wohl zu Johannes dem Täufer – Mensch war. Nicht die platte und banale Diesseitigkeit der Aufgeklärten, der Betriebsamen, der Bequemen oder der Lasziven, sondern die tiefe Diesseitigkeit, die voller Zucht ist, und in der die Erkenntnis des Todes und der Auferstehung immer gegenwärtig ist, meine ich. Ich glaube, daß Luther in dieser Diesseitigkeit gelebt hat.

Ich erinnere mich eines Gespräches, das ich vor 13 Jahren in A. mit einem französischen jungen Pfarrer hatte. Wir hatten uns ganz einfach die Frage gestellt, was wir mit unserem Leben eigentlich wollten. Da sagte er: ich möchte ein Heiliger werden (– und ich halte für möglich, daß er es geworden ist –); das beeindruckte mich damals sehr. Trotzdem widersprach ich ihm und sagte ungefähr: ich möchte glauben lernen. Lange Zeit habe ich die Tiefe dieses Gegensatzes nicht verstanden. Ich dachte, ich könnte glauben lernen, indem ich selbst so etwas wie ein heiliges Leben zu führen versuchte. Als das Ende dieses Weges schrieb ich wohl die »Nachfolge«. Heute sehe ich die Gefahren dieses Buches, zu dem ich allerdings nach wie vor stehe, deutlich.

Später erfuhr ich und ich erfahre es bis zur Stunde, daß man erst in der vollen Diesseitigkeit des Lebens glauben lernt. Wenn man völlig darauf verzichtet hat, aus sich selbst etwas zu machen – sei es einen Heiligen oder einen bekehrten Sünder oder einen Kirchenmann (eine sogenannte priesterliche Gestalt!), einen Gerechten oder Ungerechten, einen Kranken oder einen Gesunden – und dies nenne ich Diesseitigkeit, nämlich in der Fülle der Aufgaben, Fragen, Erfolge und Mißerfolge, Erfahrungen und Ratlosigkeiten leben, – dann wirft man sich Gott ganz in die Arme, dann nimmt man nicht mehr die eigenen Leiden, sondern das Leiden Gottes in der Welt ernst, dann wacht man mit Christus in Gethsemane, und ich denke, das ist Glaube, das ist »Metanoia«; und so wird man ein Mensch, ein Christ (vgl. Jerem. 45!). Wie sollte man bei Erfolgen übermütig oder an Mißerfolgen irre werden, wenn man im diesseitigen Leben Gottes Leiden mitleidet?

Du verstehst, was ich meine, auch wenn ich es so kurz sage. Ich bin dankbar, daß ich das habe erkennen dürfen, und ich weiß, daß ich es nur auf dem Wege habe erkennen können, den ich nun einmal gegangen bin. Darum denke ich dankbar und friedlich an Vergangenes und Gegenwärtiges. – Vielleicht wunderst Du Dich über einen so persönlichen Brief. Aber, wenn ich einmal so etwas sagen möchte, wem sollte ich es sagen? ... Gott führe uns freundlich durch diese Zeiten; aber vor allem führe er uns zu sich.

Ich habe mich ganz besonders über den Gruß von Dir gefreut und bin froh, daß Ihr es nicht zu heiß habt. Von mir müssen noch viele Grüße zu Dir kommen. Sind wir eigentlich nicht 1936 ungefähr diese Strecke gefahren?

Leb wohl, bleibe gesund und laß die Hoffnung nicht sinken, daß wir uns bald alle wiedersehen.

STATIONEN AUF DEM WEGE ZUR FREIHEIT

Zucht

Ziehst du aus, die Freiheit zu suchen, so lerne vor allem / Zucht der Sinne und deiner Seele, daß die Begierden / und deine Glieder dich nicht bald hierhin, bald dorthin führen. / Keusch sei dein Geist und dein Leib, gänzlich dir selbst unterworfen / und gehorsam, das Ziel zu suchen, das ihm gesetzt ist. / Niemand erfährt das Geheimnis der Freiheit, es sei denn durch Zucht.

Tat

Nicht das Beliebige, sondern das Rechte tun und wagen, / nicht im Möglichen schweben, das Wirkliche tapfer ergreifen, / nicht in der Flucht der Gedanken, allein in der Tat ist die Freiheit. / Tritt aus ängstlichem Zögern heraus in den Sturm des Geschehens, / nur von Gottes Gebot und deinem Glauben getragen, / und die Freiheit wird deinen Geist jauchzend empfangen.

Wunderbare Verwandlung. Die starken, tätigen Hände / sind dir gebunden. Ohnmächtig, einsam siehst du das Ende / deiner Tat. Doch atmest du auf und legst das Rechte / still und getrost in stärkere Hand und gibst dich zufrieden. / Nur einen Augenblick berührtest du selig die Freiheit, / dann übergabst du sie Gott, damit er sie herrlich vollende.

Tod

Komm nun, höchstes Fest auf dem Wege zur ewigen Freiheit, / Tod, leg nieder beschwerliche Ketten und Mauern / unsres vergänglichen Leibes und unsrer verblendeten Seele, / daß wir endlich erblicken, was hier uns zu sehen mißgönnt ist. / Freiheit, dich suchten wir lange in Zucht und in Tat und in Leiden. / Sterbend erkennen wir nun im Angesicht Gottes dich selbst.

L. E.! Ich schrieb diese Zeilen heute abend in ein paar Stunden. Sie sind recht roh; dennoch freuen sie Dich vielleicht etwas und sind doch so etwas wie ein eigenes Geburtstagsgeschenk! Herzlichst! Dein D.

Ich sehe heute früh, daß ich die Verse noch einmal ganz umbauen muß. Trotzdem mögen sie im Rohbau so an Dich abgehen. Ich bin ja kein Dichter!

25. 7. 44

Ich schreibe Dir jetzt gern, so oft das möglich ist, weil ich auch denke, daß Du immer froh bist, etwas zu hören. Von mir persönlich ist nichts Besonderes zu berichten ... Die letzten Nächte war unsere Gegend hier mal wieder dran. Beim Heulen der Bomben denke ich dann immer, wie geringfügig das ist gegenüber dem, was Du da draußen erlebst. Es bringt mich oft richtig in Wut, wie jämmerlich sich hier manche Leute in solchen Situationen aufführen und wie wenig sie dabei bedenken, wie es anderen geht. Hier handelt es sich doch immer nur um wenige Minuten der Gefahr ...

Ich habe die Memoiren aus dem Totenhaus* jetzt zu Ende gelesen. Es steht doch sehr viel Kluges und Gutes darin. Mich beschäftigt noch die Behauptung – die bei ihm ja bestimmt keine Phrase ist –, daß kein Mensch ohne Hoffnung leben könne, und daß Menschen, die wirklich alle Hoffnung verloren haben, oft wild und böse werden. Es bleibt dabei offen, ob hier Hoffnung = Illusion ist. Gewiß ist auch die Bedeutung der Illusion für das Leben nicht zu unterschätzen; aber für den Christen kann es sich doch wohl nur darum handeln, begründete Hoffnung zu haben. Und wenn schon die Illusion im Leben der Menschen eine so große Macht hat, daß sie das Leben in Gang hält, wie groß ist dann erst die Macht, die eine absolut begründete Hoffnung für das Leben hat, und wie unbesiegbar ist so ein Leben. »Christus, unsere Hoffnung« – diese Formel des Paulus ist die Kraft unseres Lebens. Ich werde gerade zum Spazierengehen abgeholt. Trotzdem schließe ich den Brief, damit er heute noch abgeht. Leb wohl! Ich denke täglich mit Dankbarkeit und in Treue an Dich!

27. 7. 44

... Daß Du viel zu tun hast, ist gewiß auch eine innere Entlastung; jedenfalls würde es mir so erscheinen.

Deine Formulierung unseres theologischen Themas ist sehr klar und einfach. Die Frage, wie es eine »natürliche« Frömmigkeit geben kann, ist zugleich die Frage nach dem »unbewußten Christentum«, die mich mehr und mehr beschäftigt. Die lutherischen Dogmatiker unterschieden eine fides directa von einer fides reflexa. Sie bezogen das auf den sogenannten Kinderglauben bei der Taufe. Ich frage mich, ob hier nicht ein sehr weitreichendes Problem angeschnitten ist. Darüber hoffentlich bald mal mehr.

* Von Dostojewski

... Du meinst, in der Bibel sei von Gesundheit, Glück, Kraft etc. nicht viel die Rede. Ich habe mir das nochmal sehr überlegt. Für das Alte Testament trifft es doch jedenfalls nicht zu. Der theologische Zwischenbegriff im Alten Testament zwischen Gott und dem Glück etc. des Menschen ist, soweit ich sehe, der des Segens. Gewiß geht es im Alten Testament, also z. B. bei den Erzvätern, nicht um das Glück, aber es geht um den Segen Gottes, der alle irdischen Güter in sich schließt. Dieser Segen ist die Inanspruchnahme des irdischen Lebens für Gott und er enthält alle Verheißungen. Es würde wieder der üblichen vergeistigten Auffassung des Neuen Testaments entsprechen, den alttestamentlichen Segen als im Neuen Testament überholt zu betrachten. Aber sollte es ein Zufall sein, daß im Zusammenhang mit dem Mißbrauch des Abendmahls (»der *gesegnete* Kelch...« 1. Kor. 10, 16! 1. Kor. 11, 30) von Krankheit und Tod gesprochen wird, daß Jesus Menschen gesund macht, daß die Jünger bei Jesus »nie Mangel leiden«? Soll man nun den alttestamentlichen Segen gegen das Kreuz setzen? So tat es Kierkegaard. Damit wird aus dem Kreuz ein Prinzip gemacht bzw. aus dem Leiden, und eben hieraus entspringt ein ungesunder Methodismus, der dem Leiden den Charakter der Kontingenz einer göttlichen Schickung raubt. Übrigens muß ja auch im Alten Testament der Gesegnete viel leiden (Abraham, Isaak, Jakob, Joseph), aber nirgends führt dies (ebensowenig wie im Neuen Testament) dazu, Glück und Leiden, bzw. Segen und Kreuz in einen ausschließlichen Gegensatz zueinander zu bringen. Der Unterschied zwischen Altem und Neuem Testament liegt wohl in dieser Hinsicht nur darin, daß im Alten Testament der Segen auch das Kreuz, im Neuen Testament das Kreuz auch den Segen in sich schließt. – Noch etwas ganz anderes: nicht nur die Tat, sondern auch das Leiden ist ein Weg zur Freiheit. Die Befreiung liegt im Leiden darin, daß man seine Sache ganz aus den eigenen Händen geben und in die Hände Gottes legen darf. In diesem Sinne ist der Tod die Krönung der menschlichen Freiheit. Ob die menschliche Tat eine Sache des Glaubens ist oder nicht, entscheidet sich darin, ob der Mensch sein Leiden als eine Fortsetzung seiner Tat, als eine Vollendung der Freiheit versteht oder nicht. Das finde ich sehr wichtig und sehr tröstlich.

Mir geht es gut. Von der Familie ist auch nichts Neues zu berichten. Hans* liegt mit seiner diphtheritischen Lähmung ganz fest. Aber man scheint guter Zuversicht zu sein. Leb wohl, behalte guten Mut, wie wir auch, und freue Dich schon so wie wir auf ein gutes Wiedersehen! »Neues Lied« Nr. 370, 3–4.

Ein paar Gedanken über Verschiedenes

Giordano Bruno: »Der Anblick eines Freundes kann einen eigenen Schauder hervorrufen, da kein Feind so Furchtbares in sich tragen kann wie er« – verstehst Du das? Ich bemühe mich darum, aber verstehe es eigentlich doch nicht. Ist mit dem »Furchtbaren« die jeder großen menschlichen Nähe zugleich innewohnende Gefahr des Verrates gemeint (Judas?)?
Spinoza: Affekte werden nie durch die Vernunft, sondern nur durch stärkere Affekte aufgehoben.

*

Es ist der Vorzug und das Wesen der Starken, daß sie die großen Entscheidungsfragen stellen und zu ihnen klar Stellung nehmen können. Die Schwachen müssen sich immer zwischen Alternativen entscheiden, die nicht die ihren sind.

*

Wir sind wohl so beschaffen, daß uns das Vollkommene langweilig ist; ob das immer so war, weiß ich nicht. Ich kann mir aber nicht anders erklären, daß mir Raffael ebenso wie Dantes Paradies so fern und gleichgültig bleibt. Auch das ewige Eis oder der ewige blaue Himmel reizt mich nicht. Ich suchte das »Vollkommene« im Mensch-

---

* von Dohnanyi, gleichfalls seit 5. 4. 43 verhaftet

lichen, Lebendigen, Irdischen, also weder im Apollinischen noch aber auch im Dionysischen oder im Faustischen. Ich bin wohl in jeder Richtung für das mittlere, gemäßigte Klima.

*

Das Jenseitige ist nicht das unendlich Ferne, sondern das Nächste. Letzter Ernst ist nie ohne eine Dosis Humor.

*

Das Wesentliche an der Keuschheit ist nicht ein Verzicht auf Lust, sondern eine Gesamtausrichtung des Lebens auf ein Ziel. Wo eine solche fehlt, verfällt die Keuschheit zwangsläufig der Lächerlichkeit. Keuschheit ist die Voraussetzung für klare und überlegene Gedanken.

*

Auf dem Wege zur Freiheit ist der Tod das höchste Fest.

*

Entschuldige bitte diese anspruchsvollen Weisheiten! Sie sind Bruchstücke aus nicht geführten Gesprächen und insofern gehören sie zu Dir. Wenn man, wie ich, genötigt ist, nur in Gedanken zu existieren, dann kommt man auf den allerdümmsten Gedanken, nämlich seine gelegentlichen Gedanken schriftlich festzuhalten!

3. 8. 44

... Ob Ihr nun bald wieder umzieht? und in welche Gegend? Gern wüßte ich, ob Du meine Gedichte gelesen hast. Das sehr lange Gedicht (in Reimen) »Nächtliche Stimmen in T.«* mußt Du später einmal lesen. Beiliegend findest Du einen Entwurf für eine Arbeit. Ich weiß nicht, ob Du etwas daraus entnehmen kannst; aber ich denke schon, daß Du etwa verstehst, was ich meine. Ich hoffe, daß ich Ruhe und Kraft behalte, diese Schrift zu schreiben. Die Kirche muß aus

* Tegel

189

ihrer Stagnation heraus. Wir müssen wieder in die freie Luft der geistigen Auseinandersetzung mit der Welt. Wir müssen es auch riskieren, anfechtbare Dinge zu sagen, wenn dadurch nur lebenswichtige Fragen aufgerührt werden. Ich fühle mich als ein »moderner« Theologe, der doch noch das Erbe der liberalen Theologie in sich trägt, verpflichtet, diese Fragen anzuschneiden. Es wird unter den Jüngeren nicht viele geben, die das beides in sich verbinden. Wie sehr würde ich Deine Hilfe brauchen. Aber, wenn uns schon das klärende Gespräch genommen ist, so doch nicht das Gebet, unter dem jede solche Arbeit allein angefangen und getan werden kann.

Ich las von »tropischer Hitze« in Italien. Ist es sehr schlimm? ... In der Familie nichts Neues. Ich bin immer froh, wenn ich das schreiben kann. Leb wohl!

ENTWURF EINER ARBEIT

Ich möchte eine – nicht über 100 Seiten lange – Schrift schreiben mit 3 Kapiteln:
1. Bestandsaufnahme des Christentums,
2. Was ist eigentlich christlicher Glaube?
3. Folgerungen.

Im 1. KAPITEL ist darzustellen:

a) Das Mündigwerden des Menschen (wie schon angedeutet); die Sicherung des menschlichen Lebens gegen den »Zufall«, »Schicksalsschläge«; wenn seine Ausschaltung nicht möglich ist, so doch die Minderung der Gefahr. Das »Versicherungswesen« (das zwar von den »Zufällen« lebt, aber sie weniger schmerzhaft machen will) als abendländische Erscheinung; Ziel ist, unabhängig von der Natur zu sein. Natur wurde früher durch die Seele überwunden, bei uns durch technische Organisation aller Art. Das uns unmittelbar Gegebene ist nicht mehr die Natur, sondern die Organisation. Mit diesem Schutz vor der Bedrohung durch die Natur entsteht aber selbst wieder eine neue Bedrohung des Lebens, nämlich durch die Organisation selbst.

Nun fehlt die seelische Kraft! Die Frage ist: Was schützt uns gegen die Bedrohung durch die Organisation? Der Mensch wird wieder auf sich selbst verwiesen. Mit allem ist er fertiggeworden, nur nicht mit sich selbst. Gegen alles kann er sich versichern, nur nicht gegen den Menschen. Zuletzt kommt es doch auf den Menschen an.

b) Die Religionslosigkeit des mündig gewordenen Menschen. »Gott« als Arbeitshypothese, als Lückenbüßer für unsere Verlegenheiten ist überflüssig geworden (wie schon angedeutet).

c) Die evangelische Kirche: Pietismus als letzter Versuch, das evangelische Christentum als Religion zu erhalten; die lutherische Orthodoxie, der Versuch, die Kirche als Heilsanstalt zu retten; Bekennende Kirche: Offenbarungstheologie; ein δὸϱ μοὶ ποῦ στῶ gegenüber der Welt; um sie herum ein »sachliches« Interesse am Christentum; Kunst, Wissenschaft auf der Suche nach ihrem Ursprung. Allgemein in der Bekennenden Kirche: Eintreten für die »Sache« der Kirche etc., aber wenig persönlicher Christusglaube. »Jesus« entschwindet dem Blick. Soziologisch: keine Wirkung auf die breiten Massen; Sache der Klein- und Großbürger. Starke Belastung mit schweren, tradierten Gedanken. Entscheidend: Kirche in der Selbstverteidigung. Kein Wagnis für andere.

d) Moral des Volkes. Demonstriert an der Sexualmoral.

2. KAPITEL:

a) Weltlichkeit und Gott.

b) Wer ist Gott? Nicht zuerst ein allgemeiner Gottesglaube an Gottes Allmacht etc. Das ist keine echte Gotteserfahrung, sondern ein Stück prolongierter Welt. Begegnung mit Jesus Christus. Erfahrung, daß hier eine Umkehrung alles menschlichen Seins gegeben ist, darin, daß Jesus nur »für andere da ist«. Das »Für-andere-da-sein« Jesu ist die Transzendenzerfahrung! Aus der Freiheit von sich selbst, aus dem »Für-andere-da-sein« bis zum Tod entspringt erst die Allmacht, Allwissenheit, Allgegenwart. Glaube ist das Teilnehmen an diesem Sein Jesu. (Menschwerdung, Kreuz, Auferstehung.) Unser Verhältnis zu Gott ist kein »religiöses« zu einem denkbar höchsten, mächtigsten, besten Wesen – dies ist keine echte Transzendenz –, sondern unser Verhältnis zu Gott ist ein neues Leben im »Dasein-für-andere«, in der Teilnahme am Sein Jesu. Nicht die unendlichen, unerreichbaren Aufgaben, sondern der jeweils gegebene erreichbare Nächste ist das Transzendente. Gott in Menschengestalt! nicht wie bei orientalischen Religionen in Tiergestalten als das Ungeheure, Chaotische, Ferne, Schauerliche; aber auch nicht in den Begriffsgestalten des Absoluten, Metaphysischen, Unendlichen etc.; aber auch nicht die griechische Gott-Menschengestalt des »Menschen an sich«, sondern »der Mensch für andere«!, darum der Gekreuzigte. Der aus dem Transzendenten lebende Mensch.

c) Interpretation der biblischen Begriffe von hier aus. (Schöpfung, Fall, Versöhnung, Buße, Glaube, vita nova, letzte Dinge.)

d) Kultus (darüber später ausführlich, speziell über Kultus und »Religion«!).

e) Was glauben wir wirklich?, d. h. so, daß wir mit unserem Leben daran hängen? Problem des Apostolikum? Was *muß* ich glauben?, falsche Frage, überholte Kontroversfragen, spez. interkonfessionell; die lutherisch-reformierten – (teils auch katholischen) Gegensätze sind nicht mehr echt. Natürlich kann man sie jederzeit mit Pathos repristinieren, aber sie verfangen doch nicht mehr. Dafür gibt es keinen Beweis, davon muß man einfach auszugehen wagen. Beweisen kann man nur, daß der christlich-biblische Glaube nicht von diesen Gegensätzen lebt und abhängt. Barth und Bekennende Kirche führen dazu, daß man sich immer wieder hinter den »Glauben der Kirche« verschanzt und nicht ganz ehrlich fragt und konstatiert, was man selbst eigentlich glaubt. Darum weht auch in der Bekennenden Kirche nicht ganz freie Luft. Die Auskunft, es komme nicht auf mich, sondern auf die Kirche an, kann eine pfäffische Ausrede sein und wird draußen immer so empfunden. Ähnlich steht es mit dem dialektischen Verweis darauf, daß ich nicht über meinen Glauben verfüge und daher auch nicht einfach sagen kann, was ich glaube. Alle diese Gedanken, so gerechtfertigt sie an ihrem Ort sein mögen, entbinden uns nicht von der Redlichkeit uns selbst gegenüber. Wir können uns nicht, wie die Katholiken, einfach mit der Kirche identifizieren. (Übrigens liegt hier wohl der Ursprung der vulgären Meinung von der Unaufrichtigkeit der Katholiken.) Also, was glauben wir wirklich? Antwort unter b), c), d).

3. KAPITEL:

Folgerungen:

Die Kirche ist nur Kirche, wenn sie für andere da ist. Um einen Anfang zu machen, muß sie alles Eigentum den Notleidenden schenken. Die Pfarrer müssen ausschließlich von den freiwilligen Gaben der Gemeinden leben, evtl. einen weltlichen Beruf ausüben. Sie muß an den weltlichen Aufgaben des menschlichen Gemeinschaftslebens teilnehmen, nicht herrschend, sondern helfend und dienend. Sie muß den Menschen aller Berufe sagen, was ein Leben mit Christus ist, was es heißt, »für andere dazusein«. Speziell wird *unsere* Kirche den Lastern der Hybris, der Anbetung der Kraft und des Neides und des Illusionismus als den Wurzeln alles Übels entgegentreten müssen. Sie wird von Maß, Echtheit, Vertrauen, Treue, Stetigkeit, Geduld, Zucht, Demut, Genügsamkeit, Bescheidenheit sprechen müssen. Sie wird die Bedeutung des menschlichen »Vorbildes« (das in der Menschheit Jesu seinen Ursprung hat und bei Paulus so wichtig ist!) nicht unterschätzen dürfen, nicht durch Begriffe, sondern durch »Vorbild« bekommt ihr Wort Nachdruck und Kraft. (Über das »Vorbild« im Neuen Testament schreibe ich noch besonders! Der Gedanke ist uns fast ganz abhanden gekommen!) Ferner: Revision der »Bekenntnis«frage (Apostolikum); Revision der Kontroverstheologie; Revision der Vorbereitung auf das Amt und der Amtsführung. –

Das ist alles sehr roh und summarisch gesagt. Aber es liegt mir daran, einmal den Versuch zu machen, einfach und klar gewisse Dinge auszusprechen, um die wir uns sonst gern herumdrücken. Ob es gelingt, ist eine andere Frage, zumal ohne die Hilfe des Gespräches. Ich hoffe damit für die Zukunft der Kirche einen Dienst tun zu können.

... Daß die Erinnerungen Dich nicht mehr »nähren«, verstehe ich. Die Kraft der Erinnerungen kommt aber immer wieder aus der Kraft der Dankbarkeit. Gerade in solchen Zeiten soll man sich um Sammlung zur Dankbarkeit im Gebet bemühen. Vor allem darf man sich nie vom Augenblicklichen auffressen lassen, sondern muß die Rede der großen Gedanken in sich bewahren und nach ihnen alles messen. Daß das die wenigsten Menschen können, ist es, was man an den Menschen am schwersten erträgt. Nicht die Bosheit, sondern die Schwäche der Menschen ist das, was die Menschenwürde am tiefsten entstellt und herabzieht. Man kann das nur aus einem ganz tiefen Mitleid heraus ertragen. Im übrigen sitzt nach wie vor Gott im Regiment.

Ich arbeite jetzt an den drei Kapiteln, von denen ich schrieb. Es ist so, wie Du sagst: daß das »Erkennen« das Erregendste in der Welt ist und darum bin ich auch jetzt durch die Arbeit ganz gefesselt.

... Es gibt aber kaum ein beglückenderes Gefühl, als zu spüren, daß man für andere Menschen etwas sein kann. Dabei kommt es gar nicht auf die Zahl, sondern auf die Intensität an. Schließlich sind eben die menschlichen Beziehungen doch einfach das Wichtigste im Leben; daran kann auch der moderne »Leistungsmensch« nichts ändern, aber auch nicht die Halbgötter oder die Irrsinnigen, die von menschlichen Beziehungen nichts wissen. Gott selbst läßt sich von uns im Menschlichen dienen. Alles andere ist der Hybris sehr nahe. Gewiß kann eine allzu bewußte Pflege der menschlichen Beziehungen und des Einander-etwas-Bedeutens, wie ich sie jetzt gelegentlich in den Briefen der Gabriele v. Bülow-Humboldt empfunden habe, zu einem Kult des Menschlichen führen, der der Wirklichkeit unangemessen ist. Ich meine demgegenüber hier die schlichte Tatsache, daß die Menschen uns wichtiger im Leben sind als alles andere. Das bedeutet gewiß keine Geringschätzung der Welt der Dinge und der sachlichen Leistung. Aber was ist mir das schönste Buch oder Bild oder Haus oder Gut gegenüber meiner Frau, meinen Eltern, meinem Freund? So kann allerdings nur sprechen, wer wirklich in seinem Leben Menschen gefunden hat. Für viele Heutige ist der Mensch doch auch nur ein Teil der Welt der Dinge. Das liegt daran, daß ihnen das Erlebnis des Menschlichen einfach abgeht. Wir müssen sehr froh sein, daß uns in unserem Leben dieses Erlebnis reichlich geschenkt worden ist...

Ich habe oft beobachtet, daß es darauf ankommt, was für Ansprüche man an sich selbst stellt. Manche verderben sich selbst dadurch, daß sie sich mit Mittlerem abfinden und so vielleicht schneller zu Leistungen kommen; sie haben eben weniger Hemmungen zu überwinden. Ich habe es als einen der stärksten Erziehungsfaktoren in unserer Familie empfunden, daß man uns so viele Hemmungen zu überwinden gegeben hat (in bezug auf Sachlichkeit, Klarheit, Natürlichkeit, Takt, Einfachheit etc.), bevor wir zu eigenen Äußerungen gelangen konnten. Ich glaube, Du hast das anfangs bei uns auch so empfunden. Und manchmal dauert es lange, ehe man eine solche Hürde genommen hat und man denkt wohl auch gelegentlich, man hätte auf sehr viel billigere, leichtere Weise zu Erfolgen kommen können, wenn man diese Hindernisse einfach umgangen hätte...

Nicht alle unsere Wünsche, aber alle seine Verheißungen erfüllt Gott, d. h. er bleibt der Herr der Erde, er erhält seine Kirche, er schenkt uns immer neuen Glauben, legt uns nicht mehr auf, als wir tragen können, macht uns seiner Nähe und Hilfe froh, erhört unsere Gebete und führt uns auf dem besten und geradesten Wege zu sich. Indem Gott dies gewiß tut, schafft er sich durch uns Lob.

Noch einmal habe ich mir die Losungen* vorgenommen und darüber etwas meditiert. Es kommt wohl alles auf das »in Ihm« an. Alles, was wir mit Recht von Gott erwarten, erbitten dürfen, ist in Jesus Christus zu finden. Was ein Gott, so wie wir ihn uns denken,
alles tun müßte und könnte, damit hat der Gott Jesu Christi nichts
zu tun. Wir müssen uns immer wieder sehr lange und sehr ruhig in
das Leben, Sprechen, Handeln, Leiden und Sterben Jesu versenken,
um zu erkennen, was Gott verheißt und was er erfüllt. Gewiß ist,
daß wir immer in der Nähe und unter der Gegenwart Gottes leben
dürfen und daß dieses Leben für uns ein ganz neues Leben ist; daß es
für uns nichts Unmögliches mehr gibt, weil es für Gott nichts Unmögliches gibt; daß keine irdische Macht uns anrühren kann ohne
Gottes Willen, und daß Gefahr und Not uns nur näher zu Gott treiben; gewiß ist, daß wir nichts zu beanspruchen haben und doch alles
erbitten dürfen; gewiß ist, daß im Leiden unsere Freude, im Sterben
unser Leben verborgen ist; gewiß ist, daß wir in dem allem in einer
Gemeinschaft stehen, die uns trägt. Zu all dem hat Gott in Jesus Ja
und Amen gesagt. Dieses Ja und Amen ist der feste Boden, auf dem
wir stehen. Immer wieder in dieser turbulenten Zeit verlieren wir aus
dem Auge, warum es sich eigentlich zu leben lohnt. Wir meinen, weil
dieser oder jener Mensch lebt, habe es auch für uns Sinn zu leben. In
Wahrheit ist es aber doch so: Wenn die Erde gewürdigt wurde, den
Menschen Jesus Christus zu tragen, wenn ein Mensch wie Jesus gelebt
hat, dann und nur dann hat es für uns Menschen einen Sinn zu leben.
Hätte Jesus nicht gelebt, dann wäre unser Leben trotz aller anderen
Menschen, die wir kennen, verehren und lieben, sinnlos. Vielleicht
entschwindet uns jetzt manchmal die Bedeutung und Aufgabe unseres Berufes. Aber kann man sie nicht in einfachster Form so aussprechen? Der unbiblische Begriff des »Sinnes« ist ja nur eine Überset-
zung dessen, was die Bibel »Verheißung« nennt.

Ich spüre, wie untauglich diese Worte sind, das zu bewirken, was

* 4. Mose 11, 23; 2. Kor. 1, 20

sie möchten, nämlich Dich auch in Deiner Einsamkeit fest und froh und gewiß zu machen. Dieser einsame Geburtstag braucht für Dich ja wahrhaftig nicht ein verlorener Tag zu sein, wenn er Dir zum Anlaß wird, einmal wieder die Fundamente klarzulegen, auf denen Du weiterleben willst. Für mich ist es oft eine große Hilfe gewesen, am Abend an alle die zu denken, deren Fürbitte ich gewiß bin, von den Kindern bis zu den Erwachsenen. Ich glaube, daß ich viel Bewahrung in meinem Leben der Fürbitte Bekannter und Unbekannter zu danken habe.

Noch etwas anderes: es heißt im Neuen Testament häufig: »seid stark« (1. Kor. 16, 13; Eph. 6, 10; 2. Tim. 2, 1; 1. Joh. 2, 14). Ist nicht die Schwäche der Menschen (Dummheit, Unselbständigkeit, Vergeßlichkeit, Feigheit, Eitelkeit, Bestechlichkeit, Verführbarkeit etc.) eine größere Gefahr als die Bosheit? Christus macht den Menschen nicht nur »gut«, sondern auch stark. Die Schwachheitssünden sind die eigentlich menschlichen Sünden, die mutwilligen Sünden sind diabolisch (und wohl auch »stark«!). Ich muß darüber noch nachdenken. – Leb wohl, bleib gesund und zuversichtlich ...

23. 8. 44

... Bitte mache Dir nie Sorgen und Gedanken um mich; aber vergiß die Fürbitte nicht, wie Du es auch gewiß nicht tust! Gottes Hand und Führung ist mir so gewiß, daß ich hoffe, immer in dieser Gewißheit bewahrt zu werden. Du darfst nie daran zweifeln, daß ich dankbar und froh den Weg gehe, den ich geführt werde. Mein vergangenes Leben ist übervoll von Gottes Güte und über der Schuld steht die vergebende Liebe des Gekreuzigten. Am dankbarsten bin ich für die Menschen, denen ich begegnet bin, und ich wünsche nur, daß sie sich nie über mich betrüben müssen, sondern daß auch sie immer nur dankbar der Güte und Vergebung Gottes gewiß sind. Verzeih, daß ich das einmal schreibe. Laß Dich dadurch bitte keinen Augenblick betrüben und beunruhigen, sondern wirklich nur froh machen. Ich wollte es aber gern einmal gesagt haben und ich wüßte nicht, wem ich es zumuten könnte, so daß er es wirklich nur mit Freude hört ...

Bekamst Du das sehr unfertige, aber in seinem Inhalt mich sehr bewegende Gedicht über die »Freiheit«? Ich schreibe nun an der »Bestandsaufnahme des Christentums«; leider spüre ich, wie meine Produktivität sich allmählich ans Rauchen gewöhnt hat; glücklicherweise werde ich in dieser Hinsicht von verschiedensten Seiten gut versorgt, so daß es einigermaßen vorangeht. Manchmal erschrecke ich über meine Sätze, besonders im ersten kritischen Teil. Ich freue mich daher schon, das Positive schreiben zu können. Es ist aber alles so unbesprochen, daß es oft zu klotzig herauskommt. Na, drucken kann man es jetzt ja sowieso nicht. Und später muß es erst noch durch die »Kläranlage«! Mit der Schrift ist es schwierig, daß es m. E. kaum leserlich ist (ich muß ja komischerweise beim Produzieren immer deutsch schreiben und außerdem die Korrekturen!). Mal sehen, vielleicht schreibe ich es noch einmal ab...

Nun wünsche ich Dir von Herzen weiter recht viel äußere und innere Ruhe. Gott behüte Dich und uns alle und schenke uns ein baldiges frohes Wiedersehen. In Dankbarkeit und Treue und täglicher Fürbitte denkt an Dich

Dein D.

Nicht aus dem schweren Boden,
wo Blut und Geschlecht und Schwur
mächtig und heilig sind,
wo die Erde selbst
gegen Wahnsinn und Frevel
die geweihten uralten Ordnungen
hütet und schützt und rächt, –
nicht aus dem schweren Boden der Erde,
sondern aus freiem Gefallen
und freiem Verlangen des Geistes,
der nicht des Eides noch des Gesetzes bedarf,
wird der Freund dem Freunde geschenkt.

Neben dem nährenden Weizenfeld,
welches die Menschen ehrfürchtig bauen und pflegen,
dem sie den Schweiß ihrer Arbeit
und, wenn es sein muß,
das Blut ihrer Leiber zum Opfer bringen,
neben dem Acker des täglichen Brotes
lassen die Menschen doch auch
die schöne Kornblume blühn.
Keiner hat sie gepflanzt, keiner begossen,
schutzlos wächst sie in Freiheit
und in heiterer Zuversicht,
daß man das Leben
unter dem weiten Himmel
ihr gönne.
Neben dem Nötigen,
aus gewichtigem irdischen Stoff Geformten,
neben der Ehe, der Arbeit, dem Schwert,
will auch der Freie
leben
und der Sonne entgegen wachsen.

Nicht nur die reife Frucht,
auch Blüten sind schön.
Ob die Blüte der Frucht,
ob die Frucht der Blüte nur diene,
wer weiß es?
Doch sind uns beide gegeben.
Kostbarste, seltenste Blüte –
der Freiheit des spielenden,
wagenden und vertrauenden
Geistes in glücklicher Stunde entsprungen –
ist dem Freunde der Freund.

Spielgefährten zuerst
auf den weiten Fahrten des Geistes
in wunderbare,
entfernte Reiche,
die im Schleier der Morgensonne
wie Gold erglänzen,
denen am heißen Mittag
die leichten Wolken des blauen Himmels
entgegenziehen,
die in erregender Nacht
beim Scheine der Lampe
wie verborgene heimliche Schätze
den Suchenden locken.

Wenn dann der Geist dem Menschen
mit großen, heiteren, kühnen Gedanken
Herz und Stirne berührt,
daß er mit klaren Augen und freier Gebärde
der Welt ins Gesicht schaut,
wenn dann dem Geiste die Tat entspringt –
der jeder allein steht oder fällt –,
wenn aus der Tat
stark und gesund

das Werk erwächst,
das dem Leben des Mannes
Inhalt und Sinn gibt,
dann verlangt es
den handelnden, wirkenden, einsamen Menschen
nach dem befreundeten und verstehenden Geist.
Wie ein klares, frisches Gewässer,
darin der Geist sich vom Staube des Tages reinigt,
darin er von glühender Hitze sich kühlt
und in der Stunde der Müdigkeit stählt, –
wie eine Burg, in die nach Gefahr und Verwirrung
der Geist zurückkehrt,
in der er Zuflucht, Zuspruch und Stärkung findet,
ist dem Freunde der Freund.

Und der Geist will vertrauen,
ohne Grenzen vertrauen.
Angeekelt von dem Gewürm,
das im Schatten des Guten
von Neid und Argwohn und Neugier sich nährt,
von dem Schlangengezisch
vergifteter Zungen,
die das Geheimnis des freien Gedankens,
des aufrichtigen Herzens
fürchten, hassen und schmähn,
verlangt es den Geist,
alle Verstellung von sich zu werfen
und sich vertrautem Geiste
gänzlich zu offenbaren,
ihm frei und treu zu verbünden.
Neidlos will er bejahen,
will anerkennen,
will danken,
will sich freuen und stärken
am anderen Geist.

Doch auch strengem Maß
und strengem Vorwurf
beugt er sich willig.
Nicht Befehle, nicht zwingende fremde Gesetze und Lehren,
aber den Rat, den guten, den ernsten,
der frei macht,
sucht der gereifte Mann
von der Treue des Freundes.

Fern oder nah
in Glück oder Unglück
erkennt der eine im andern
den treuen Helfer
zur Freiheit
und Menschlichkeit.

Als die Sirenen heulten um Mitternacht,
habe ich still und lange an dich gedacht,
wie es dir gehen mag und wie es einst war,
und daß ich dir Heimkehr wünsche im neuen Jahr.

Nach langem Schweigen höre ich um halb zwei
die Signale, daß die Gefahr vorüber sei.
Ich habe darin ein freundliches Zeichen gesehn,
daß alle Gefahren leise an dir vorübergehn.

LEBENSZEICHEN

AUS DER PRINZ-ALBRECHT-STRASSE

28. 12. 44

Liebe Mama!

Eben habe ich zu meiner ganz großen Freude die Erlaubnis bekommen, Dir zum Geburtstag zu schreiben. Ich muß es etwas in Eile tun, da der Brief gleich noch fort soll. Eigentlich habe ich nur einen einzigen Wunsch, nämlich Dir in diesen für Euch so trüben Tagen irgendeine Freude machen zu können. Liebe Mama, Du mußt wissen, daß ich jeden Tag unzählige Male an Dich und Papa denke und daß ich Gott danke, daß Ihr da seid für mich und für die ganze Familie. Ich weiß, daß Du immer nur für uns gelebt hast und daß es für Dich ein eigenes Leben nicht gegeben hat. Daher kommt es, daß ich alles, was ich erlebe, auch nur mit Euch zusammen erleben kann. ... Ich danke Dir für alle Liebe, die im vergangenen Jahr von Dir zu mir in meine Zelle gekommen ist und mir jeden Tag hat leichter werden lassen. Ich glaube, daß diese schweren Jahre uns noch enger miteinander verbunden haben als es je war. Ich wünsche Dir und Papa ... und uns allen, daß das neue Jahr uns doch wenigstens hier und da einen Lichtblick bringt und daß wir uns doch noch einmal zusammen freuen können. Gott erhalte Euch gesund! Es grüßt Dich, liebe, liebe Mama, und denkt an Dich an deinem Geburtstag von ganzem Herzen

Euer dankbarer Dietrich.

Von guten Mächten treu und still umgeben,
behütet und getröstet wunderbar,
so will ich diese Tage mit euch leben
und mit euch gehen in ein neues Jahr.

Noch will das alte unsre Herzen quälen,
noch drückt uns böser Tage schwere Last,
ach, Herr, gib unsern aufgescheuchten Seelen
das Heil, für das Du uns bereitet hast.

Und reichst Du uns den schweren Kelch, den bittern
des Leids, gefüllt bis an den höchsten Rand,
so nehmen wir ihn dankbar ohne Zittern
aus Deiner guten und geliebten Hand.

Doch willst Du uns noch einmal Freude schenken
an dieser Welt und ihrer Sonne Glanz,
dann wolln wir des Vergangenen gedenken,
und dann gehört Dir unser Leben ganz.

Laß warm und still die Kerzen heute flammen,
die Du in unsre Dunkelheit gebracht,
führ, wenn es sein kann, wieder uns zusammen.
Wir wissen es, Dein Licht scheint in der Nacht.

Wenn sich die Stille nun tief um uns breitet,
so laß uns hören jenen vollen Klang
der Welt, die unsichtbar sich um uns weitet,
all Deiner Kinder hohen Lobgesang.

Von guten Mächten wunderbar geborgen,
erwarten wir getrost, was kommen mag.
Gott ist mit uns am Abend und am Morgen
und ganz gewiß an jedem neuen Tag.

Silvester 1944

17. 1. 45

Liebe Eltern!

... Mit wie wenig der Mensch auskommt, habe ich ja in den 2 vergangenen Jahren gelernt... Wenn man bedenkt, wie viele Menschen jetzt täglich alles verlieren, hat man eigentlich gar keinen Anspruch mehr auf irgendwelchen Besitz...

Fliegt H.-W. jetzt eigentlich im Osten? und R.'s Mann? – Habt vielen Dank für Euren Brief... Man liest die Briefe hier, bis man sie auswendig kann! – Noch ein paar Bitten: es wurden heute für mich leider keine Bücher abgegeben. Kommissar Sonderegger würde sie auch zwischendurch annehmen... Ich wäre sehr dankbar dafür. Auch Streichhölzer, Waschlappen und Handtuch fehlten diesmal. Verzeiht, daß ich das sage; es war sonst alles ganz herrlich! Vielen Dank! Könnte ich bitte Zahnpasta und ein paar Kaffeebohnen bekommen? Könntest Du, lieber Papa, aus der Bibliothek bestellen: H. Pestalozzi: »Lienhard«; und »Abendstunden eines Einsiedlers«; P. Natorp: »Sozialpädagogik«; Plutarch: »Große Männer. Biographien«? – Es geht mir gut. Bleibt nur gesund. Habt vielen Dank für alles...

Von Herzen grüßt Euch

Euer dankbarer Dietrich.

JONA

Sie schrieen vor dem Tod und ihre Leiber krallten
sich an den nassen, sturmgepeitschten Tauen,
und ihre Blicke schauten voller Grauen
das Meer im Aufruhr jäh entfesselter Gewalten.

»Ihr ewigen, ihr guten, ihr erzürnten Götter,
helft oder gebt ein Zeichen, das uns künde
den, der Euch kränkte mit geheimer Sünde,
den Mörder oder Eidvergeßnen oder Spötter,

der uns zum Unheil seine Missetat verbirgt
um seines Stolzes ärmlichen Gewinnes!«
So flehten sie. Und Jona sprach: »Ich bin es!
Ich sündigte vor Gott. Mein Leben ist verwirkt.

Tut mich von Euch! Mein ist die Schuld. Gott zürnt mir sehr.
Der Fromme soll nicht mit dem Sünder enden!«
Sie zitterten. Doch dann mit starken Händen
verstießen sie den Schuldigen. Da stand das Meer.

Geschrieben im September 1944
im Wehrmachts-Untersuchungsgefängnis Tegel

4. 2. 1944

Es gibt am Morgen meines heutigen Geburtstages für mich nichts Natürlicheres, als Dir zu schreiben und mich daran zu erinnern, daß wir achtmal hintereinander diesen Tag zusammen gefeiert haben. Die Arbeit bleibt ein paar Stunden liegen, was ihr vielleicht ganz gut bekommt, und ich warte auf den Besuch von M. oder den Eltern, obwohl es noch nicht ganz sicher ist, ob es klappt. Vor 8 Jahren saßen wir abends am Kamin zusammen. Ihr hattet mir das Violinkonzert D-dur geschenkt und wir hörten es zusammen, dann mußte ich Euch etwas von Harnack und vergangenen Zeiten erzählen, was Euch aus irgendeinem Grunde besonders gefiel, und schließlich wurde die Schwedenfahrt definitiv beschlossen. Ein Jahr später schenktet Ihr mir die Septemberbibel mit einem hübschen Votum und Deinem Namen an der Spitze. Es folgten Schlönwitz und Sigurdshof und viele feierten damals mit, die nicht mehr unter uns sind. Das Singen vor der Tür, das Gebet bei der Andacht, das Du an diesem Tage übernahmst, das Claudius'sche Lied, das ich G. verdanke, – dies alles bleiben schöne Erinnerungen, denen die scheußliche Atmosphäre hier nichts anhaben kann. Voller Zuversicht denke ich daran, daß wir Deinen nächsten Geburtstag wieder zusammen feiern und – wer weiß? – vielleicht schon Ostern! Dann werden wir wieder zu unserer eigentlichen Lebensaufgabe zurückkehren, und es wird viel und schöne Arbeit geben; und das, was wir inzwischen erlebt haben, wird nicht umsonst gewesen sein. Daß wir das Gegenwärtige aber so erleben können, wie wir es beide tun, dafür werden wir einander wohl immer dankbar bleiben. Ich weiß, daß Du heute an mich denkst, und wenn in diesen Gedanken nicht nur das Vergangene, sondern auch die Hoffnung auf eine – wenn auch veränderte, so doch gemeinsame Zukunft enthalten ist, dann bin ich sehr froh. – Nun wird es wohl nicht mehr lange dauern, bis Du von R. eine frohe Nachricht bekommst. Einen solchen einzigartigen Freudentag unter Fremden feiern zu müssen, die einem nicht helfen können, die Freude richtig

auszuleben, zu ordnen und mit dem täglichen Leben zu verbinden sondern für die mehr oder weniger jede Freude im Schnaps ihr Ziel und ihren Höhepunkt hat, muß nicht leicht sein. Ich würde Dir sehr wünschen, daß Du einen Menschen fändest, mit dem Du Dich näher zusammenfindest – der einzige, bei dem sich das hier anbahnte, ist, wie ich schon schrieb, beim Alarm umgekommen –, aber ich glaube, es ist für uns, die wir in bezug auf Freundschaft anspruchsvoller geworden sind als die meisten anderen Menschen, auch schwerer, das zu finden, was man sucht und entbehrt. Auch in dieser Hinsicht geht es nicht so einfach mit dem Ersatz! – – – Mitten aus dem Brief heraus werde ich heruntergerufen, wo mich M. als erstes mit der Freudennachricht empfing: »R. hat einen kleinen Jungen bekommen und er heißt Dietrich!« Alles ist gutgegangen, in 1¹/₂ Stunden war er da und Mama hat mit C. Hebamme gemacht! Was für eine Überraschung und was für ein Glück! Ich bin so froh, wie ich es gar nicht sagen kann. Und wie glücklich wirst Du erst sein! Und daß alles so rasch und gut ging! Nun hast Du also einen Sohn und alle Gedanken richten sich voller Hoffnungen in die Zukunft. Was mag an Anlagen alles in ihm stecken! ... Und nun soll er also wirklich Dietrich heißen; ich weiß nicht, was ich dazu sagen soll; daß ich ihm ein guter Patenonkel und »Groß«onkel (!) werden werde, das hoffe ich Euch versprechen zu können; und ich müßte heucheln, wenn ich nicht sagte, daß ich mich wirklich unendlich darüber freue und stolz darauf bin, daß Ihr Eurem Ersten meinen Namen gegeben habt. Daß er mir mit seinem Geburtstag um einen Tag zuvorgekommen ist, bedeutet gewiß, daß er sich seinem Namensonkel gegenüber seine Selbständigkeit bewahren will und ihm immer um ein Stück vorangehen will. Ich finde die Nähe dieser Tage besonders nett. Wenn er später mal hört, wo sein Onkel war, als er seinen Namen erhielt, wird ihn das vielleicht auch beeindrucken. Ich danke Euch sehr, daß Ihr Euch so entschlossen habt, und glaube, die anderen werden sich auch darüber freuen! –
d. 5. 2 Am gestrigen Tag, an dem sich viele Leute sehr nett um mich kümmerten, habe ich eigentlich meinen eigenen Geburtstag völlig vergessen und immerfort nur den Geburtstag des kleinen Dietrich gefeiert. Selbst der rührende kleine Blumenstrauß, den mir eini-

ge hiesige Mitbewohner gepflückt haben, stand in meinen Gedanken an dem Bett Eures kleinen Jungen. Wirklich keine größere Freude konnte mir dieser Tag bringen. Erst beim Einschlafen war mir klar, daß Du in unserer Familie einen Generationsschub verursacht hast, Urgroßeltern, Großeltern, Großonkels und -tanten und junge Onkels und Tanten sind mit dem 3. 2. kreiert worden! Das ist eigentlich ein starker Eingriff von Dir! so z. B. mich in die 3. Generation zu befördern! ...

R. schickte mir zum Geburtstag gestern noch wundervolle selbstgebackene ›S‹le. M. brachte ein märchenhaftes Paket, die Eltern schenkten mir das »Herzliebchenschränkchen«, das Goethe einmal der Minna Herzlieb geschenkt hat. Von Klaus bekam ich Dilthey: »Von deutscher Dichtung und Musik«, ich erzähle Dir darüber später! – Werdet Ihr Mama und C. zu Paten bitten? Ich muß leider Schluß machen; der Brief soll fort. Kopf und Herz sind so übervoll von guten und fröhlichen Gedanken, daß ich sie doch nicht alle aufs Papier bringen kann. Aber Du weißt, wie ich an Dich denke und Deine Freude mit Dir zu teilen versuche und mich immerfort mit Dir unterhalte... – Nun möchte ich es Dir bald nachtun! – Leb wohl, bleib gesund, Gott behüte und segne Euch beide und den kleinen Jungen!

VERGANGENHEIT*

Du gingst, geliebtes Glück und schwer geliebter Schmerz.
Wie nenn' ich dich? Not, Leben, Seligkeit,
Teil meiner selbst, mein Herz, – Vergangenheit?
Es fiel die Tür ins Schloß,
ich höre deine Schritte langsam sich entfernen und verhallen.
Was bleibt mir? Freude, Qual, Verlangen?
Ich weiß nur dies: du gingst – und alles ist vergangen.
Spürst du, wie ich jetzt nach dir greife,
wie ich mich an dir festkralle,
daß es dir wehtun muß?
Wie ich dir Wunden reiße,
daß dein Blut herausquillt,
nur um deiner Nähe gewiß zu bleiben,
du leibliches, irdisches, volles Leben?
Ahnst du, daß ich jetzt ein schreckliches Verlangen habe nach
    eigenen Schmerzen?
daß ich mein eigenes Blut zu sehen begehre,
nur damit nicht alles versinke
im Vergangenen?

Leben, was hast du mir angetan?
Warum kamst du? Warum vergingst du?
Vergangenheit, wenn du mich fliehst, –
bleibst du nicht meine Vergangenheit, meine?
Wie die Sonne über dem Meer immer rascher sich senkt,
als zöge es sie in die Finsternis,
so sinkt und sinkt und sinkt
ohne Aufhalten
dein Bild ins Meer des Vergangenen,
und ein paar Wellen begraben es.
Wie der Hauch des warmen Atems
sich in kühler Morgenluft auflöst,

* Nach einer Sprecherlaubnis seiner Verlobten

so zerrinnt mir dein Bild,
daß ich dein Angesicht, deine Hände, deine Gestalt
nicht mehr weiß.
Ein Lächeln, ein Blick, ein Gruß erscheint mir,
doch es zerfällt,
löst sich auf,
ist ohne Trost, ohne Nähe,
ist zerstört,
ist nur noch vergangen.

Ich möchte den Duft deines Wesens einatmen,
ihn einsaugen, in ihm bleiben,
wie an einem heißen Sommertag schwere Blüten die Bienen zu Gast
    laden
und sie berauschen;
wie die Nachtschwärmer vom Liguster trunken werden; –
aber ein rauher Windstoß zerstört Duft und Blüten,
und ich stehe wie ein Narr
vor dem Entschwundenen, Vergangenen.
Mir ist, als würden mir mit feurigen Zangen Stücke aus meinem
    Fleisch gerissen,
wenn du, mein vergangenes Leben, davoneilst.
Rasender Trotz und Zorn befällt mich,
wilde, unnütze Fragen schleudere ich ins Leere.
Warum, warum, warum? sage ich immer.
Warum meine Sinne dich nicht halten können,
vergehendes, vergangenes Leben.
So will ich denken und wieder denken,
bis ich es finde, was ich verlor.
Aber ich spüre,
wie alles, was über mir, neben mir, unter mir ist,
rätselhaft und ungerührt über mich lächelt,
über mein hoffnungslosestes Müh'n.
Wind zu haschen,
Vergangenes zurückzugewinnen.

Auge und Seele wird böse.
Ich hasse, was ich sehe,
ich hasse, was mich bewegt,
ich hasse alles Lebendige und Schöne,
was mir Entgelt des Verlorenen sein will.
Mein Leben will ich, mein eigenes Leben fordr' ich zurück,
Meine Vergangenheit,
dich. Dich – eine Träne schießt mir ins Auge,
daß ich unter Schleiern der Tränen
dein ganzes Bild,
dich ganz
wiedergewinne?
Aber ich will nicht weinen.
Tränen helfen nur Starken,
Schwache machen sie krank.

Müde erreich ich den Abend,
willkommen ist mir das Lager,
das mir Vergessen verheißt,
wenn mir Besitzen versagt ist.
Nacht, lösche aus, was trennt, schenke mir volles Vergessen,
sei mir wohltätig, Nacht, übe dein mildes Amt,
dir vertrau ich mich an.
Aber die Nacht ist weise und mächtig,
weiser als ich und mächtiger als der Tag.
Was keine irdische Kraft vermag,
woran Gedanken und Sinne, Trotz und Tränen versagen müssen,
das schüttet die Nacht aus reiner Fülle über mir aus.
Unversehrt von feindseliger Zeit,
rein, frei und ganz,
bringt dich der Traum zu mir,
dich, Vergangenes, dich, mein Leben,
dich, den gestrigen Tag, die gestrige Stunde.

Über deiner Nähe erwache ich mitten in tiefer Nacht
und erschrecke –
bist du mir wieder verloren? such ich dich ewig vergeblich,
dich, meine Vergangenheit?
Ich strecke die Hände aus
und bete – –
und ich erfahre das Neue:
Vergangenes kehrt dir zurück
als deines Lebens lebendigstes Stück
durch Dank und durch Reue.
Fass' im Vergangenen Gottes Vergebung und Güte,
bete, daß Gott dich heut und morgen behüte.

Es war später Abend am Osterdienstag, dem 3. April 1945. Vom Westen her grollten die amerikanischen Geschütze. Ein unförmiger, geschlossener Holzgaser rollte aus den Toren von Buchenwald in die Nacht hinaus. Im Wagen türmten sich vorn die Holzstücke für den Generator. Dahinter mühten sich sechzehn Gefangene mitsamt ihrem immer noch vorhandenen Gepäck in einem Raum unterzukommen, der höchstens für acht Menschen berechnet war. Wem nicht gut war, der fand Erholung auf den zusammengelegten Händen der Kameraden. Josef Müller, Hauptmann Gehre, die Generäle v. Falkenhausen und v. Rabenau (mit ihm hatte Dietrich Bonhoeffer die letzten zwei Monate die Zelle geteilt und manches Schachspiel ausgetragen), Staatssekretär Pünder und Wassili Kokorin, der Neffe Molotows, Flieger wie der Engländer Hugh Falconer, Payne Best, von Petersdorff und andere – die ganze prominente Besatzung des fensterlosen Kellerbunkers im Lager Buchenwald. Alle Stunde hielt das Fahrzeug, die Züge des Generators mußten gereinigt werden. Drinnen gab es kein Licht, nichts zu essen und zu trinken. Bonhoeffer fand in seinen Schätzen noch eine Tabakration und ließ sie die Runde machen. Mit dem Morgengrauen nahmen die Holzstücke ab. Zwei der Gefangenen konnten jetzt immer abwechselnd an der Türluke stehen. Jemand erkannte ein Dorf. Die Richtung war nicht erfreulich. Sie war deutlich südöstlich. Dort gab es ein anderes Lager. Die Wageninsassen kannten seinen Namen und seine Bestimmung: Flossenbürg. Aber die Wächter hatten jetzt sogar ein Frühstück bereit.

Gegen Mittag, Mittwoch in der Osterwoche, erreichten sie Weiden. Hier mußte es sich entscheiden, ob jetzt links abgebogen würde in das schmale Tal nach Flossenbürg hinauf. Man hielt. Draußen gab es einen Wortwechsel: »Weiterfahren, können euch nicht behalten... zu voll!« Und wirklich setzte sich der Gaser wieder in Bewegung – geradeaus, nach Süden. Also doch nicht Vernichtungslager? Aber wenige Kilometer später winkten zwei Polizeifahrer zum Stoppen. Ge-

genorder? Müller und Liedig, der Fregattenkapitän, wurden herausgerufen, ihre Sachen aus dem Gepäckhaufen hinten herausgerissen. Dietrich Bonhoeffer beugte sich zurück, um nicht gesehen zu werden. Gehre jedoch, der Unglückliche mit seiner schwarzen Augenbinde, sprang nach; er hatte mit Müller die Zelle geteilt. – Josef Müller würde entkommen, aber Gehre mit Bonhoeffer am 9. April das Schicksal von Flossenbürg teilen. – Endlich ruckte es wieder an, doch die Bedrücktheit wollte in dem geräumiger gewordenen Kasten nicht weichen. Aber nun, da Flossenbürg hinter ihnen lag, wurden die Wächter gelöster und freundlicher. An einem Bauernhaus ließen sie die Anbefohlenen aussteigen. Freie Luft nach so vielen Monaten Kellerhaft! Die Männer durften an die Pumpe im Hof heran, eine Bauersfrau brachte einen Krug Milch und Roggenbrot. Es wurde ein schöner heller Nachmittag das Nabtal hinunter.

In der Dämmerung fuhr der Wagen in Regensburg ein. Auch hier Überfüllung. Schließlich öffnete sich die Tür, und die Männer wurden in das Gerichtsgefängnis hineinkommandiert. Wenn es zu schroff herging, verbaten sie sich den Ton. »Schon wieder Aristokraten«, meinte einer der Wächter. »Hinauf zu den anderen im 2. Stock.« Dort lagen und liefen auf den Gängen die vorher eingetroffenen Sippenhäftlinge: die Familien Goerdeler, Stauffenberg, Halder, Hassell, alt und jung. Die Angekommenen mußten zu fünft in die Einzelzellen; aber jeder suchte sich aus, mit wem er sich einschließen ließ. Mit Bonhoeffer lagen nun von Rabenau, Pünder, von Falkenhausen und Dr. Höppner, der Bruder des Generals, zusammen. Die Küchen waren schon geschlossen; aber die Häftlinge lärmten so lange, bis ein verschüchterter Wächter tatsächlich noch eine Gemüsesuppe auftrieb und zusammen mit einem Stück Brot verteilte.

Als am Morgen des Donnerstags dieser Osterwoche die Türen zum Waschen geöffnet wurden, gab es auf den Korridoren ein großes Erkennen, Vorstellen und Austauschen. Best erzählt, es habe mehr einem großen Empfang geglichen als einem Morgen im Gefängnis. Hilflos versuchten die Wächter, die Männer wieder in ihre Zellen zurückzudirigieren. Schließlich brachte man das Essen in die Zellen, und allmählich saßen die »Fälle« wieder hinter den Riegeln. Bonhoeffer verbrachte die meiste Zeit an dem kleinen Schieber der Zellentür und berichtete den verschiedenen Angehörigen, was er von seinen Mithäftlingen in der Prinz-Albrecht-Straße wußte, wo er bis zum 7. Februar gesessen und u. a. manche Gespräche mit Böhm, Schlabrendorff und Hans von Dohnanyi geführt hatte. Frau Goerdeler konnte er von den letzten Wochen ihres Mannes erzählen, auch wie er diesem von dem reichlichen Weihnachtspaket hatte abgeben können, das der Kommissar Sonderegger von Bonhoeffers Eltern angenommen hatte. Bonhoeffer war guter Dinge und meinte, daß er der schlimmsten Gefahrenzone entronnen sei. Die Sorge um die Eltern und um die Verlobte konnte ihm freilich niemand nehmen oder zerstreuen. Ein Fliegeralarm unterbrach die Gespräche; aber nachdem alle im Keller gewesen waren, wiederholte sich das Spiel des Morgens. – Draußen lag der Rangierbahnhof, ein Gewirr von geknäulten Schienen, Lokomotiven und Wagen.

Mit der sinkenden Sonne wurde es ruhiger, und Müdigkeit nahm überhand. Aber jetzt kam wieder einer der Buchenwald-Wächter und holte die Männer hinunter in den wohlbekannten Holzgaser, hinein in eine rauhe, regnerische Nacht. In guter Stimmung ging es los, an der Donau entlang. Doch nach wenigen Kilometern schleuderte der Wagen und stand still. Falconer als Fachmann mußte bestätigen, daß die Lenkung hoffnungslos zerbrochen war. Das war hier auf der Straße nicht zu beheben. Man mußte auf Passanten vertrauen, ob sie von der Polizei in Regensburg aus einen Ersatzwagen bestellen würden oder nicht. Mit ihren Maschinenpistolen fühlten sich die Wächter nicht sehr wohl zwischen den ausgebrannten Autos am Rande der ungedeckten Chaussee. Der Regen trommelte zunehmend auf das Verließ.

Endlich, im Morgenlicht des 6. April, Freitag der Osterwoche, ließen die Wächter ihre Schützlinge heraus, damit sie sich die Beine vertreten und sich etwas aufwärmen konnten. Mittags endlich erschien aus Regensburg ein ungewohnt schöner Autobus mit großen heilen Fenstern. Die Habseligkeiten wurden umgeladen. Bonhoeffer hatte immer noch eine Reihe seiner geliebten Bücher bei sich, die Bibel, Goethe, den Plutarch. Die schon ganz menschlich gewordenen

Buchenwald-Wächter mußten bei dem Wrack zurückbleiben, zehn neue Leute des SD übernahmen mit ihren Maschinenpistolen den Transport. Aber es war dennoch ein neuer Genuß, an den großen Fenstern durch das liebliche Land zu fahren, von der Donau herauf, am Kloster Metten vorbei in Stifters Bayerischen Wald hinein. Den Dorfmädchen, die mitgenommen werden wollten, erzählte der Fahrer, die Gruppe in dem feinen Omnibus sei eine Filmgesellschaft zur Aufnahme eines Propagandafilms. Aus einem Bauernhaus holten sich die SS-Männer eine Mütze voll Eier, aber nur für ihre eigene Verpflegung.

Am frühen Nachmittag war das Ziel erreicht: Schönberg unterhalb Zwiesel, ein hübsches Dorf mitten im Wald. An der Dorfschule begann das Ausladen; die Sippenhäftlinge waren schon da. Die Gruppe der »Fälle« kam in den ersten Stock, in einen hellen Schulsaal mit Fenstern nach drei Seiten in das grüne Bergtal hinaus. Hier standen richtige Betten mit farbigen Decken. Zwar blieb die Tür verschlossen, aber es war nun sonnig und warm, und Bonhoeffer saß lange im offenen Fenster und ließ sich bescheinen, plauderte mit Pünder, lernte Russisch mit Kokorin und erzählte diesem vom Wesen des christlichen Glaubens. Alles war angeregt von der neuen schönen Umgebung, man lachte und schrieb feierlich seinen Namen über die Betten. Nur die Verpflegungsfrage war nicht gelöst. Beschwerden stießen auf die sicher nicht unrichtige Erklärung, der Ort sei überfüllt mit Flüchtlingen von Ost und West; ein Fahrzeug zum Herbeischaffen von Lebensmitteln sei nicht aufzutreiben und das Benzin erst recht nicht. Freilich gab es später Benzin und Fahrzeuge für andere Zwecke. Schließlich gelang aber über die freieren Sippenhäftlinge ein Kontakt zu mitleidigen Dorfbewohnern, und es gab sogar einmal eine große Schüssel mit dampfenden Pellkartoffeln und am anderen Tag einen Kartoffelsalat.

Der Sonnabend war ein schöner Tag für alle. Er begann mit der Sensation, daß Best in seinem Gepäck noch den elektrischen Rasierapparat fand und jeder der Männer am Steckkontakt sein Wohlbefinden auf luxuriöse Weise verbessern konnte. Die Gespräche bewegten sich von Moskau über Berlin nach London und zurück. Sprachunterricht, Ausruhen und Sonnen und das Warten auf irgendeine gute Lösung dieser unwirklichen Situation füllten den Tag. Der ungewohnt weite Raum ließ ganze Spaziergänge zu. Jeder nahm an, daß es in der allgemeinen Verwirrung keine großen Gerichtsverfahren mehr geben könne. Ein festes Band verband die Angehörigen der feindlichen Nationen in diesem Raum – ohne Mißtrauen und mit viel Humor.

Inzwischen arbeitete anderswo aber die Maschinerie noch exakt und war sogar imstande, bereits unterlaufene gnädige Fehler unbarmherzig zu korrigieren.

An jenem Freitag nach Ostern fuhr der SS-Standartenführer und Regierungsdirektor Walter Huppenkothen aus dem KZ Sachsenhausen nachmittags wieder nach Berlin zurück. Zusammen mit dem KZ-Kommandanten hatte er eben in einem flüchtigen Standgericht den halb besinnungslos auf einer Bahre liegenden Dohnanyi, den Schwager Dietrich Bonhoeffers, zum Tode verurteilen lassen. Am Tage davor war in Berlin nach der Mittagsbesprechung bei Hitler der ganze Plan in Gang gesetzt, wer aus der Widerstandsprominenz zu erledigen und wer weiter nach Süden zu befördern sei. Am Tage danach befand sich Huppenkothen schon wieder auf dem Weg nach Süden, mit Benzin, vielen Koffern, wichtigen Akten und dem Tagebuch des Admirals Canaris. Er kam noch am gleichen Tage im KZ Flossenbürg an, um sofort die Vorbereitungen eines summarischen Standgerichts aufzunehmen. Als Vorsitzender war am 5. April der SS-Richter Dr. Otto Thorbeck aus Nürnberg bestellt worden. Dieser fuhr am Sonntagmorgen mit einem Güterzug bis nach Weiden und quälte sich die restlichen 20 km mit einem Fahrrad nach Flossenbürg hinauf, seiner Aufgabe entgegen. Im KZ selber wurde geprüft, ob alles bereit sei, den Schlußakt an Canaris, Oster, Sack, Strünk, Gehre und Bonhoeffer zu beginnen. Jedoch die Anwesenheitsmeldung stimmte nicht. Wo steckte Bonhoeffer? Man riß in der Nacht zum Sonntag in mehreren Zellen die Tür auf, um nachzufragen, ob der Insasse nicht vielleicht doch der von Buchenwald überstellte Bonhoeffer sei. Schlabrendorff wurde zweimal angeschrien: »Sie sind doch Bonhoeffer«, Josef Müller und Liedig ebenso. Er war also nicht da. So mußte er in dem Transport nach Süden steckengeblieben sein. Was tat es. In dieser Organisation funktionierten noch der Wagenpark und die Benzinversorgung. Es war noch ein ganzer Sonntag Zeit, den beinah 200 km langen Berg- und Talweg nach Schönberg hin und zurück zu machen.

In Schönberg beging man den Weißen Sonntag auch in der Schule. Pünder hatte den Einfall, Bonhoeffer um eine Morgenandacht zu bitten. Aber dieser wollte nicht. Die Mehrzahl der Kameraden war katholisch. Und da war der junge Kokorin, dem Bonhoeffer nahegekommen war – er hatte mit ihm die Berliner Anschrift gegen die Moskauer ausgetauscht – und den er wohl nicht mit einem Gottesdienst überfallen wollte. Dann aber war Kokorin dafür, und so hielt Bonhoeffer denn auf allgemeinen Wunsch eine Andacht. Er las die Texte des Quasimodogeniti, sprach Gebete und legte seinen Kameraden die Losung des Tages aus: »Durch seine Wunden sind wir geheilt« (Jes. 53, 5) und »Gelobet sei Gott und der Vater unseres Herrn Jesu Christi, der uns nach seiner großen Barmherzigkeit wiedergeboren hat zu einer lebendigen Hoffnung durch die Auferstehung Jesu Christi von den Toten« (1. Petr. 1, 3). Er sprach von den Gedanken und den Entschlüssen, die diese gemeinsame turbulente Gefangenschaft allen gebracht hatte. Nach dem Gottesdienst planten die Sippenhäftlinge, Bonhoeffer in ihren Saal herüberzuschmuggeln, um dort auch eine Andacht zu haben. Aber es dauerte nicht lange, bis die Tür aufgerissen wurde und zwei Zivilisten riefen: »Gefangener Bonhoeffer, fertigmachen und mitkommen.«

Bonhoeffer konnte noch seine Sachen zusammensuchen. Mit einem schlechten Bleistift drückte er in übergroßen Buchstaben seinen Namen mit der Anschrift vorn, hinten und in der Mitte des Plutarch. So ließ er ihn liegen, damit dieses Buch im späteren Chaos eine Spur zeigen möchte. Einer der Söhne Goerdelers hat das Buch an sich genommen und nach Jahren als das letzte vorhandene Lebenszeichen der Familie Bonhoeffer übergeben. Es war derselbe Plutarch, den Dietrich Bonhoeffer im letzten Brief vom 17. Januar 1945 aus der Prinz-Albrecht-Straße erbeten und den er wirklich zu seinem Geburtstag am 4. Februar durch den Kommissar Sonderegger bekommen hatte.

Payne Best sagte er noch besondere Grüße an den Bischof von Chichester, wenn er seine Heimat erreichen sollte. »Das ist das Ende – für mich der Beginn des Lebens« waren die letzten Worte, die uns Best überlieferte. Eilig lief er die Treppe hinunter und nahm noch einen Abschiedsgruß Frau Goerdelers mit.

Die Fahrt an diesem Sonntag muß bis in den späten Abend gedauert haben. Das Standgericht, Thorbeck als Vorsitzender, Huppenkothen als Anklagevertreter und der Lagerkommandant als Beisitzer, behauptet, ausführlich getagt zu haben. Jeden einzelnen hätten sie vernommen und auch noch gegenübergestellt: Canaris und Oster, Sack, den Heeresrichter, der Perels in Berlin seinerzeit so viel geholfen hatte, Strünk und Gehre und endlich auch Dietrich Bonhoeffer. Nach Mitternacht signalisierte Canaris durch Klopfzeichen, als er nach längerer Abwesenheit in seine Zelle zurückkehrte, seinem Zellennachbarn, dem überlebenden dänischen Oberst Lundig, daß es mit ihm zu Ende gehe.

Noch vor Morgengrauen verließ Flossenbürg der erste Transport von solchen, die der geheimnisvollen Karawane in die Alpen angeschlossen wurden: Schacht, Halder, von Bonin, Familie Schuschnigg, General Thomas. Der Kommandant der Prinz-Albrecht-Straße, Gogalla, leitete diesen Transport und trug die Geheime Reichssache bei sich, in der stand, welche Häftlinge nun besser zu behandeln seien und überleben sollten. Unterwegs hielt der Wagen in Schönberg und lud unter anderen dazu von Falkenhausen, Kokorin, Best, Falconer. In Dachau gehörte zu den Ausgesuchten auch Martin Niemöller.

In Flossenbürg aber vollzog sich in der grauen Dämmerung dieses Montags, 9. April, die Hinrichtung derer, die unter keinen Umständen überleben sollten. Der Lagerarzt sah Bonhoeffer in der Vorbereitungszelle knien und inbrünstig beten. Die Bibel und einen Band Goethe hat Philipp von Hessen später in seiner Zelle gehabt und Dietrich Bonhoeffers Namen darin gelesen. Am gleichen Tag hat man in Sachsenhausen den Schwager Hans von Dohnanyi umgebracht.

Der die Sünde straft und gern vergibt,
Gott, ich habe dieses Volk geliebt.
Daß ich seine Schmach und Lasten trug
und sein Heil geschaut – das ist genug.
Halte, fasse mich! Mir sinkt der Stab,
treuer Gott, bereite mir mein Grab.

Aus dem Gedicht: Der Tod des Mose (Gesammelte Schriften, Band 4)

Dietrich Bonhoeffer

Widerstand und Ergebung. Neuausgabe

Briefe und Aufzeichnungen aus der Haft
Herausgegeben von E. Bethge. 468 Seiten

Diese Neuausgabe enthält nicht nur eine viel vollständigere
Wiedergabe der Briefe Bonhoeffers, sondern gibt auch Einblick
in die Briefe seiner Partner. So wird die jeweilige Resonanz und
Antwort im Gedankenaustausch erstmals dargeboten. »Etwas
anderes, neues ist aus ›Widerstand und Ergebung‹ geworden:
ein privates Documentarium mit zeitgeschichtlicher Relevanz,
ein Scenarium des Geistes und der Menschlichkeit.«

(Luth. Monatshefte)

Eberhard Bethge

Dietrich Bonhoeffer

Theologe · Christ · Zeitgenosse · Eine Biographie
*1104 Seiten Text, 20 Seiten Abbildungen, 32seitiges Beiheft
mit Übersetzungen. 4. Auflage*

Eine der großen bleibenden Biographien unseres Jahrhunderts,
ein unersetzliches Buch für jeden, der wissen will, was ein
ernstgenommenes Christentum in unserer gegenwärtigen
Welt neu und überraschend bedeuten kann.

Professor Helmut Gollwitzer in »Der Spiegel«

Bonhoeffer als Seelsorger: *Bonhoeffer Brevier.* Zusammengestellt und herausgegeben von Otto Dudzus, 528 Seiten, 4. Auflage / *Treue der Welt.* Meditationen. Ausgewählt und einge-
führt von Otto Dudzus, 72 Seiten, 2. Auflage.

Begegnungen mit Dietrich Bonhoeffer

*Herausgegeben von Wolf-Dieter Zimmermann.
4. Auflage. 232 Seiten*

CHR. KAISER VERLAG MÜNCHEN

Dietrich Bonhoeffer

Fragmente aus Tegel

Drama und Roman
Herausgegeben und eingeleitet von E. u. R. Bethge. Mit einem
Nachwort von Ruth Zerner. 252 Seiten

Die Edition von Dietrich Bonhoeffers schriftlichem Nachlaß
findet mit der Veröffentlichung der größeren literarischen Arbeiten aus der Tegeler Haftzeit ihren Abschluß. Sowohl in dem
Dramen-, als auch im Romanfragment ist Bonhoeffers eigene
Geschichte, so wie er sie selbst sah, zu entdecken.

Dietrich Bonhoeffer

Gemeinsames Leben

Mit einem Nachwort von Eberhard Bethge. 16. Auflage,
112 Seiten. Kt. (Lese-Zeichen). DM 5,80 (Ln. DM 15,–)

Dietrich Bonhoeffer

Von guten Mächten

Gebete und Gedichte
Interpretiert von Johann Christoph Hampe
(Kaiser Traktate 20). 84 Seiten

Hier sind die Gedichte und Gebete zusammengefaßt, die Bonhoeffer zumeist in der Tegeler Zelle, zuallererst im Kerker des
Reichssicherheitshauptamtes, also kurz vor seiner Hinrichtung 1945, verfaßt hat.

Dietrich Bonhoeffer

Gesammelte Schriften in sechs Bänden

Herausgegeben von Eberhard Bethge
(Prospekt bitte beim Verlag anfordern)

CHR. KAISER VERLAG MÜNCHEN

Bonhoeffer
Werkausgabe

Bonhoeffer-Kassette
GTB Siebenstern 153
Bonhoeffer-Auswahl in 4 Bänden mit
einer Einführung von Otto Dudzus, 760 Seiten.
Kassettenvorzugspreis 24,80 DM

Gütersloher
Verlagshaus
Gerd Mohn